Éloges pour *Ces expériences qui vous hantent*

« Bien que nous n'ayons aucun lien de parenté, Michelle Belanger et moi avons bien plus en commun que le nom de famille. Nous partageons une passion pour l'inexplicable, le paranormal et le spirituel. *Ces expériences qui vous hantent* vous fera découvrir les coulisses de la vie de Michelle, et vous montrera comment est née cette auteure de l'occulte, chercheuse et médium malgré elle. Michelle entraîne ses lecteurs dans une aventure excitante et ésotérique en se remémorant l'éducation qu'elle a reçue et les nombreuses expériences qui ont marqué en profondeur sa vie et son œuvre. »

— Jeff Belanger, auteur de *Our Haunted Lives* et fondateur de Ghostvillage.com

« Entrez dans un monde où les âmes égarées et les anges de la mort, les êtres de l'ombre et des enveloppes sans âme dérivent sur des courants d'énergie. Vous serez fascinés par le compte rendu palpitant que fait Michelle Belanger de sa vie hantée ; les cheveux vous en dresseront sur la tête. »

— Annie Wilder, auteure de *La maison aux esprits et aux murmures*

CES EXPÉRIENCES QUI VOUS HANTENT

RENCONTRES AVEC L'AU-DELÀ

MICHELLE BELANGER

Traduit de l'anglais par
Laurette Therrien

Éditeur : François Doucet
Traduction : Laurette Therrien
Révision linguistique : Féminin Pluriel
Correction d'épreuves : Stéphanie Archambault, Nancy Coulombe
Montage de la couverture : Matthieu Fortin
Photo de la couverture : © Thinkstock
Mise en pages : Matthieu Fortin
ISBN Papier 978-2-89667-196-0
ISBN Numérique 978-2-89683-004-6
Première impression : 2010
Dépôt légal : 2010
Bibliothèque et Archives nationales du Québec
Bibliothèque Nationale du Canada

Éditions AdA Inc.
1385, boul. Lionel-Boulet
Varennes, Québec, Canada, J3X 1P7
Téléphone : 450-929-0296
Télécopieur : 450-929-0220
www.ada-inc.com
info@ada-inc.com

Diffusion

Canada :	Éditions AdA Inc.
France :	D.G. Diffusion Z.I. des Bogues 31750 Escalquens — France Téléphone : 05.61.00.09.99
Suisse :	Transat — 23.42.77.40
Belgique :	D.G. Diffusion — 05.61.00.09.99

Imprimé au Canada

Participation de la SODEC. SODEC
Nous reconnaissons l'aide financière du gouvernement du Canada par l'entremise du Programme d'aide au développement de l'industrie de l'édition (PADIÉ) pour nos activités d'édition.
Gouvernement du Québec — Programme de crédit d'impôt pour l'édition de livres — Gestion SODEC.

Table des matières

Histoires d'une médium réfractaire

Quand j'étais petite, ma mère et ses sœurs me racontaient des histoires d'adultes qui vivaient dans une maison hantée à Lakewood, dans l'Ohio. Ces gens habitaient une vieille maison victorienne, sur Cohassett Avenue, et le coin le plus hanté de la maison était le grenier, où la plupart avaient leur chambre. Je me rappelle avoir entendu parler d'un fauteuil à bascule qui se balançait tout seul, d'airs fredonnés dans la nuit par des fantômes, et même d'un esprit espiègle qui jouait à chat et dont le toucher était froid et spectral. Sans doute exagéraient-elles certaines de ces histoires, pour le plaisir de mes jeunes oreilles, mais j'ai grandi, et jamais ma mère et au moins une de ses sœurs n'ont changé quoi que ce soit à leur version. À ce moment-là, j'avais déjà rencontré moi-même des fantômes, si bien que ces histoires de revenants étaient devenues une tradition dans la famille Belanger.

Ce serait facile, à partir de ces quelques souvenirs, de peindre une image idéale de mon enfance, pour vous raconter une époque familiale où les capacités psychiques et les phénomènes paranormaux étaient accueillis à bras ouverts et sans la moindre réserve. Mais la réalité n'est jamais aussi simple, ni aussi idéale. Même si bon nombre de mes proches avaient déjà vu des fantômes et vécu des expériences psychiques, plusieurs d'entre eux étaient également de bons catholiques, et ils ne savaient pas trop comment interpréter ces expériences, dans le contexte de leur foi. D'autres hésitaient à parler de leurs rencontres d'un autre monde, ailleurs que derrière des portes closes. Si ces histoires arrivaient aux oreilles de quelqu'un avec qui ils ne se sentaient pas totalement en confiance, il ne leur restait alors d'autre choix que de tout nier. Personne ne se sentait plus coupable de ces comportements que ma grand-mère maternelle, qui est aussi la femme qui m'a élevée à partir de l'âge de cinq ans.

Ma grand-mère était une femme compliquée. S'il me fallait résumer sa personnalité ambivalente en une seule phrase, ce serait : « Qu'est-ce que les gens vont penser ? » Bien qu'elle évitât tout contact avec des gens qui ne faisaient pas partie pas de sa famille, elle n'en était pas moins obsédée par les opinions des étrangers. Dans son monde, ils formaient un pouvoir nébuleux, mais néanmoins puissant ; des masses nuisibles aux regards indiscrets, à qui il valait mieux cacher toutes nos bizarreries et excentricités. Et pour elle, une des grandes bizarreries qu'il fallait à tout prix cacher, c'était l'habileté psychique.

Grand-maman avait des opinions bien arrêtées en ce qui concernait les capacités psychiques, et je dois dire que ses opinions suivaient une drôle de logique. D'un côté, elle croyait aux pouvoirs extrasensoriels. Elle a même avancé, plus d'une fois, que les individus doués de tels pouvoirs représentent la prochaine étape logique dans l'évolution de l'humanité. Malgré cela, il lui arrivait aussi de s'indigner, lorsqu'il était question de ces mêmes pouvoirs. Elle était elle-même médium, mais elle avait beaucoup prié, dans son enfance, pour que ce don lui soit enlevé. Ce pouvoir l'effrayait, et elle le trouvait lourd à porter. Considérant le fait que ses premières expériences saisissantes impliquaient, pour la plupart, des rêves qui prédisaient morts et désastres, on comprend facilement qu'elle ait été effrayée par ses dons de médium. Pourtant, sa peur n'était jamais assez grande pour l'éloigner complètement de ces phénomènes surnaturels. Elle garda un réel intérêt pour le paranormal, tout au long de sa vie adulte. C'était à contrecoeur qu'elle lisait des essais où il était question de phénomènes paranormaux (à ses yeux, c'était mal de les étudier officiellement), mais pratiquement tous les livres de fiction qu'elle dévorait parlaient de médiums ou de revenants. Chaque fois que la télé diffusait une émission spéciale sur les fantômes ou les phénomènes psychiques, elle était rivée à l'écran, et, lorsque nous nous retrouvions toutes les deux, tard le soir, observant les étoiles de la fenêtre de sa chambre, nos conversations tournaient souvent autour des expériences psychiques.

Je chérissais ces échanges nocturnes, mais j'en retirais un héritage ambivalent. Alors que, durant nos tête-à-tête, ma grand-mère s'ouvrait au point de me confier ses propres expériences, elle prenait la peine de me dire qu'elle se réservait le droit de tout nier, si je commettais l'indiscrétion de répéter nos conversations à qui que ce soit. Tout cela revenait inévitablement à cette phrase qu'elle répétait sans cesse : « Qu'est-ce que les gens pourraient penser ? » Je ne crois pas que grand-maman ait jamais douté être saine d'esprit, mais elle était parfaitement consciente que les autres en douteraient à sa place, si ses expériences arrivaient aux oreilles de trop de monde. Sa sœur, qui vivait avec nous, travaillait dans une institution psychiatrique et contribuait à renforcer les craintes de ma grand-mère. Les individus qui voyaient des choses, ou qui entendaient des voix dans leur tête, étaient enfermés et isolés dans des endroits où ils ne représenteraient pas un danger pour leurs semblables. Ma grand-mère ne voulait pas que cela lui arrive, pas plus qu'à moi. C'est pourquoi elle m'a enseigné que le silence, et non l'honnêteté, était la meilleure attitude à adopter.

Pendant que j'écrivais ce livre, je me suis rendu compte que les attitudes conflictuelles de ma grand-mère avaient laissé une marque indélébile sur plusieurs de mes premières expériences paranormales. J'avais été élevée sous le régime du secret et de la honte, mais en dépit de cela, l'objet de ce secret était souvent reconnu comme une chose pertinente et réelle. En fin de compte, ces messages contradictoires ont nourri en moi un terrible sentiment de méfiance. D'un côté, je n'osais pas me fier à mes propres perceptions, parce qu'en m'y fiant, je risquais d'ouvrir la porte au spectre menaçant de la folie. Par conséquent, je vérifiais et revérifiais mes propres expériences deux, trois fois, m'efforçant de déterminer si telle impression était bel et bien psychique, ou si je pouvais l'expliquer par la simple psychologie. Il m'arrivait, en dépit de toutes les preuves accumulées, de m'accrocher au doute, uniquement parce que cela paraissait plus sain que d'accepter d'y croire.

D'un autre côté, j'avais du mal à faire confiance aux autres en leur racontant mes expériences telles quelles. Comme ma grand-mère, je ne voulais pas que l'on me juge, et à cause d'elle, j'étais certaine de connaître la teneur de ces jugements. J'avais ainsi divisé ma vie en compartiments, pour me protéger des préjugés. Si je m'ouvrais à quelqu'un, c'était sur une base individuelle et seulement étape par étape. Lorsque j'adhérais à un groupe social plus important, je me tenais en marge, les premières semaines, et je prenais le temps d'étudier les autres avant de m'impliquer davantage. C'était en quelque sorte une période d'essai durant laquelle je soupesais leurs croyances, afin de déterminer jusqu'à quel point ils seraient prêts à accepter l'idée du paranormal. Lorsque je m'étais fait une idée précise de ce qui était acceptable pour ces gens, chaque fois que j'avais affaire à eux, je dévoilais seulement la partie de ma vie qui, selon moi, ne les embarrasserait pas. Cela m'a amenée à me présenter comme rien de plus qu'une chercheuse de haut vol devant un groupe paranormal, alors que d'autres en savaient davantage sur mes expériences relatives aux fantômes, ou au travail énergétique.

Cela ressemble peut-être à de la dissimulation, mais dites-vous que tout le monde le fait, jusqu'à un certain point. Si vous avez un passe-temps qui vous tient à cœur, comme collectionner des timbres, et que vous allez dans un cinq à sept avec des collègues de bureau, je serais étonnée que vous leur parliez de timbres, toute la soirée. En fait, si vous vous mettiez à parler sans arrêt de ce passe-temps, il y a fort à parier que vos amis vous trouveront ennuyeux. C'est parce que les timbres ne sont pas une priorité chez la plupart des gens. Chaque fois que vous développez un intérêt pour un domaine, vous accédez à tout un monde de connaissances et d'expériences, parmi lesquelles la terminologie et le jargon sont difficilement traduisibles d'un groupe à l'autre. Voilà pourquoi nous créons des clubs réservés aux amateurs, et que nous participons à des colloques sur des sujets donnés. Nous appartenons tous à différents groupes, et c'est monnaie courante, pour chacun de nous, d'adapter notre langage, voire notre habillement, pour mieux correspondre à la nature et à la fonction propre à chacun de ces groupes.

C'est la même chose pour les croyances. En règle générale, on ne parle pas de fantômes avec nos collègues de bureau. Les fantômes ne font pas partie de ce monde, et le fait de vouloir en parler à tout prix pourrait être perçu comme une indiscrétion. Mais, si vous adoptez le point de vue de ma grand-mère, vous ne donnez pas non plus à vos collègues de raison de penser que vous pourriez ***souhaiter*** orienter la conversation sur des fantômes. Vous préférez cacher cette partie de votre vie, pour ne pas risquer que l'on s'en serve pour vous faire du mal. N'importe quel individu qui a été obligé de passer sa vie « dans le placard » comprendra ce que je veux dire.

Bizarrement, lorsque j'ai commencé l'écriture de ce livre, je n'avais pas vraiment réfléchi à tout cela. Je n'avais qu'un but : raconter quelques bonnes histoires de fantômes. Je voulais qu'elles soient amusantes et qu'elles vous donnent le frisson, mais bien sûr, qu'elles soient toutes véridiques. D'ailleurs, pour respecter leur authenticité, j'ai souvent été obligée de me remettre dans l'état d'esprit où j'étais, au moment où elles sont arrivées. Étant donné que cet ouvrage comporte des histoires qui couvrent pas moins de trente années de ma vie, je dois avouer que le défi était de taille. Mais si je l'ai relevé, tout du moins au début, c'était davantage pour la qualité des histoires elles-mêmes. Je voulais retrouver la voix de la personne que j'étais au moment de ces événements, afin que ces expériences paraissent plus réelles et immédiates pour le lecteur. Dans bien des cas, j'avais pris des notes, soit dans mon journal intime, soit dans mon carnet de bord, ce qui fait que ce retour aux sources, quinze ans après les faits, s'est avéré plus facile qu'exigeant.

Le pays inexploré

Le monde des esprits est l'inconnu suprême. Son mystère insondable a frustré et fasciné l'humanité, pendant des milliers d'années. Des religions entières ont été fondées, pour tenter de répondre à cette question obsédante : « Qu'advient-il de nous après la mort ? » Bien évidemment, les morts le savent, mais comment être sûrs qu'ils communiquent avec nous ? Nombreux sont ceux qui ne sont pas tout à fait convaincus qu'ils continuent d'exister, lorsque leur corps physique disparaît.

Mes premières expériences ne résultent pas d'une quelconque tentative de comprendre ces mystères plus grands que nature. Comme la majorité des gens qui vivent des expériences psychiques spontanées, je ne savais pas quoi penser de tout cela au début. Tout à porte à croire que j'aie rencontré au moins deux esprits avant l'âge de cinq ans, et c'est seulement longtemps après que j'ai compris qu'il s'agissait de fantômes. Il s'est avéré que l'un de ces esprits était une amie de ma mère, décédée avant ma naissance. En dépit de cela, je me rappelais qu'il lui arrivait de jouer avec moi lorsque ma mère était sortie. J'étais même capable d'en donner une description précise, même si je n'avais jamais vu aucune photographie de cette femme. Ma rencontre avec l'autre esprit que j'avais pris pour une personne en chair et en os a eu lieu à la bibliothèque municipale. Je raconte cette expérience dans le chapitre intitulé « La dame en bleu ». Dans ces deux premières expériences, je ne pouvais absolument pas faire la différence entre les esprits et les personnes vivantes. C'était comme si je les voyais physiquement, avec mes yeux, même si, en grandissant, j'ai rarement perçu les esprits d'une manière aussi trompeusement physique.

Comme j'ai perdu ce niveau très visuel de perception, je ne me suis jamais considérée comme un médium. Les médiums qui communiquent avec les esprits sont des gens comme mes amies Jackie Williams et Sarah Valade, à qui il arrive encore, à l'occasion, de prendre les morts pour des vivants. Jackie est artiste, et les esprits lui apparaissent avec la clarté et l'apparence physique de personnes en chair et en os, au point que quelques-uns d'entre eux lui ont déjà servi de modèles pour ses œuvres. Sarah a la capacité de voir les morts et de leur parler, depuis toute petite, et, comme Jackie, leurs fantômes lui apparaissent avec la même clarté visuelle que les vivants. Les dons de Sarah étaient si apparents, lorsqu'elle était enfant, que sa mère, qui ne s'intéressait pas le moins du monde aux phénomènes paranormaux, est quand même allée voir un médium de la région pour l'aider à enseigner à sa fille comment maîtriser ce don.

Comparées à la capacité de Sarah de dialoguer avec les esprits, et à celle de Jackie de les peindre, mes perceptions de ces êtres surnaturels me semblaient pour le moins nébuleuses. Mises à part ces deux premières expériences de l'enfance, je confonds rarement les esprits avec des personnes vivantes. Si je peux savoir qu'un esprit vient de pénétrer dans une pièce, ce n'est pas parce que je l'ai vu entrer avec mes yeux. À présent, toute l'information visuelle que je reçois semble provenir d'un œil intérieur, et encore, il semble qu'un détail visuel soit ce qui se rapproche le plus de ce dont mon cerveau est capable, pour traduire ses perceptions. Lorsque je communique avec les esprits, je ne converse pas vraiment avec eux, comme Sarah semble en mesure de le faire. Les voix des morts me parviennent tels des murmures ; je ne les entends pas avec mes oreilles, mais avec une sorte de faculté intérieure. Il se peut, par conséquent, que j'aie beaucoup de mal à affirmer avec certitude que la voix dans ma tête est bien celle d'un esprit, et non une des nombreuses voix de mon imagination fertile. Ce qui, bien sûr, nous ramène aux influences de ma petite enfance et au spectre de la folie.

Pourtant, en discutant de ces perceptions avec Jackie, tandis que je travaillais à l'écriture de ce livre, j'ai appris une chose fort intéressante. Comme je ne m'étais jamais considérée comme une médium, parce que je n'arrivais plus à voir des esprits, Jackie ne s'était jamais considérée comme une médium, parce qu'elle a souvent beaucoup de difficulté à *entendre* les esprits. Nous pensions toutes les deux que nos habiletés étaient différentes (ou moindres) de celles de Sarah, parce que Sarah pouvait entendre, voir et parfois même sentir les esprits, comme s'il s'agissait de personnes vivantes. Et pourtant, nous avions toutes les trois des impressions très nettes des esprits. En fait, nous étions simplement nées avec des facultés de perception légèrement différentes.

C'était comme une révélation, et cela m'a enseigné à quel point notre compréhension du monde des esprits est vague. Lorsqu'une personne vient au monde avec une capacité que les autres n'ont pas, cette personne est souvent perçue comme étant spéciale ou douée. Je crois qu'il est naturel de présumer que des êtres doués de telles facultés comprennent automatiquement le don dont ils ont hérité, mais — du moins en ce qui concerne les perceptions d'un autre monde — cette idée ne peut pas être plus éloignée de la vérité. Comme me l'ont confirmé mes conversations avec Sarah et Jackie, au début, aucune de nous trois n'avait une totale compréhension de son don. Chacune de nous a dû lutter, à différents degrés, entre doute et acceptation, et il nous a fallu travailler dur pour comprendre les règles régissant ces perceptions. Et comme si tout cela n'était pas déjà assez compliqué, il semblerait que ces règles diffèrent pour chacune d'entre nous, car la nature même de nos capacités de perception est différente.

Chercher à comprendre

Naître médium ne revient pas à venir au monde avec toutes les réponses. S'il y a déjà eu un manuel d'instruction pour certains de ces dons, il s'est égaré en chemin. J'ai observé le même univers mystérieux, qui a confondu l'humanité pendant des générations, et la seule chose qui me distingue de tous mes semblables, c'est qu'il m'arrive d'apercevoir des formes floues dans le noir. Le fait de voir ces formes imprécises pourrait peut-être m'aider à comprendre, mais ce n'est pas une garantie.

Même si je suis venue au monde avec un certain instinct, en ce qui a trait à l'usage et à la signification de mes dons, les circonstances de mon enfance m'ont amenée à me poser de sérieuses questions sur ce dernier. Comme vous le démontreront les histoires que je raconte dans ce livre, j'ai dû apprendre de la même manière que tout le monde : au fil d'expérimentations et d'expériences répétées. Cela m'a rassurée de réaliser que chacun de nous, sans égard à l'étendue de ses capacités psychiques, était soumis exactement au même processus d'apprentissage. Je sais que ma grand-mère a réussi à inhiber ma capacité à me fier à mes propres impressions, ce qui fait que j'ai dû mettre un peu plus d'entrain dans mes expériences. Je ne l'ai pas toujours fait avec les meilleures intentions, ou avec beaucoup de jugeote, mais en fin de compte, j'ai appris autant de mes échecs que de mes succès.

L'endroit où se passent la plupart de mes expériences est important, et dans ce recueil, il devient presque un personnage en soi. Il me sert de point de départ, et sert souvent à remettre en contexte mes comportements et les attitudes des gens qui m'entourent. Les histoires de ce recueil auraient été radicalement différentes si elles s'étaient passées en Chine, ou même en Californie. Dans chaque région du globe, les cultures et les attitudes vis-à-vis du paranormal diffèrent. Les gens de la Côte Ouest ont tendance à être plus ouverts d'esprit que les habitants de l'impassible Midwest américain. Par conséquent, les forêts silencieuses et les petites villes vieillottes du nord-est de l'Ohio ont contribué à façonner mon paysage intérieur, autant que chacune de mes expériences avec ma grand-mère. Inévitablement, l'histoire et les attitudes de l'endroit que j'appelle chez moi ont influencé mes propres attitudes et croyances.

J'ai grandi dans l'Ohio, à Hinckley, un petit village entouré de parcs, de lacs et de forêts. Le centre-ville de Hinckley n'est rien de plus que la croisée de deux rues, avec quelques églises, des boutiques et un hôtel de ville planté à l'intersection. Même si de nouveaux développements domiciliaires ont poussé dans la ville, depuis que j'en suis partie, chaque fois que je passe par là, j'ai l'impression de revenir en arrière, à une époque plus simple et plus ancienne. Et, comme la plupart des petites villes américaines, Hinckley a ses excentricités. Chaque année, à la mi-mars, la municipalité fête le retour de l'urubu à tête rouge, un affreux charognard, et aucun de ses habitants ne trouve cela étrange. Pendant près de trente ans, la bibliothèque de la ville était située dans un bâtiment que tout le monde, ou presque, savait hanté, mais personne n'a jamais pris le temps de s'en inquiéter. C'était seulement un de ces trucs bizarres propres à Hinckley, un peu comme cet horrible charognard dont on célébrait le retour année après année. C'est à Hinckley que j'ai officiellement commencé mes expérimentations du monde paranormal, quand j'avais six ou sept ans, en dévorant tout ce que je pouvais lire sur les fantômes et les esprits, et en essayant de comprendre les lois qui régissaient cet univers invisible. Que j'aie commencé si jeune est sans doute aussi un détail très révélateur.

Le jour où j'ai délaissé les livres pour entrer dans le monde des recherches pratiques, j'ai commencé tout près de chez moi. La majorité de mes références me venaient de mes amis, et le nord-est de l'Ohio comptait de nombreux endroits qui avaient la réputation d'être hantés. Je n'irais pas jusqu'à dire que l'Ohio est un État particulièrement hanté, même si j'ai entendu plusieurs personnes affirmer qu'il l'est davantage que la majorité. Mais c'est là que j'ai débuté, et on ne peut que commencer par le commencement.

Ma quête de réponses, qui a commencé à Hinckley, a fini par m'attirer dans d'autres endroits : dans la Chicago aux larges épaules, dans le New York métropolitain, dans l'étouffante Nouvelle-Orléans. Au fil des années, et de tous les endroits où j'ai été témoin d'expériences, où d'autres me sont arrivées spontanément, j'ai appris d'importantes leçons : malgré toutes mes expériences, ma compréhension de ce phénomène sera toujours incomplète. Pour chacune des règles que je croyais connaître, concernant la nature des fantômes et des phénomènes surnaturels, il existe une expérience qui me prouve le contraire. Et, pour chaque expérience que je crois décoder, il y en a cinq qui me déroutent totalement.

Aujourd'hui encore, je ne sais pas trop ce que je dois penser des spectres mystérieux qui sont apparus à quelques-uns de mes amis, en 1996 et 1997. Je ne sais même pas si ces dates sont significatives. Il y a trop de variables et pas suffisamment de renseignements irréfutables. En plus de ces mystérieuses silhouettes fantomatiques, il y a la grande énigme d'un endroit que j'appelle Whitethorn Woods, dans le comté de Geauga. Deux années de suite, j'ai été entourée de nombreuses expériences en un si court laps de temps, que je cherche encore à comprendre ce qui a pu se produire. Et même si je peux avancer quelques théories, je ne trouverai sans doute jamais une réponse satisfaisante, en ce qui a trait à la nature des êtres qui errent dans ces forêts hantées.

Un mystère qui perdure

Il y a fort à parier que les règles qui gouvernent les interactions entre notre monde et le monde des esprits demeureront à jamais énigmatiques. C'est sans mentionner que l'univers du paranormal se situe bien au-delà des limites de toutes lois, et que nous sommes absolument incapables de comprendre les règles qui le gouvernent. Je veux dire par là que tout ce que nous pouvons capter se résume à de brefs aperçus du monde qui bouge à l'intérieur et au-delà du nôtre. Songez seulement à ceux qui possèdent un don naturel, et la capacité de percevoir les esprits ; leurs perceptions se manifestent de mille et une manières différentes. L'idée que nous nous faisons du monde des esprits semble demeurer à jamais changeante et incomplète.

Certains lieux hantés sont très prévisibles et compréhensibles. Quelqu'un meurt quelque part et, pour une raison ou une autre, nuit après nuit, son esprit erre et hante toutes les pièces de la maison. C'est sans doute l'idée la plus classique que l'on puisse se faire d'un lieu hanté, et elle est si omniprésente que je l'avais déjà intégrée quelque part dans mon enfance. Avouons-le, quand tout ce que l'on sait de ces phénomènes c'est que les fantômes hantent souvent les lieux où ils sont morts, l'image que l'on se fait de l'univers des esprits est totalement lacunaire. Dans la toute première histoire de ce recueil, je vous parle de l'esprit d'un jeune garçon, qui hantait ma chambre quand j'étais petite. Même si notre maison n'était pas très éloignée du lieu où il était mort, la vraie raison de sa manifestation chez moi avait davantage à voir avec la personne (en l'occurrence moi) qui pouvait le percevoir. Il se sentait seul.

Cet aspect émotionnel des esprits est un détail qui nous échappe souvent. Les fantômes ne sont pas des objets statiques qui restent attachés à un seul endroit. Certains phénomènes, dans le monde des esprits, sont rattachés à un lieu précis, mais ce ne sont pas ce que la plupart des gens définissent comme des fantômes. Si nous devons accepter l'idée que certains fantômes sont les esprits errants d'êtres humains décédés, on peut sensément présumer que ces esprits vont se comporter comme des êtres humains. Les êtres humains sont, par définition, inconstants, émotionnels et changeants. Ils vont d'un endroit à l'autre. Ils se lassent d'un groupe de personnes et le remplacent par un autre, cherchant à établir de nouveaux liens et à vivre de nouvelles expériences. Même si je souscris au principe où un esprit humain errant a tendance à rester un fantôme, tant qu'il n'a pas renoncé à ses affections terrestres, il n'y a pas de loi universelle voulant que l'esprit reste attaché à un endroit précis. Le lieu peut être un facteur, mais il y a sans contredit des esprits qui ne sont pas condamnés à demeurer toujours au même endroit. Ils peuvent se déplacer comme les vivants et, contrairement à eux, ils n'enverront pas d'avis officiel de changement d'adresse.

Cela nous amène à un autre aspect complexe et troublant du monde des esprits. Quand j'ai commencé à communiquer intentionnellement avec les esprits, je savais que les fantômes existaient. Les fantômes étaient les esprits des gens, et ils hantaient souvent des choses qui avaient eu de l'importance pour eux durant leur vie. C'était simple, charmant, clair et net. Puis, j'ai rencontré une chose qui, de toute évidence, n'était pas physique. J'ai eu l'intuition que c'était un fantôme ; cela n'avait toutefois rien à voir avec les humains. Ayant grandi dans la religion catholique, les seules autres entités invisibles dont j'avais entendu parler étaient les démons et les anges, mais cette chose ne ressemblait ni aux uns, ni aux autres. Alors, la question restait entière, de quoi pouvait-il bien s'agir?

Dans le cas de « La chose dans le vide sanitaire », l'esprit était un résidu, c'est-à-dire essentiellement une pile de débris psychiques qui finissent par former un amas, un peu comme une boule de poussière. Certains résidus sont comme des images cristallines d'un événement intense ou traumatique dissous dans le tissu de la réalité. D'autres sont des boules amorphes d'émotion refoulée qui flottent en quelque sorte dans l'atmosphère d'un lieu, émettant davantage de cette même émotion. Quelques-uns semblent animés d'une vie propre, mais pour la majorité, ce ne sont que des enveloppes qui dérivent sur des courants d'énergie.

À l'époque où j'ai rencontré mon premier résidu, j'étais convaincue que, quelque part en ce monde, il devait exister un livre où était répertoriée chaque espèce d'esprit qu'une personne est susceptible de rencontrer dans l'Au-delà. Depuis, j'ai étudié le folklore, les mythes et les religions d'une douzaine de cultures, englobant presque toute l'histoire connue. Mes études m'ont appris que plusieurs livres tentent de classer les esprits en catégories, mais qu'aucun de ces ouvrages n'est complet. Des gens de nombreuses cultures et de diverses époques ont essayé d'écrire ce livre, de cataloguer les noms et les espèces d'esprits que nous pourrions rencontrer en traversant le voile. Ici et là, malgré les langues et les noms qui diffèrent, il y a des éléments dont la ressemblance est saisissante. Puis, il y a une multitude d'autres entités qui semblent terriblement capricieuses et tout simplement incorrectes.

À l'époque médiévale, la réaction chrétienne a été de classifier tous les esprits comme des démons et de citer Marc 5,9, où il est écrit que leurs noms sont légion. Mais, si je me fie à mon expérience, cette interprétation aussi n'est que partiellement vraie. Si l'on définit les démons comme tout ce qui n'est pas un ange, ou un esprit humain qui est monté au ciel, c'est que la classification médiévale tient d'un détail technique. Mais si, par démons, nous considérons des entités totalement mauvaises dont l'existence même vise la corruption de l'humanité, alors cette théorie est boiteuse. Il y a des mauvais, comme des bons esprits. Il y a des esprits qui se situent quelque part entre les deux, dans les zones grises qui les séparent. Je crois que la seule chose que l'on puisse affirmer avec certitude, c'est que nous ne pouvons pas tout savoir sur ces esprits. C'est la réponse la plus frustrante qui soit, mais je me suis fait rappeler, encore et encore, que c'est la réponse qui s'applique le plus souvent à nos expériences paranormales.

Il y a toujours une exception qui confirme la règle, et presque toutes les hypothèses que j'ai avancées se sont avérées fausses, ou incomplètes. Et pourtant, aussi vaste et frustrant que puisse être ce champ d'études, chaque nouvelle rencontre signifie que j'apprends quelque chose que j'ignorais jusque-là. C'est d'ailleurs ce qui fait que je reviens toujours à la question des esprits. J'ignore s'il est possible de tout savoir du fonctionnement des choses après la mort. J'ignore si nous sommes censés comprendre ce genre de phénomènes lorsque nous quittons ce monde, mais c'est justement ce mystère qui rend cette question si fascinante. Il se peut qu'il ne nous reste plus rien à explorer dans notre monde physique, mais le monde des esprits est un immense territoire vierge, où nous pouvons retourner à notre gré, pour en rapporter chaque fois une nouvelle expérience, et y découvrir une nouvelle facette de cet univers mystérieux.

Je ne peux pas écrire le livre qui répertoriera tous les types d'esprits, en fournissant leurs noms, et ceux des mondes qu'ils hantent. Je ne m'y risquerais pas. Mais je peux vous offrir la carte de mon propre voyage. Ce voyage en révèle autant sur moi que sur l'univers du paranormal. Il montre tout ce que j'ignore, tout ce que j'ai appris, et combien de conceptions erronées j'ai dû abandonner en cours de route. Il révèle les cicatrices de mon enfance, dans la façon que j'ai, parfois, d'hésiter entre doute et croyance, même lorsque je suis plongée dans des expériences susceptibles de convaincre quiconque d'y croire. Plus que tout, il montre comment les expériences de l'univers des esprits ont eu une incidence dans mon expérience de notre monde vivant. Et, je pense, il révèle des vérités significatives sur chacun de ces mondes.

Jouer avec des objets morts

Planches aux esprits, planchettes Ouija, planchettes d'oracles… on ne cesse de nous mettre en garde et de nous conseiller de ne pas jouer avec ces objets dangereux. De nombreux spécialistes du paranormal nous disent que ce sont des portes d'entrée vers le monde du mal, que nous risquons d'être possédés, ou pire encore. Est-ce que les planchettes de Ouija attirent les esprits maléfiques ? Si l'on se fie aux scènes d'ouverture du film *l'Exorciste,* cela semble le cas. Et pourtant, combien d'entre nous, en particulier à l'adolescence, ont été tentés d'invoquer un parent mort, à l'aide d'une de ces planchettes ? Il se peut qu'une de vos amies en ait sorti une, pendant une soirée entre copines, et que vous vous soyez toutes retrouvées à jouer, frissonnantes, pour demander à la planche si l'une d'entre vous allait mourir, et quand, ou encore, si vous étiez d'humeur plus joyeuse, laquelle trouverait le grand amour avant toutes les autres.

J'ai joué avec des planchettes de Ouija, et je dois admettre que l'on ne devrait sans doute pas s'en servir comme s'il s'agissait de jouets, mais pas pour les fausses raisons qu'invoquent d'autres adeptes du paranormal. Je n'ai jamais découvert la porte des ténèbres menant aux enfers, en posant le doigt sur la goutte avec mes amies. J'ai cependant remarqué que la majorité des esprits qui répondaient à nos babillages étaient tout aussi fantasques que nous. Au fil de nos séances enjouées avec la planche de Ouija, j'ai appris très vite que « qui se ressemble s'assemble », lorsque l'on se hasarde à taquiner le monde des esprits. Lorsque ceux qui posent des questions à la planche sont là seulement pour provoquer quelques frissons gratuits, afin de rester réveillés toute la nuit, ils risquent fort d'attirer des esprits maléfiques et malicieux, trop heureux de satisfaire leurs attentes. Et si, pour ainsi dire, ces joueurs sont eux-mêmes des enfants qui tentent, par pure curiosité, de communiquer avec l'Au-delà, la voix qui répond peut aussi être celle d'un enfant.

J'étais en sixième année, lorsque j'ai commencé à m'amuser avec des jouets occultes, comme la planchette de Ouija. L'année précédente, j'avais étudié diverses méthodes, pour contacter les morts, et j'avais fabriqué moi-même ma planche. Avec beaucoup de soin et d'ingéniosité, j'avais tracé les deux rangées de lettres, comme sur l'illustration que j'avais vue. J'y avais ajouté *oui, non, allô* et *au revoir* dans les coins, sans oublier de mettre *peut-être* au milieu, juste au-dessus de la première rangée de l'alphabet. J'avais utilisé, en guise de goutte, une grosse tranche de géode, que j'avais polie pour la faire briller. J'avais acquis ce trésor au musée d'histoire naturelle, quelques années auparavant. Ce choix peut paraître étrange, mais c'était le résultat d'un après-midi d'expérimentations. À la fin, le morceau de géode était le seul élément m'appartenant qui glissait sans effort sur la surface lisse de l'affiche que j'avais utilisée pour créer ma planchette de Ouija. Elle était même légèrement en forme de cœur, si bien qu'il était très facile de voir sur quelle lettre elle pointait. De plus, la géode était juste assez grande pour que trois paires de jeunes mains tiennent en équilibre sur ses bords, pour permettre à la pierre de glisser dans la direction où elle voulait aller.

En sixième année, j'avais douze ans, ce qui peut paraître ridiculement jeune pour commencer à tenter de contacter les morts. Mais j'avais toujours été précoce, et dès le début, j'avais été attirée par l'univers paranormal. Née avec un sérieux défaut cardiaque, j'étais morte et revenue à la vie au moins une fois, avant l'âge de cinq ans. Sans doute cette expérience pouvait-elle expliquer mon affinité avec les esprits. À un âge aussi tendre, j'étais déjà passée de l'autre côté du miroir, et même si les médecins m'avaient ramenée à la vie, on peut facilement imaginer que quelque chose du monde des esprits me collait encore à la peau. Il se peut que la mort ne m'ait jamais complètement cernée, et que mes aptitudes soient le résultat de quelque état intermédiaire, dans lequel j'ai toujours évolué, avec un pied dans ce monde et l'autre dans un monde parallèle.

Je crois personnellement que c'est bien plus qu'une seule expérience de mort imminente qui a contribué à faire de moi ce que je suis, mais à la lumière des nombreuses études menées sur les expériences de vie après la mort, nous savons que l'expérience en soi suffit à changer une personne. Une telle proximité avec la mort laisse une marque indélébile qui, plutôt que d'anéantir une personne, semble ouvrir en elle une porte secrète. Même si je n'ai pas toujours compris sa nature et son sens, il semble que j'ai très souvent entrouvert cette porte, même lorsque j'étais un bébé.

À douze ans, je ne me contentais pas d'entrouvrir la porte. J'avais appris quelques informations à propos de cette porte ouverte sur un autre monde, sur le seuil de laquelle j'étais apparemment destinée à me tenir. À travers les livres, la télévision et même un professeur qui avait l'esprit très ouvert, j'ai glané suffisamment d'informations pour m'apercevoir que je voulais en apprendre davantage, que j'en avais besoin. Je voulais être capable de contrôler mes sensibilités, mais avant que cela ne soit possible, je savais qu'il était impératif de vraiment croire en mes dons. À l'âge de douze ans, il m'arrivait encore souvent de lutter contre cette croyance. Des choses arrivaient autour de moi, avec une régularité alarmante : dans la maison de mon enfance, les portes s'ouvraient et se refermaient souvent à leur propre gré. Les armoires de la cuisine restaient ouvertes, malgré les loquets qui auraient dû les garder fermées. Mon chien, Laddie, aboyait souvent dans le salon qui, selon toute vraisemblance, était habité par un intrus que lui seul pouvait voir.

Puis, il y avait le lustre. Cet été-là, il avait commencé, à tout bout de champ, à tourner lentement dans les airs, au-dessus de la table de la salle à manger. Vieux et jauni par la nicotine qui s'y était incrustée, à l'époque où mon grand-oncle fumait sans arrêt, le lustre n'était pas censé bouger tout seul, et pourtant il bougeait. Ma grand-mère qui, sans le moindre commentaire, ne se laissait pas démonter par les portes qui claquaient et les armoires qui restaient ouvertes, avait pris la même attitude flegmatique lorsque le lustre s'était mis à se comporter de façon aussi bizarre. Chaque fois que je m'aventurais à parler de l'étrange mouvement du lustre, la réaction de ma grand-mère était toujours la même. Terriblement blasée de l'activité paranormale qui l'entourait à cette époque de sa vie, elle attribuait cela au passage d'un camion dans la rue, vu que notre maison était située sur une rue passante. En grandissant, j'avais appris à ne jamais aller dans la rue, qui avait attiré et coûté la vie à un nombre incalculable d'animaux dans le voisinage. Des poids lourds de dix-huit roues transitaient par cette rue, à quatre-vingts kilomètres/heure, et même plus. Leur passage faisait si bien vibrer toutes nos fenêtres que, durant le petit tremblement de terre qu'il y a eu dans l'Ohio en 1986, nous n'avons pratiquement pas senti la différence.

Bien évidemment, le mouvement du lustre était un événement récent, un petit truc bizarre parmi d'autres qui s'étaient produits depuis que j'étais enfant, et dont je soupçonne aujourd'hui qu'ils étaient liés à l'approche de l'adolescence. Je n'ignore pas la recherche qui place les jeunes gens, à l'aube de la puberté, au centre de la majorité des activités impliquant des revenants. Et je dois dire qu'à douze ans, j'avais tout à fait le profil. Devant ma grand-mère, je continuais à dire que le lustre n'avait pas l'habitude de se balancer lentement en rond, chaque fois qu'un gros camion passait devant la maison, pas plus que cela n'avait du sens qu'il s'immobilise au milieu de son mouvement circulaire, pour ensuite reprendre son lent mouvement dans l'autre sens. Mais ma grand-mère m'avait dit d'arrêter d'en faire tout une histoire. J'ai fini par obéir, et le lustre qui tournait en rond n'a plus été qu'un détail dans le paysage de notre étrange maisonnée, pas plus remarquable que l'intrus que seul le chien semblait en mesure de voir.

Je voulais croire. On pourrait penser qu'il est facile d'avoir la foi, lorsqu'on est entourée de tant de phénomènes surnaturels. Pourtant, c'était tout le contraire. Les incidents qui survenaient dans la maison de mon enfance étaient tellement fréquents, qu'ils n'avaient même pas l'air étrange. Ce qui renforçait cette impression, c'était que ma grand-mère, qui avait été témoin de la grande majorité de ces bizarreries, restait imperturbable devant tous ces phénomènes. Quant à son frère, qui vivait avec nous, il se contentait d'attribuer au vent chacune de ces manifestations, que ce soient les portes ou les tiroirs qui s'ouvraient spontanément. Gros buveur à la retraite d'une aciérie, il se contentait d'ignorer le mouvement du lustre, lorsqu'il commençait à osciller au-dessus de sa tête. Dans son monde étroit d'esprit, de telles anomalies n'avaient pas lieu d'exister, et n'existaient donc pas, même lorsqu'elles vous pendaient au nez. Leur sœur aînée, qui habitait aussi avec nous, se comportait un peu de la même façon, même si je dois avouer qu'elle travaillait de si longues heures qu'elle était rarement à la maison et assez éveillée pour être témoin de quoi que ce soit, sinon de ce qu'il y avait derrière ses paupières, lorsqu'elle s'assoupissait devant la télé.

Comme les adultes ne faisaient pas grand cas de ces phénomènes, et parce que rien n'a jamais été suffisamment intense pour représenter une menace, aucun des incidents dont j'ai été témoin, dans mon enfance, n'a vraiment ébranlé mon armure intellectuelle. Si mon grand-oncle pouvait se désintéresser, avec stoïcisme, du lustre qui tournait tout seul, qui étais-je pour présumer qu'une activité, en apparence impossible, n'était pas tout simplement d'une abrutissante banalité ? Sans doute était-ce moi qui en faisais tout un plat en voulant y croire à tout prix.

De bien des manières, c'est ce qui m'a amenée à jouer avec une planchette de Ouija. Si je pouvais établir le contact et découvrir un esprit intelligent qui se revendique de ces mystérieuses activités, peut-être cela constituerait-il une preuve suffisante pour convaincre tout le monde qu'il se passait quelque chose de singulier. Bien sûr, j'aurais besoin d'un témoin, pour assister à ce genre de révélation, et qui de mieux que Katie, la meilleure amie au monde ?

En temps normal, je n'avais pas le droit d'inviter des amies à coucher. En fait, il était très rare que ma grand-mère permette à mes amies de rentrer chez nous. Grand-maman était une solitaire ; elle n'aimait vraiment pas recevoir des visiteurs, quels qu'ils soient, encore moins de jeunes adolescentes hyperactives et bavardes. Mais avec Katie, nous avons plaidé notre cause, nous l'avons suppliée et nous lui avons fait toutes sortes de cajoleries, jusqu'à ce que ses parents et mes grands-parents finissent par céder. Elle viendrait enfin dormir chez moi.

Nous avons regardé la télé en nous gavant de bonbons, assez pour avoir la nausée pendant toute une semaine. Et nous avons attendu — pas vraiment patiemment — que tous les adultes aillent se coucher. Finalement, quand le silence s'est fait dans la maison, nous sommes sorties de ma chambre à pas de loup pour descendre au rez-de-chaussée. J'ai sorti la planchette de Ouija que j'avais fabriquée, exposant fièrement devant mon amie mon œuvre artisanale. Nous nous sommes installées sur la table de la salle à manger, non parce que je m'attendais à ce que notre lustre fasse peur à Katie, en se mettant à décrire des cercles dans l'espace, mais parce qu'il était équipé d'un gradateur. Baissant l'intensité de la lumière, juste assez pour qu'elle imite la lueur des chandelles, j'ai expliqué à Katie ce que nous allions faire, en jubilant. Elle était aussi excitée que moi, à l'idée de parler à des fantômes. Nous avons donc étouffé nos fous rires et entrepris d'entrer en communication avec le grand au-delà.

Les premières minutes étaient décevantes, et si nous n'avions pas persévéré dans notre tentative de parler aux morts, nous aurions pu nous lasser et oublier la planche de Ouija. Mais, juste au moment où je commençais à douter de l'efficacité de ma planchette de confection artisanale, la petite tranche de géode rose et claire a dirigé sa pointe sur le mot *allô*.

— Tu la pousses ! a lancé Katie.

— Non, c'est toi, ai-je répondu.

Nos regards se sont croisés, chacune essayant de deviner les vraies intentions de l'autre. Mais aucune de nous deux n'a retiré ses doigts de la géode. Tout en nous surveillant du coin de l'œil, nous avons vu la goutte bouger une fois de plus, mais avec plus d'assurance. Nous avons baissé les yeux en retenant notre souffle. À présent, la tranche de géode indiquait clairement le mot *allô*. La tension était palpable dans la salle à manger, et les ombres qui étaient tapies dans l'obscurité semblaient animées d'une vie qui leur était propre.

— Dis-moi que c'est toi qui a fait ça, m'a suppliée Katie.

Je lui ai fait signe de se taire. Le jeu avait commencé.

Durant l'heure qui a suivi, nous avons eu une longue conversation avec un esprit qui disait s'appeler Mikey. Il avait neuf ans ; enfin, c'était l'âge auquel il disait être décédé. Quand nous lui avons demandé de quoi il était mort à un si jeune âge, il a épelé, de peine et de misère, le mot C-O-N-S-U-M-T-U-N. Déconcertées, nous lui avons demandé de l'épeler de nouveau. Cette fois, il a épelé le mot un peu différemment, mais j'ai cru comprendre de quoi il voulait parler. De temps en temps, avec ma grand-tante, je regardais *La petite maison dans la prairie*. Me rappelant un épisode de la série, j'ai dit : « Consomption ? Tu es mort de la tuberculose ? »

La goutte a très vite oscillé en direction du *oui*. Katie n'y comprenait rien, car elle n'avait jamais entendu parler de cette maladie. D'autres questions ont amené Mikey à nous révéler qu'il était mort au moins cent ans plus tôt, mais il ne nous a pas fourni de date précise. Il nous a dit qu'il hantait ma maison.

Katie était un peu sceptique. Elle savait aussi bien que moi que ma maison n'était pas là depuis un siècle. Sa construction d'après-guerre suggérait qu'elle avait été construite un peu moins de trois décennies après cette date. Nous croyions toutes les deux (à tort) qu'une personne devait mourir dans une maison pour pouvoir la hanter, si bien que nous avons posé des questions à Mikey à ce sujet. Il nous a expliqué, lentement, et avec quelques fautes d'orthographe, que la maison où il avait vécu n'existait plus. Elle ne se trouvait pas directement à l'endroit où la maison de ma grand-mère avait été construite, mais à proximité, et Mikey n'a pas précisé à quelle distance. Il disait avoir erré dans ma maison pour jouer, surtout parce qu'il y avait là des personnes qui pouvaient le percevoir. Il s'intéressait tout particulièrement à moi. Il nous a bien fait comprendre qu'il était seul et qu'il s'ennuyait. Il n'arrêtait pas de nous demander si nous voulions jouer avec lui.

Nous ne plaisantions plus, Katie et moi ; nous avions même arrêté de nous accuser mutuellement de pousser la goutte. On restait assises là, à la regarder se déplacer d'un bord à l'autre de la planche, lisant d'une seule voix les lettres sur lesquelles elle s'arrêtait.

Toute la maison semblait étrangement silencieuse, et il y avait de la tension dans l'air, comme si nous attendions qu'il se passe quelque chose de plus spectaculaire que le déplacement de la goutte d'une lettre à l'autre. Le radiateur s'est mis en marche avec un « clic » et un « zoum » ; peu habituée aux bruits de la maison, Katie a failli s'évanouir. Au moment où je la rassurais, en lui affirmant que c'était un bruit tout à fait naturel, un craquement léger nous est parvenu de la cuisine. J'ai reconnu le bruit d'une porte d'armoire qui s'ouvrait lentement sur ses gonds. Katie s'est retournée pour regarder dans la cuisine. Une des portes était restée partiellement ouverte.

— T'en fais pas pour ça, ai-je dit. Ces portes ne ferment pas bien.

Cette explication n'a pas semblé calmer mon amie, mais elle a fini par détourner son regard de la cuisine qui baignait dans la pénombre. Puis, tout doucement, elle a mis ses doigts sur la goutte. La tranche de géode polie a repris vie presque immédiatement, et une fois de plus, Mikey nous a dit qu'il voulait jouer. Quand il a fini d'épeler ce message, il y a eu un autre bruit de porte dans la cuisine. Encore une fois, Katie a sursauté. Puis elle m'a fait remarquer que toutes les portes d'armoires étaient bien fermées, sans exception.

— Elles se referment toutes seules aussi ? a-t-elle voulu savoir, complètement paniquée.

— Allons, continuons la conversation, ai-je repris. Pauvre petit Mikey !

Nous nous sommes concentrées sur la planche de Ouija. Mikey n'arrêtait pas de nous répéter qu'il voulait jouer. Chaque fois qu'il épelait son message, la goutte semblait bouger plus vite, comme sous l'effet de l'insistance fébrile de Mikey. Katie avait de plus en plus peur. À voir l'expression sur son visage, le jeu ne l'amusait plus du tout.

— Et s'il voulait que nous mourions pour pouvoir jouer avec lui ? a-t-elle demandé. Il va peut-être nous tuer, pendant notre sommeil !

— Voyons. Les fantômes ne peuvent pas tuer les vivants. Et puis, pourquoi voudrait-il notre mort ? Il se sent seul, c'est tout.

J'ai commencé à lui expliquer en détail les facultés et les motivations des spectres — du moins ce que j'en avais compris du haut de mes douze ans —, lorsque les ombres dans la pièce se sont mises à bouger de façon étrange. Soudain, on aurait dit que l'obscurité était animée d'une vie propre et qu'elle avait commencé à se mouvoir de façon à peine perceptible. Au moment où ce détail me frappait, Katie avait brusquement décidé d'immobiliser la goutte en posant ses doigts dessus. Un étrange bruit d'étranglement sortait du fond de sa gorge. J'avais détourné mon regard du mouvement des ombres, juste le temps de jeter un œil sur elle. Elle fixait le lustre. Balançant très lentement ses larmes de cristal, il s'était mis à tourner, dans le sens des aiguilles d'une montre, au-dessus de nos têtes. Katie le regardait, subjuguée. J'étais sur le point de lui expliquer ce comportement en lui servant les mêmes arguments que ma grand-mère utilisait toujours, lorsque, dans la cuisine, deux ou trois portes d'armoires se sont ouvertes en grinçant et se sont refermées aussi vite. C'est du moins ce que j'avais cru entendre. Katie en avait assez. En se levant pour partir, elle a fait tomber la chaise de la salle à manger. Avant que je puisse lui expliquer pourquoi, chez nous, les portes d'armoires et le lustre bougeaient tout seuls, elle avait quitté la pièce et grimpait déjà l'escalier, pour aller se réfugier dans ma chambre.

J'étais un peu désolée pour le petit Mikey, mais la panique de Katie était contagieuse. J'ai caché la planchette de Ouija que j'avais fabriquée sous la nappe, là où ma grand-mère ne risquait pas de la trouver le lendemain matin. Puis, empochant la tranche de pierre polie qui nous avait servi de goutte, j'ai couru à l'étage derrière Katie, sans même prendre la peine d'éteindre les lumières. Et lorsque, du haut de l'escalier, j'ai jeté un œil en bas, le lustre continuait de se balancer.

Dans ma chambre, Katie était déjà sous les couvertures. Je partageais une chambre avec ma grand-mère, qui avait eu la gentillesse de prêter son lit à Katie pour la nuit. Katie était déjà au lit, les couvertures remontées jusqu'au menton, quand je suis rentrée dans la chambre.

— Ça va ? ai-je demandé.

Muette de peur, Katie s'est contentée de hocher la tête.

— Alors, tu veux te coucher tout de suite ?

Elle a fait signe que oui, sans oser ouvrir la bouche.

— C'est dommage. Je crois que Mikey avait vraiment envie de jouer.

Katie me fixait de ses grands yeux.

Mon lit était appuyé contre le mur opposé, mais il tournait le dos à celui de ma grand-mère. Laissant Katie à ses couvertures, j'ai enlevé mes pantoufles et me suis préparée à me coucher. La seule lampe qui éclairait la pièce était à côté du lit de grand-maman. C'était une vieille chose à l'air ancien, un peu semblable à une lampe-tempête, avec seulement une ampoule. Une de mes tantes l'avait offerte à grand-maman pour son anniversaire, plusieurs années auparavant, et celle-ci y tenait comme à la prunelle de ses yeux. Elle était faite de verre givré aux motifs de fleurs roses, elle était munie d'une clé en bronze ouvrée plutôt que d'un simple interrupteur. Pour l'allumer ou l'éteindre, il fallait tourner la clé à cent quatre-vingts degrés. Elle était difficile à tourner, et lorsqu'on y arrivait, elle émettait toujours un clic clair et net. Je venais de m'appuyer sur mon coude et j'allais demander à Katie d'éteindre, lorsque j'ai entendu tourner la clé. En un clic, la chambre était dans l'obscurité.

— Merci, Katie, ai-je dit, avant de commencer à me retourner.

Venant de la direction où se trouvait Katie, j'ai entendu de nouveau cette voix étranglée. Elle était si terrifiée qu'elle n'arrivait plus à articuler. Cette tension bizarre que j'avais ressentie au rez-de-chaussée était maintenant dans la chambre, et Katie continuait à gémir. Je me suis redressée, pour tenter de la voir dans le noir, de l'autre côté de la chambre.

— Katie ? Est-ce que ça va ?

La lumière s'est rallumée. Je me suis retournée pour voir Katie. Elle était recroquevillée contre le mur, aussi loin que possible de la lampe de chevet. Les mains tremblantes, elle tenait les couvertures sur son nez, en fixant la lampe d'un air terrifié.

— Ce n'est pas toi qui as éteint la lumière ? lui ai-je demandé.

En silence, sans lâcher la lampe des yeux une fraction de seconde, Katie a secoué la tête. J'ai crié :

— Mikey ! Est-ce toi ? Arrête tout de suite ! Nous voulons dormir !

Avant même que j'aie pu prononcer mes derniers mots, j'ai entendu la clé tourner doucement sur elle-même. J'ai levé les yeux juste à temps pour voir deux choses étonnantes. D'abord, les yeux de Katie étaient devenus plus grands qu'il m'apparaissait humainement possible. Ensuite, j'ai bel et bien vu tourner la clé ; il y a eu un clic, et la lumière s'est éteinte.

Katie a mis environ deux secondes pour sortir de la terreur qui la paralysait, relâcher sa prise sur les couvertures de grand-maman, et venir se blottir contre moi, dans mon lit.

De son côté, Mikey est resté tranquille, tout le reste de la nuit, mais ce n'est que très longtemps après cette expérience que j'ai pu convaincre Katie de revenir passer la nuit chez moi.

La dame en bleu

On m'a souvent demandé : « Quand était-ce la première fois que vous avez vu un fantôme ? »

On pourrait penser qu'il est facile de répondre à cette question. La première rencontre avec un fantôme devrait être une expérience mémorable, quelque chose d'unique et d'inoubliable. Mais ce n'est pas aussi simple. Pour dire la vérité, je ne pourrais pas dire avec une absolue certitude quelle a été ma première rencontre avec un spectre, car je n'ai pas toujours compris que je voyais des fantômes !

Si cette excuse vous paraît étrange, laissez-moi vous raconter ce qui m'est arrivé à la bibliothèque de ma ville natale. La vieille bibliothèque de Hinckley est située au coin de Ridge Road et de la Route 303, au cœur même du patelin où j'ai grandi. C'est une ancienne demeure qui a été reconvertie en bibliothèque, une charmante petite maison blanche, avec des moulures et des volets noirs. J'ai déjà été une habituée de la maison de Vernon Stouffer, le roi des produits congelés, dont le nom rempli encore aujourd'hui les congélateurs de toutes les épiceries. Avant la maison des Stouffer, qui avait été construite en 1845, le même site avait été occupé par une cabane en bois rond. C'était sans doute ce qu'il y avait de plus pittoresque et provincial que l'on puisse trouver, et j'y ai passé beaucoup de temps, lorsque j'étais petite.

L'expérience dont je veux vous parler est arrivée au début de l'été 1977. J'avais seulement quatre ans. Ma mère m'avait amenée à la bibliothèque pour emprunter des livres pour l'été (je savais déjà lire), mais elle s'était également arrêtée pour discuter avec une amie qui travaillait à la bibliothèque. Je me rappelle que la bibliothèque était encore en construction, à l'époque. Certaines parties avaient été condamnées, et certaines pièces étaient complètement nues. Je sais maintenant que l'ouverture de la bibliothèque au public était encore récente. Quatre années plus tôt, en 1973, les Amis de la bibliothèque de Hinckley avaient fait l'acquisition de la maison délabrée des Stouffer et avaient entrepris les importantes rénovations nécessaires à sa reconversion en bibliothèque municipale. Elle avait ouvert ses portes en tant que bibliothèque en 1975, mais il y avait encore des travaux en cours.

Le jour où j'y suis allée avec ma mère, tout l'étage était interdit d'accès, et ma mère m'avait défendu d'y mettre les pieds. Très jeune déjà, j'étais d'une curiosité maladive, si bien que sa mise en garde avait plutôt attisé mon envie de savoir ce qu'il y avait en haut, et que je cherchais déjà le moyen d'aller y jeter un coup d'œil. Nous avions trouvé des livres pour moi, et ma mère s'était arrêtée au comptoir de prêts pour les emprunter. Une fois au comptoir, elle avait eu une longue conversation avec son amie bibliothécaire. J'avais profité de l'occasion pour m'éloigner et aller explorer la zone interdite, au-delà de l'escalier en bois rudimentaire.

Quelqu'un avait attaché un écriteau à un cordon, juste au bas des marches. C'était écrit en lettres carrées très lisibles, et j'arrivais à lire *Défense de*. Sans porter attention au reste de la phrase, je suis passée sous l'écriteau et j'ai entrepris de grimper l'escalier. J'entendais encore les voix de ma mère et de son amie, qui bavardaient et riaient. Tant que ma mère était occupée, je pouvais me permettre d'explorer à ma guise.

En haut, il y avait un couloir, mais toutes les portes étaient fermées. En essayant d'ouvrir la première porte, je me rappelle avoir pensé que la poignée était bizarre. En fait, elle était difficile à tourner, et j'ai dû la tenir à deux mains puis pousser sur la porte de tout mon poids, pour réussir à l'ouvrir. Derrière la porte, il y avait une pièce blanche avec un plancher de bois nu. Je me rappelle avoir vu un établi avec une scie et une bâche d'un côté ; près de ces objets, il y avait une boîte de peinture. La bâche était tachée d'éclaboussures blanches. Mais, ce qui a vraiment attiré mon attention, c'était la femme qui se tenait à la fenêtre.

J'étais un peu étonnée de la trouver là. À part un travailleur en salopette, que j'avais vu disparaître par une porte, en bas de l'escalier, je croyais que ma mère et la bibliothécaire étaient les seules autres personnes dans la bâtisse. Mais j'avais quatre ans, alors j'ai accepté la présence de cette nouvelle personne, sans la moindre réserve. Elle était fascinante, parce qu'elle portait des vêtements très différents de ceux des gens que j'avais l'habitude de voir. Elle avait les cheveux foncés et très épais, retenus en chignon sur sa tête. Je n'avais jamais vu ce genre de coiffure, tout comme je n'avais jamais rien vu qui ressemblait à sa robe. La robe était d'un bleu très pâle, presque blanc, avec des tas de petites fleurs. Il devait bien y avoir un million de minuscules boutons de fleurs qui montaient dans son dos jusqu'à un collet haut en dentelle délicate. Je me rappelle m'être dit que ce devait être laborieux d'attacher tous ces boutons. La jupe n'avait pas de bouton, et elle descendait jusqu'à terre. Je ne me souviens pas d'avoir aperçu ses pieds.

Le détail que je n'avais pas remarqué à l'époque, c'était la façon dont le soleil pénétrait par la fenêtre. Je ne sentais pas directement que ses rayons traversaient la dame de manière évidente, mais sa présence à la fenêtre ne diminuait en rien les flots de lumière qui inondaient la pièce. Lorsque j'y repense, je me dis que de l'endroit où elle se tenait, elle aurait dû projeter une ombre, d'autant qu'elle se tenait entre la fenêtre et moi. Une des choses qui m'a frappée dans cette pièce, c'est à quel point tout était brillant, à cause de la lumière du soleil qui entrait par la fenêtre. Je n'arrive pas à me souvenir de la moindre ombre.

La femme ne s'est pas retournée tout de suite pour me regarder, et je suis restée là, à l'observer en silence. Puis, lorsqu'elle s'est retournée, j'ai vu qu'elle avait un beau visage, mais que son regard était très triste. Elle n'a pas prononcé un mot, et je ne saurais dire si elle allait le faire, parce que c'est à ce moment-là que ma mère a remarqué mon absence. En bas de l'escalier, j'ai entendu crier mon nom.

Paniquée, comme tous les enfants de quatre qui sont surpris à faire quelque chose d'interdit, j'ai tourné les talons, et je suis allée jeter un œil en bas des marches. Je m'attendais à voir ma mère foncer à l'étage. Apparemment, elle n'avait pas pensé à regarder en haut, alors pour le moment, j'étais sauvée. Je me suis retournée pour dire quelque chose à la dame.

Elle avait disparu.

Avec ma logique enfantine, j'en ai déduit que la dame n'était pas plus censée être là que je ne l'étais moi-même. De toute évidence, elle ne voulait pas, elle non plus, que l'on sache qu'elle était entrée dans une pièce dont l'accès était interdit, sauf qu'elle avait été plus rusée que moi : elle avait trouvé une cachette, tandis que je lui tournais le dos. À l'époque, cela me paraissait tout à fait logique. Je n'ai pas perdu de temps en conjectures inutiles, puisque le fait de trouver une cachette, du moins pour moi, ne ferait que retarder l'inévitable avec ma mère. J'ai jeté un dernier coup d'œil dans la pièce et j'ai dévalé l'escalier en courant. En me voyant réapparaître, maman était plus soulagée qu'en colère. J'ai été très rarement punie, à cet âge-là. Bien sûr, cela avait sans doute à voir avec le fait que je devais subir une dangereuse intervention chirurgicale, au cours de l'été.

Trente ans après avoir ouvert ses portes au public, la bibliothèque de Hinckley a quitté la maison Stouffer pour un nouvel emplacement. La collection de la bibliothèque était devenue trop importante pour la vieille bâtisse, et les madriers du XIXe siècle croulaient littéralement sous le poids des livres. En guise de mémorial, j'avais décidé d'écrire un article sur le fantôme de la bibliothèque de Hinckley pour le magazine *FATE*. Les bibliothécaires m'avaient beaucoup aidée dans ma recherche. Elles avaient un coffre plein de coupures de presse racontant des anecdotes qui s'étaient passées dans la bibliothèque et qui relataient son histoire de maison hantée, au fil des années.

Ces articles m'ont appris que la bibliothèque était réputée pour abriter non pas un, mais deux fantômes.

L'un d'eux était le distingué docteur Orlando Wilcox. M. Wilcox était arrivé à Hinckley en 1831. C'était le propriétaire de la cabane en bois rond qui avait occupé le terrain où la maison Stouffer avait été construite. On disait de Wilcox qu'il avait un visage taillé à la serpe, encadré de favoris, et qu'on ne le voyait jamais sans son chapeau en tuyau de poêle. On avait très vite surnommé le savant docteur, « l'encyclopédie ambulante ». Pendant près de cinquante ans, il avait été professeur de catéchisme, en plus de travailler comme greffier.

La rumeur voulait que le fantôme du docteur Wilcox soit resté presque tout le temps en bas de l'escalier que j'avais escaladé, il y avait de cela très longtemps. Mais, ce qui a vraiment attiré mon attention, c'est la description du deuxième fantôme. C'était l'esprit de Rebecca, la fille aînée de Wilcox. Dans son livre *History of Hinckley*, le juge A. R. Webber la décrit comme une personne « jolie et bien faite, avec un bon caractère, des goûts artistiques, et une très grande habileté aux travaux d'aiguille ». Encore jeune et célibataire, elle avait connu une mort tragique. Les références nécrologiques de l'époque nous révèlent qu'elle a succombé à une « congestion pulmonaire », le 3 février 1869.

Dans tous les articles où il est question de ses apparitions à la bibliothèque de Hinckley, on désigne presque toujours Rebecca comme « la dame en bleu ». Elle doit ce surnom au fait qu'on la voyait toujours vêtue de la même robe bleue. Une des familles qui avaient possédé la maison Stouffer, avant sa transformation en bibliothèque, a rapporté des expériences avec les fantômes. L'activité était alors concentrée sur l'escalier. Un jour, ils ont placé une patère pour les manteaux d'hiver, juste en bas des marches. Ayant trouvé chaque matin en se levant tous les manteaux et les bottes jetées pêle-mêle, durant la nuit, la famille avait fini par comprendre et avait déménagé la patère, dans un coin plus acceptable pour les revenants.

Dans les années 1970, lorsque le bâtiment fut acheté par les Amis de la bibliothèque de Hinckley, la maison était restée vide et à l'abandon, pendant de nombreuses années. Si Rebecca ou son père avaient fait des apparitions, personne n'était là pour le remarquer. Mais, dès le début des rénovations, il y a eu un regain d'activité. Une des bibliothécaires, que ma mère connaissait, se rappelait être passée par là, à l'époque où on construisait la bibliothèque, et avoir aperçu de la lumière à l'une des fenêtres. Par la fenêtre, elle avait pu voir une femme en bleu, assise dans les marches. Elle avait les coudes posés sur ses genoux et tenait son menton dans ses mains. C'était le soir, mais à cause des rénovations, des tas de gens allaient et venaient dans la bibliothèque, à toute heure du jour, ce qui fait qu'elle n'y avait pas vraiment porté attention, à ce moment-là. Parfois, lorsque vous voyez un fantôme, l'esprit ressemble si parfaitement à un être vivant, que ce n'est que beaucoup plus tard que vous vous rendez compte que ce que vous avez vu venait d'un autre monde. Il se peut même que vous ne vous en aperceviez jamais.

Pour ce qui est de ma rencontre avec Rebecca Wilcox, c'était certainement le cas. Je n'aurais sans doute jamais su que l'enfant de quatre ans que j'étais alors se trouvait face à un fantôme, si je n'avais pas effectuée des incursions répétitives à la bibliothèque pour des recherches. Aujourd'hui, je ne doute pas une seconde d'avoir passé au moins quelques minutes dans la même pièce que la fantomatique dame en bleu de la bibliothèque de Hinckley.

Du berceau au tombeau

Même si ma grand-mère a souvent minimisé leur importance, je ne suis pas la seule, dans ma famille, à posséder des capacités psychiques, et je ne suis certainement pas la seule à avoir rencontré des fantômes. J'en ai tiré un avantage en sixième année, quand j'ai été invitée à participer à un concours d'écriture. Les organisateurs de ce concours, qui s'intitulait *Jeunes écrivains en herbe*, encourageaient les élèves à écrire, illustrer et relier leurs propres livres, puis à les présenter, afin qu'ils soient exposés dans toute la commission scolaire. Cet été-là, j'avais lu plusieurs recueils d'histoires de fantômes authentiques, et j'avais décidé que j'écrirais mon propre recueil d'histoires de ce genre, spécialement pour le concours. (J'allais reprendre cette idée plus tard, sous la forme du livre que vous tenez entre vos mains !)

J'avais choisi pour titre *The Clock Struck Thirteen*, et mon intention était de raconter treize histoires de revenants. Comme j'étais en sixième, je me trouvais plutôt futée en faisant correspondre le nombre d'histoires avec le titre du livre. Certains détails paraissent plus importants à douze ans, je suppose. À cet âge, je pouvais déjà m'inspirer de deux ou trois histoires qui m'étaient arrivées personnellement, mais j'étais encore loin du compte. Ayant entendu plusieurs membres de ma famille raconter des expériences qu'ils avaient eues avec des fantômes, j'ai commencé à leur demander de m'en faire le récit, de manière à ce que je puisse les retranscrire dans mon livre.

Une des histoires les plus intéressantes m'a été rapportée par une parente que je surnommerai Patricia. Patricia m'avait dit que la maison qu'elle habitait à cette époque était hantée. J'étais un peu embêtée, car la maison de Patricia venait à peine d'être construite. Je me rappelais être allée sur les lieux, avec ma mère, au moment de sa construction. Nous cherchions des fossiles, dans la terre fraîchement retournée, et j'avais recueilli, durant ces fouilles d'après-midi, quelques brachiopodes auxquels je tenais beaucoup (malheureusement, je n'ai jamais trouvé de trilobite, le fossile de notre État).

Avant les débuts de la construction de sa maison, il n'y avait sur ce terrain rien d'autre que des champs et des arbres. Aucune maison plus âgée n'avait jamais été construite dans les alentours. Comme la plupart des livres que j'avais lus sur le sujet avaient impliqué des apparitions qui avaient eu lieues uniquement dans des endroits où des gens étaient décédés, je doutais de l'histoire de Patricia. Mais elle était parfaitement convaincue de ce qu'elle avançait : sa maison toute neuve abritait déjà des esprits, pas seulement un, mais plusieurs.

Patricia m'avait elle-même confié avoir été un peu surprise qu'une maison qui venait d'être construite soit déjà hantée. Elle avait à peu près la même impression que moi, c'est-à-dire qu'en règle générale, les fantômes hantaient des endroits qui avaient été habités, où des gens avaient vécu. J'ai appris depuis que les fantômes sont beaucoup plus mobiles qu'on peut se l'imaginer, mais à l'époque, l'idée d'une nouvelle construction peuplée de fantômes nous semblait un peu incongrue. Néanmoins, Patricia ne trouvait pas d'autre explication aux incidents dont elle avait été témoin, dès les premiers jours de son emménagement dans sa nouvelle maison.

Patricia était mariée, mais son mari voyageait beaucoup pour son travail. Elle passait donc de nombreuses nuits, seule, dans leur nouvelle demeure. Au milieu d'une de ces nuits, elle avait été réveillée par des rires d'enfants. Elle avait d'abord pensé que ces sons venaient du dehors, même s'il semblait pour le moins étrange que des enfants soient en train de jouer dehors, à trois heures du matin. Les voix qu'elle avait entendues étaient celles de petits enfants qui normalement sont au lit très tôt.

Le bruit avait cessé, et Patricia avait fini par se dire qu'elle l'avait imaginé. Et puis, cela avait recommencé. Des rires d'enfants.

Et puis, la maison n'était pas seulement neuve, elle était aussi beaucoup plus grande que ce à quoi Patricia avait été habituée. Si l'emploi de son mari l'amenait souvent à voyager, il lui assurait aussi un salaire qui leur permettait de s'élever dans la société. Sa maison étant beaucoup plus grande, Patricia ne s'était pas encore habituée aux bruits nocturnes, et à l'atmosphère qui y régnait la nuit venue. L'endroit était spacieux, et elle était la seule personne à habiter toutes ces pièces vides. Le fait qu'ils n'avaient pas encore reçu tous leurs meubles ne faisait qu'aggraver le problème, si bien que la plupart des pièces produisaient de drôles d'échos. Il était tout à fait possible qu'elle interprète mal des sons parfaitement ordinaires et banals.

Patricia avait essayé de trouver une explication logique à ces bruits. C'était peut-être la télé d'un voisin. Mais cela aurait été plus probable dans son ancienne maison, où les voisins étaient beaucoup plus rapprochés les uns des autres. Sa nouvelle maison avait été érigée sur un terrain d'un demi-hectare, et il aurait fallu qu'une télé joue à tue-tête pour qu'on puisse l'entendre d'une maison à l'autre.

Patricia restait étendue dans son lit sans bouger, tous ses muscles tendus, pour se concentrer seulement sur les sons. Une importante autoroute passait à proximité du nouveau lotissement de sorte qu'elle entendait, au loin, les voitures et les rares camions qui l'empruntaient. Les sons qui parvenaient à ses oreilles, derrière les fenêtres fermées, étaient facilement reconnaissables, car c'était comme un bruit de fond en sourdine. Les gazouillis des enfants avaient recommencé, et cette fois, il était impossible de le nier. Ils provenaient de quelque part, à l'intérieur de la maison.

À ce moment, Patricia se félicitait que sa porte soit partiellement fermée. Son lit était placé de telle manière qu'elle avait une vue directe sur le haut de l'escalier, d'où elle avait l'impression que venait le bruit. Elle ne voulait pas voir ce qui se tenait là, dans le noir. Elle ne savait pas bien pourquoi elle aurait peur des enfants, mais ces rires avaient quelque chose de surnaturel.

Aussi effrayant que puisse être un bruit que l'on ne s'explique pas, nul ne peut supporter très longtemps le genre de tension qui s'était emparé de Patricia, étendue dans son lit. Comme, au bout d'un moment, rien d'autre ne s'était produit, elle avait réussi à se détendre et avait fini par se rendormir. Le lendemain matin, le soleil avait semblé chasser au loin les fantômes de la nuit. Patricia avait donc décidé qu'elle avait probablement imaginé ces bruits, ou que le stress du déménagement l'avait amenée à mal interpréter une chose bien ordinaire, l'obscurité conférant à cette chose un aspect sinistre.

Durant les quelques jours qui avaient suivi, Patricia était occupée à vider les cartons et à disposer les meubles, dans sa nouvelle demeure. Les rires lugubres étaient oubliés, et elle s'était donnée corps et âme pour faire de sa nouvelle maison un chez-soi confortable. Puis, tard un soir, elle avait été réveillée encore une fois par des bruits étranges. De nouveau, elle entendait des rires d'enfants, mais cette fois ils étaient accompagnés d'un autre bruit. Elle entendait distinctement plusieurs paires de petits pieds faisant l'aller-retour en courant dans le couloir. Elle m'a raconté que c'était un peu comme s'ils se faisaient la course ou qu'ils jouaient à chat. Les voix murmuraient ; elles ressemblaient sans contredit à des murmures d'enfants, mais jamais elle n'avait pu distinguer un seul mot.

Comme elle l'avait fait la première fois, Patricia était restée immobile dans son lit, l'oreille tendue, pour essayer de trouver une source logique à ces bruits. Les spectres des enfants continuaient à jouer à chat dans le couloir, et le bruit de leurs rires parvenait à ses oreilles comme si le couloir mesurait trente mètres de long. Malgré l'écho étrange de ces sons, ils lui semblaient encore plus proches que n'importe quel bruit provenant de l'autoroute ou du dehors.

Pendant qu'elle écoutait, Patricia avait l'impression que chaque fois qu'ils traversaient le couloir, les enfants se rapprochaient de plus en plus de la porte de sa chambre. À tout moment, se disait-elle, l'un d'eux allait ouvrir grand la porte. Effrayée de ce qu'elle pourrait voir, si la porte s'ouvrait soudainement, elle avait fermé les yeux.

Comme l'autre nuit, cependant, il ne s'était rien passé de plus que ces bruits étranges. La partie de chat avait fini par se terminer, et Patricia s'était détendue suffisamment pour se rendormir.

Elle avait parlé des fantômes des enfants à son mari, mais il ne voulait pas y croire. Cet homme n'était cependant pas le sceptique classique. Il croyait aux ovnis, et sa vision du monde laissait de la place à la sensibilité psychique. Mais il avait insisté pour dire qu'il n'avait jamais rien senti d'anormal dans la maison, chaque fois qu'il avait été là. Il avait même laissé entendre à sa femme que son imagination lui jouait des tours, en grande partie parce qu'elle vivait dans une maison beaucoup plus grande qu'avant, et qu'elle dormait seule. Mais, avait-il quand même fini par admettre, si les enfants ne faisaient que jouer et rire, ils ne représentaient sans doute aucun danger. Mi-sérieux, mi-moqueur, il lui avait suggéré d'aller jouer avec eux dans le couloir, la prochaine fois qu'elle les entendrait. Elle voulait avoir des enfants après tout.

Si leurs jeux étaient inoffensifs, pourquoi la perturbaient-ils à ce point ? Peut-être était-ce simplement parce qu'elle entendait quelque chose de tout à fait impossible. Patricia ne savait pas trop quoi penser. Le temps passant, elle s'habituait peu à peu aux bruits des enfants qui jouaient à chat au milieu de la nuit. Elle ne les entendait pas toutes les nuits, mais assez souvent pour que leurs rires et murmures intermittents, ainsi que les bruits des petits pieds qui se faisaient la course deviennent peu à peu aussi naturels que le souffle de l'air qui passait dans les tuyaux. Toutefois, l'incident le plus troublant n'était pas encore arrivé.

Des mois après la première apparition des bruits nocturnes, Patricia était confortablement installée dans sa nouvelle maison. Son mari était resté à la maison plusieurs semaines de suite, et les bruits surnaturels avaient eu tendance à se manifester moins souvent, lorsqu'il était là. En principe, Patricia aurait pu s'attendre à un débordement d'activité, lorsque la société pour laquelle il travaillait l'avait envoyé en voyage d'affaires prolongé. Pourtant, rien ne l'avait préparée à ce qui allait se passer par la suite.

Patricia était dans sa chambre, allongée d'un côté du grand lit à deux places, la place de son mari complètement vide. Elle dormait profondément, mais elle s'était réveillée en sursaut, en sentant une petite main lui tapoter la joue. Elle avait écarquillé les yeux; la sensation était si réelle qu'elle s'attendait vraiment à voir un enfant en chair et en os debout à côté de son lit. Mais il n'y avait rien du tout.

S'efforçant de voir dans le noir, Patricia sentait encore la petite main sur sa joue.

Elle s'est assise dans son lit, en poussant un cri, et a passé sa main sur l'endroit que les doigts du fantôme avaient caressé. Pendant qu'elle allumait sa lampe, elle aurait juré avoir entendu des petits bruits de pas qui retournaient dans le couloir.

Pour la plupart des gens, sentir le toucher d'un fantôme aurait été au-dessus de leurs forces. Si Patricia avait été quelqu'un autre, elle aurait pu exiger que son mari vende la maison, afin qu'ils puissent déménager dans une demeure moins hantée par les esprits. Mais, une fois le choc initial passé, elle s'est rendu compte qu'il n'y avait aucune intention malveillante dans la caresse de ce petit spectre. Cela avait plutôt été doux, voire affectueux. Soudain, elle avait beaucoup moins peur de ses petits fantômes. Elle soupçonnait qu'ils se sentaient simplement très seuls, et qu'ils souhaitaient se rapprocher de quelqu'un qu'ils voyaient comme une figure maternelle. Même si Patricia et son mari n'avaient pas encore d'enfants, ils avaient acheté leur nouvelle maison avec l'intention d'y loger toute leur famille. Les petits esprits avaient peut-être senti cela, se disait Patricia, et ils avaient été attirés vers sa maison.

Par la suite, c'est avec plaisir qu'elle accueillait les jeux nocturnes des enfants fantômes. Les nuits où son mari était à l'extérieur, et où elle pouvait les entendre courir et pouffer dans le couloir, elle se sentait moins seule. Elle n'avait toujours pas trouvé d'explication rationnelle quant à la provenance de ces petits fantômes, ou quant à la vraie raison de leur présence dans sa maison neuve. Ayant posé des questions à des amis qui habitaient le même lotissement, tout ce qu'elle avait pu apprendre, c'était que leurs maisons étaient les premières à avoir été construites dans ce secteur. Aucun désastre impliquant des enfants ne s'était produit nulle part près de cet endroit, du moins rien dont ces gens auraient entendu parler. Elle avait fini par conclure que la maison avait été construite près d'un ancien cimetière amérindien, et que c'était de là que provenaient les fantômes.

Cette explication m'avait semblé douteuse, même lorsque j'étais en sixième année ; je ne l'avais donc pas écrite dans ma première version de l'histoire. Je n'avais toutefois pas d'explication satisfaisante concernant l'origine ou à l'identité des petits fantômes égarés ; je devais donc laisser cela en suspens. À l'époque, j'acceptais que ce soit le lot des authentiques histoires de fantômes. Il arrive que des événements n'aient pas d'explication rationnelle. Cependant, je trouvais vraiment dommage d'avoir une si belle histoire de revenants à raconter, une histoire qui aurait dû vous faire dresser les poils, et de la laisser se terminer en queue de poisson.

Dans ce cas, il semble que je ne disposais pas de tous les détails. Des années plus tard, j'ai eu vent de certains détails de la vie de Patricia, qui m'ont fait réfléchir de nouveau sur la nature et l'origine des enfants morts qui jouaient le soir près de sa chambre.

Patricia et son mari avaient acheté leur jolie maison neuve dans l'intention de la remplir d'enfants. Mais ce n'était pas un jeune couple. Ils étaient mariés depuis de nombreuses années, et cela faisait un bon moment qu'ils essayaient d'avoir des enfants. Quand j'ai appris cela, j'ai commencé à me demander si Patricia n'avait pas imaginé les bruits des enfants qui jouaient, étant donné qu'elle espérait désespérément entendre des rires d'enfants bien réels dans sa maison. Puis, j'ai découvert un autre détail qui m'a donné la chair de poule, lorsque j'ai compris qui étaient ces enfants fantômes.

Patricia avait déjà fait pas moins de neuf fausses couches, au moment où elle a emménagé dans sa maison neuve avec son mari. Neuf enfants étaient morts dans son ventre. Ce n'était pas la maison qui était hantée. C'était Patricia.

Les enfants fantômes qui riaient et jouaient dans le couloir, la nuit, pourraient certainement être les esprits de tous les enfants qu'elle avait perdus. La seule chose qui me pose problème dans cette interprétation, c'est le fait qu'ils se soient manifestés seulement après leur déménagement. Mais il se peut qu'ils aient été attirés par le fait que la nouvelle maison était censée accueillir leurs futurs enfants. Leur vieille maison ne comptait pas suffisamment de pièces, tandis que la nouvelle en comptait deux de plus, dans l'espoir d'y voir grandir des petits. En réservant ces chambres, et en les décorant avec des objets de bébés, il se peut que Patricia ait inconsciemment invité ces fantômes à venir dans sa nouvelle demeure.

Détail intéressant, les petits spectres ont mis fin à leurs activités le jour où Patricia a donné naissance à une fille. Il se peut que les petites vies avortées qui lui avaient un jour caressé la joue dans son sommeil aient senti qu'il n'était plus nécessaire de tenir compagnie à leur maman, puisqu'une petite sœur bien vivante pouvait désormais être le centre de son amour et de son attention.

La dernière sonate de M. Parson

Un grand nombre de mes dons psychiques me viennent du côté de ma mère. Ses deux parents possédaient des talents psychiques, et son père ne se gênait pas pour les montrer. D'après lui, toute la lignée des Belanger avait un penchant pour trois choses : l'art, la musique et le paranormal (ironiquement, cela a sans doute incité ma grand-mère maternelle à me tenir loin de ces dons, étant donné qu'ils étaient étroitement associés au mari dont elle avait divorcé). Ma mère ne faisait pas exception à la règle. Elle peignait, sculptait, chantait et jouait du violon. Le violon est un instrument difficile, mais ma mère pouvait le faire pleurer, rire et chanter. Ma petite enfance était remplie d'airs de Vivaldi et de Rossini, et encore aujourd'hui, la senteur de colophane sur les cordes me replonge toujours dans ces souvenirs. Ma mère a eu un certain nombre d'expériences paranormales, durant sa vie, mais la plus poignante de toutes concerne son violon.

Ma mère faisait partie d'une fratrie de cinq enfants qui avait grandi dans une maison de Lakewood, en Ohio. La famille n'était pas très riche, mais ma grand-mère avait toujours cru qu'il était de son devoir de faire fructifier les talents de ses enfants. Ainsi, lorsque ma mère a exprimé son désir de jouer du violon, elle lui a trouvé un professeur et lui a payé des leçons. M. Parson, qui travaillait dans un magasin de musique, pas très loin de chez eux, avait reconnu le talent exceptionnel de ma mère. Elle devint l'une de ses élèves préférées, et s'il arrivait que ses leçons lui soient payées en retard, il ne se plaignait jamais.

M. Parson a eu une influence importante sur ma mère. Ma grand-mère avait divorcé, lorsque ma mère avait sept ou huit ans, et elle prenait des mesures draconiennes pour s'assurer que mon grand-père ne se mêle pas de la vie de ses enfants. Ma mère a ainsi grandi sans père, à une époque où il était rare de voir une femme élever ses enfants, seule. M. Parson était non seulement devenu un modèle pour ma mère, mais elle s'était tellement attachée à lui, que je soupçonne qu'il était également devenu un genre de père de substitution. Je ne sais pas s'il en était conscient, mais il semble qu'il ait fait tout ce qu'il fallait pour s'occuper de ma mère du mieux possible.

Une des choses que ma mère admirait le plus chez M. Parson, c'était sa passion pour la musique. Comme tant d'autres violonistes, il ne se contentait pas de jouer de son instrument. Il avait une aventure avec lui. Très souvent, il en jouait pendant des heures, se perdant littéralement dans la cadence et les sons. Tous les instruments de musique éveillent un certain degré d'émotion chez ceux qui en jouent, mais les violons ont quelque chose de particulièrement magique. Les sons qui en sortent sont ce qui se rapproche le plus de la voix humaine, et lorsqu'on les écoute, on peut entendre des voix qui rient, qui soupirent, qui pleurent ou qui chantent. Si vous ne vous êtes jamais laissé envoûter par le son d'un violon, vous ne comprendrez pas ce que je veux dire, mais sachez que c'est un fait. À ceux qui en jouent, comme à ceux qui savent apprécier son chant mélodieux, la musique de cet instrument peut faire vivre des émotions plus profondes que les paroles les plus éloquentes.

M. Parson avait ce point en commun avec ma mère. Je crois que c'était sa manière à lui d'apporter quelque chose de positif et de beau, dans la vie d'une enfant qui vivait dans une maison modeste, aux prises avec des problèmes d'argent.

Lorsque M. Parson donnait ses cours au magasin de musique, il quittait rarement sa petite salle de cours. S'il avait une pause entre deux élèves, il se contentait de rester là et de jouer pour lui-même, remplissant l'arrière-boutique des trilles de Vivaldi, ou des nuances douces amères d'un concerto de Brahms. Ma mère avait raconté qu'elle était parfois obligée de rester assise tranquillement, en dehors de la pièce, retardant le début de sa leçon de cinq ou dix minutes, pour donner la chance à M. Parson de terminer le morceau qu'il avait entamé. Il n'y avait pas de fenêtre dans le petit studio ; il ne pouvait donc pas voir qu'elle était déjà là, en train de l'écouter jouer. Quand elle sentait qu'il avait terminé, elle montait et frappait à la porte, inventant n'importe quelle excuse pour justifier son retard. À mon avis, il connaissait parfaitement son petit jeu, et il jouait justement pour qu'elle l'écoute. Quand vint le jour de la dernière leçon de ma mère avec M. Parson, les événements laissaient présager que c'était bien le cas.

Malgré son manque de ponctualité, ma mère était une élève dévouée. Étant donné son talent pour le violon, M. Parson croyait qu'elle pourrait un jour occuper un siège dans la section des violons de l'illustre Cleveland Orchestra. De semaine en semaine, il l'aidait à se rapprocher de ce rêve. Ses encouragements discrets, mais incessants, ont aidé ma mère à croire qu'elle pourrait un jour accomplir tout ce qu'elle avait en tête.

Bien sûr, si elle devait un jour jouer pour l'orchestre de Cleveland — ou même tenter sa chance —, elle aurait besoin d'un instrument qui soit à la hauteur de la tâche. Sa mère avait fait du mieux qu'elle pouvait, avec ses maigres moyens, mais M. Parson voulait offrir à sa petite Mary Jane un instrument qui conviendrait mieux à ses talents. Les violonistes qui prennent leur art au sérieux veulent souvent un instrument qui évoluera à leur rythme et qui pourra les suivre pendant de nombreuses années. M. Parson avait déjà planifié un voyage outre-mer, afin de s'y procurer de bons violons. Il avait décidé qu'il ferait cadeau d'un de ces instruments à ma mère, pour l'aider à prendre le chemin qui la mènerait tout droit à une carrière de violoniste de concert.

Et c'est ici que nous sommes confrontés aux difficultés d'un récit transmis de seconde main. Tout ce que je connais de cette expérience, c'est ce que ma mère m'en a raconté, et ce qu'elle m'a dit, c'est que M. Parson s'est rendu en Pologne pour lui acheter un violon. Mais, le violon que ma mère m'a laissé en héritage, après sa mort en 2004, provenait de l'atelier Roth, et cet atelier se trouve en Allemagne.

Les violons Roth ne sont certes pas des instruments de seconde catégorie. Chaque instrument a été fabriqué d'après le modèle du Stradivarius original, un nom que même les non initiés aux mystères du violon peuvent reconnaître comme inégalable, dans l'art de la fabrication des instruments à cordes. Le violon de ma mère a été conçu en 1966, d'après un violon Stradivarius qui avait été créé à Crémone, en Italie, en 1722. Tous ces renseignements ésotériques expliquent pourquoi M. Parson a acheté à ma mère un violon de première qualité, un objet créé dans l'esprit, et le style, d'une tradition longue et respectée de tous. C'est un violon à gorge profonde, avec une voix sombre, parfois troublante, et cette voix est tout à fait unique à cet instrument. Si c'était là l'instrument que méritaient les talents de son élève de quatorze ans, on peut dire que M. Parson avait une très haute opinion du talent de ma mère.

Pendant que M. Parson était en Europe, les leçons de ma mère étaient en suspens. Elle devait les reprendre dès son retour, et il se proposait alors de lui donner son nouveau violon. De toute évidence, ma mère avait très hâte de voir son nouvel instrument, mais l'heure qu'elle passait chaque semaine avec M. Parson lui manquait aussi beaucoup. Sa musique, en particulier, lui manquait énormément. Je ne sais pas combien de temps a duré son voyage outre-mer, mais je sais qu'il s'était accordé une semaine ou deux, pour se remettre de sa fatigue, avant de reprendre ses leçons. M. Parson était un vieux monsieur, et il savait que les rigueurs du voyage risquaient de le fatiguer.

Finalement, le jour de sa prochaine leçon arriva. Excitée à l'idée de revoir son cher professeur, ma mère s'était précipitée au magasin de musique, aussitôt après l'école. Comme d'habitude, elle avait traversé le magasin en silence jusqu'en arrière, où se trouvait sa salle de cours, et s'était assise sur une des chaises à l'extérieur de la pièce. Avant même d'arriver à l'arrière du magasin, elle avait entendu jouer M. Parson. Elle était restée assise un moment, se laissant bercer par sa musique. Elle adorait le style de son professeur, la manière subtile qu'il avait d'évoquer, avec les mesures de la musique, l'intensité de ses émotions. Cet après-midi-là, son jeu lui avait paru très inspiré ; il jouait mieux que tout ce qu'elle n'avait jamais entendu de lui. Ainsi avait-elle perdu la notion du temps ; elle était restée assise là pendant une bonne demi-heure. M. Parson semblait lui aussi perdu dans sa musique, car il n'a jamais ouvert la porte pour voir si son élève était arrivée. Il enchaînait les morceaux, remplissant le couloir des notes douces amères de son violon.

Puis, elle entendit un bruit de pas précipités dans le couloir, et la musique s'est arrêtée. Quand elle a levé les yeux, ma mère a vu le propriétaire du magasin s'avancer vers elle. Il y avait quelque chose d'étrange dans son regard, un mélange d'excuses, de chagrin et d'inquiétude.

— Vous êtes Mary Jane ? a-t-il demandé. Une des élèves de M. Parson ?

Rien qu'au ton de sa voix, ma mère comprit que quelque chose n'allait pas.

— Vous avez attendu ici pendant tout ce temps, a-t-il marmonné. Personne ne vous a rien dit ?

— Me dire quoi ? demanda ma mère de quatorze ans, qui n'était pas convaincue de vouloir entendre la réponse.

L'homme du magasin de musique hésitait lui aussi à lui dire ce qui se passait. Mais il fallait que quelqu'un le fasse.

— La leçon d'aujourd'hui a été annulée. Elles vont l'être pendant un bon moment, au moins jusqu'à ce qu'on trouve un nouveau professeur de violon.

— Mais M. Parson ne nous abandonnerait jamais ! a objecté ma mère.

— Je suis désolé que personne ne vous ait informée avant aujourd'hui, s'est excusé le propriétaire. Mais M. Parson nous a quittés subitement la semaine dernière, juste après son retour d'Europe. Cela a été un choc pour nous tous.

Ma mère était clouée sur sa chaise, décontenancée.

— Mais, a-t-elle répliqué, je l'écoutais jouer à l'instant.

— Vous avez dû l'imaginer, a répondu le propriétaire. Il n'y a personne dans la pièce de musique.

Il avait ouvert la porte pour le prouver. C'était la seule porte menant dans la petite pièce, et personne n'aurait pu entrer ou sortir sans passer devant ma mère. Le trépied était là, exactement comme il l'avait laissé, mais il n'y avait pas de M. Parson. Cependant, il y avait un paquet sur son bureau.

— Qu'est-ce que c'est ? Est-ce qu'il est venu ici ?

Le propriétaire fit signe que oui.

— Il s'est arrêté juste après son retour, pour déposer quelques paquets. Des instruments pour quelques-uns de ses élèves. Lui aviez-vous commandé quelque chose ?

Ma mère pénétrait déjà dans la petite pièce, où régnait un silence de mort. Sur le bureau de son professeur, il y avait un paquet. Sur le dessus, un petit mot avait été attaché, un bout de papier déchiré à même une feuille jaune de format légal. Sur celui-ci, deux mots avaient été écrits à la main par M. Parson : *Mary Jane.*

— C'est pour moi, dit-elle.

Le propriétaire la laissa prendre le paquet. Puis, il dit, aussi doucement que possible :

— Rentrez chez vous, Mary Jane. Nous téléphonerons à votre mère, quand vous pourrez reprendre vos leçons.

Après son départ, elle a continué de regarder autour d'elle, s'attendant presque à voir M. Parson caché dans un coin. Mais il était parti. Elle s'est mise à pleurer, frustrée de ne pas avoir eu la chance de lui faire ses adieux. Mais à ce moment-là, elle s'est rappelé les morceaux qu'elle avait entendus. C'était M. Parson qui jouait du violon. Elle en était convaincue. Son style était incomparable, il n'y avait pas d'erreur possible.

Malgré tout, il était venu lui dire au revoir.

Ma mère a rapporté son nouveau violon à la maison, mais la mort de son professeur adoré a laissé un grand vide dans sa vie. Elle n'a jamais perdu sa passion pour son instrument, mais elle a perdu un peu de son envie de devenir violoniste de concert. La musique était devenue trop personnelle, liée de trop près à l'écho de sa perte. Comme un fait exprès, la voix du violon que M. Parson lui avait rapporté s'accordait parfaitement à cet éventail d'émotions. Chaque fois qu'elle caressait ses cordes avec son archet, il y avait, dans le son qui en sortait, une note de chagrin. Même les cascades de notes légères des *Quatre saisons* de Vivaldi prenaient un tour lugubre, lorsqu'on les jouait avec ce violon. Encore aujourd'hui, chaque fois que j'essaie d'évoquer le souvenir de la musique de ma mère de mes mains inexpertes, je peux entendre cette touche de tristesse indéfinissable sur l'instrument. Je crois qu'il était hanté, lorsqu'elle l'a reçu, et, parmi tous les biens qu'elle m'a légués, c'est son violon qui me hante le plus.

La chose dans le vide sanitaire

Tous les enfants du monde éprouvent cette peur. La chose dans le placard. Le monstre sous le lit : toutes ces créatures affamées et méchantes qui nous regardent en salivant, tapies dans les coins noirs ou dans les coins oubliés de la maison. Nos parents nous ont toujours rassurés : la forme obscure émanant de l'ancien grenier poussiéreux, ou du vide sanitaire, était simplement le fruit de notre imagination. Mais, et si ce n'était pas le cas? Les fantômes sont eux aussi le fruit de notre imagination — c'est du moins ce que bien des gens continuent de prétendre. Alors, que faire lorsque le monstre tapi dans le noir se transforme en une chose bien réelle?

C'est une question à laquelle j'ai dû répondre, il y a de cela quelques années, alors que j'allais à l'université. Je connaissais un garçon qui avait un an de plus que moi, je l'appellerai Evan. J'avais fait sa connaissance dès mon premier jour d'université, et il m'avait demandé de l'accompagner au club de loisirs de l'université. C'était un type excentrique, fervent partisan de l'animisme, à une époque où cette conception était encore passablement exotique, pour la majorité des gens. À ce jour, je parierais que sa passion pour l'animisme venait du fait qu'il ressemblait à s'y méprendre à un de ces personnages les plus archétypiques. Si vous avez eu la chance de voir des animistes, vous saurez de qui je veux parler : ce jeune homme survolté qui court après les filles, qui se comporte bizarrement en société et dont les concepteurs de bandes dessinées se servent souvent pour faire diversion et détendre l'atmosphère. Pensez à Tenchi, ou à Carrot dans *Les Chasseurs de sorcières*, et vous aurez le portrait d'Evan.

Evan était un enfant riche de la banlieue, et contrairement aux jeunes boursiers dans mon genre, il possédait un appartement, en dehors du campus. Il s'agissait plus précisément d'une vieille maison rénovée en duplex. Il occupait le rez-de-chaussée, et une autre famille vivait à l'étage. La maison était située au bout d'une rue d'un quartier résidentiel de Cleveland Heights, et Evan était convaincu que l'endroit était hanté.

Evan était donc un des premiers païens pratiquants de ma connaissance. Cela n'était pas nécessairement flatteur pour les païens. S'il était un peu le sosie d'un certain type d'animiste, il était également celui d'un certain stéréotype parmi les païens. Sans doute le reconnaîtrez-vous aussi : l'individu est un adolescent qui fait de son mieux pour comprendre le monde dans lequel il vit, tout en tentant tranquillement de se rebeller contre maman et papa, mais d'une manière qui ne le privera pas de leur soutien financier. Il se procure un bouquin intitulé Wicca 101 et décide qu'il est païen, pour ensuite voir de la magie et des chasses aux sorcières partout.

J'ai vu des tas de jeunes païens commencer de cette manière, pour ensuite évoluer vers une expression plus mature de leur foi. Avec le temps, Evan s'est amélioré, mais à l'époque, on avait du mal à le prendre au sérieux, lorsqu'il affirmait que sa maison était hantée. C'était un petit homme survolté qui était convaincu de rencontrer des esprits tout le temps. Il se targuait d'avoir créé un système de protection dans une de ses figurines Robotech. Étant donné que l'on peut utiliser à peu près n'importe quoi pour concentrer de l'énergie, il se peut qu'il l'ait fait, mais son affirmation n'en paraissait pas moins ridicule. Le plus souvent, les autres gars du groupe et moi laissions Evan débiter ses bêtises, puisque cela semblait sans danger.

Aussi étrange et survolté que puisse être Evan, c'était fondamentalement quelqu'un de bien, et je passais beaucoup de temps avec lui. Il n'a jamais changé d'avis, quant au fait que son appartement était hanté. Il a même eu quelques colocataires. L'un d'eux était un homme plus âgé (et par plus âgé, je veux dire plus vieux que nous tous, c'est-à-dire qu'il devait avoir dans les trente-huit ans. Pour des élèves de première, cela nous semblait très vieux.) L'autre colocataire était la petite amie de cet homme. Le couple avait un petit côté marginal, tout au moins pour nous, leur vision des rôles de l'homme et de la femme dans une relation étant plutôt traditionnelle. Lui travaillait, et il s'attendait à ce qu'elle reste à la maison, à ce qu'elle soit toujours jolie et bien habillée, et qu'elle s'occupe des tâches ménagères. Je n'approuvais pas particulièrement ce genre d'arrangement, mais elle ne semblait pas s'en plaindre, et qui étais-je pour les juger ?

Evan n'arrêtait pas de parler des coins hantés de sa maison — allant de la chambre du fond, où il était persuadé qu'un homme était mort tué par balle, jusqu'au sous-sol, que se partageaient les occupants des deux logements. Il revenait si souvent sur ce qu'il ressentait dans ces endroits, que ses histoires étaient devenues comme un bruit de fond, dans toutes les conversations que nous avions avec lui. Mais Amy, la moitié féminine de son duo de colocataires, était un petit bout de femme pragmatique. Elle fréquentait des tas de païens (son petit ami en était un lui-même), mais elle avait été élevée dans le judaïsme. Théoriquement, elle adhérait encore à cette doctrine, aussi n'était-ce pas le genre de personne à voir des esprits partout. La grande majorité des Juifs réformés que j'ai rencontrés à cette époque, ne m'ont pas semblé croire en quoi que ce soit de surnaturel. Leur religion mettait plutôt l'accent non sur le paranormal, mais sur des valeurs pratiques, comme la tradition et la communauté. Voilà pourquoi j'ai trouvé cela extraordinaire, lorsque Amy a mentionné la chose dans le sous-sol.

Les locataires de l'étage et du rez-de-chaussée se partageaient une laveuse et une sécheuse. Les appareils se trouvaient au sous-sol, qui était un peu comme un terrain vague commun. Le sous-sol n'était pas fini et même dans ses meilleurs jours, l'atmosphère qui s'en dégageait donnait la chair de poule. Les murs de briques et de parpaings étaient recouverts d'une peinture d'un blanc triste qui s'effritait. Aux endroits où il y avait eu des dégâts d'eau, au fil des ans, la peinture était jaunie et décolorée. Et il y avait des toiles d'araignée de la grandeur du sous-sol. Au niveau du sol, les rares fenêtres, qui étaient censées laisser pénétrer la lumière du jour, étaient couvertes d'une épaisse couche de toiles d'araignées et de poussière. Ainsi, le rare rayon de soleil qui tentait de percer dans ce sinistre espace paraissait gris et délavé. Le seul coin à peu près propre et dépourvu de poussière, dans ce trou si peu invitant, était l'espace entourant immédiatement la laveuse et la sécheuse. C'était grâce au voisin d'en haut — ne vous attendez jamais à ce qu'un étudiant universitaire fasse le ménage où que ce soit, à moins d'avoir un revolver sur la tempe.

Je crois m'être aventurée une seule fois dans ce réduit poussiéreux et mal éclairé. Ce jour-là, Evan avait brisé la laveuse et il ne savait plus quoi faire pour régler le problème (à un juger par la pile de linge sale qu'il y avait dans sa chambre, sa solution était simplement de ne plus jamais faire sa lessive). Sinon, j'évitais d'y mettre les pieds, en grande partie parce que ce n'était pas chez moi et que je n'avais rien à y faire. Mais Amy faisait la lessive de son amoureux, et en bonne petite ménagère, elle descendait très souvent au sous-sol. Et elle affirmait qu'il y avait quelque chose sous l'escalier, et que ce quelque chose la regardait.

Elle n'en avait pas parlé tout de suite, se disant en toute logique qu'elle n'aimait pas le sous-sol pour toutes sortes de raisons tout à fait normales : il était sombre et sale, éclairé par une unique ampoule nue. Pas besoin de beaucoup d'imagination pour penser que des colonies d'araignées y avaient fait leur nid. Bref, l'endroit n'était pas hanté. C'était seulement un affreux vide sanitaire, sale et mal entretenu.

Néanmoins, malgré toutes les explications rationnelles qu'elle avait pu trouver, l'impression persistait. Et la chose semblait toujours concentrée dans le même coin : un petit espace étriqué sous l'escalier. Cet espace était rempli de cartons abîmés qui devaient appartenir au voisin d'en haut ou qui auraient pu être abandonnés là par les résidants précédents, trente années plus tôt. Ils auraient pu contenir des décorations de Noël, des restes humains desséchés, n'importe quoi. Sous les épaisses couches de poussière, il était impossible de le dire, et personne n'a jamais eu la moindre velléité de fouiller pour connaître le fin fond de l'histoire.

Mais, chaque fois qu'elle faisait la lessive, Amy se sentait observée. C'était une impression envahissante, un truc qui faisait se dresser les poils sur sa nuque, surtout lorsqu'elle tournait le dos au vide sous l'escalier. C'était déjà assez troublant, mais avec le temps, elle avait eu l'impression que la présence prenait un malin plaisir à la surveiller. L'obscurité lui semblait alors plus profonde.

Lors de sa dernière rencontre, Amy était debout devant les appareils ménagers. Elle avait fini de vider la sécheuse de sa brassée de blanc et prenait maintenant la brassée de linges foncés, qui était dans la laveuse, pour la mettre à sécher. Chaque fois qu'elle prenait du linge dans une machine pour le mettre dans l'autre, elle devait tourner le dos à la chose tapie sous l'escalier. Ne sachant pas comment agir, elle faisait de son mieux pour ignorer la présence qu'elle sentait derrière elle. Puis soudain, elle eut l'impression très nette que cette chose, quelle qu'elle soit, avait commencé, très lentement, à ramper dans sa direction. Elle n'arrivait pas à chasser l'impression que cette chose — quelle qu'elle soit — avait décidé d'explorer l'espace qui se trouvait en dehors de son petit monde humide encombré de cartons poussiéreux, pour se rapprocher d'elle. Essayant obstinément de terminer sa tâche et d'ignorer les frissons qui couraient le long de sa colonne vertébrale, Amy ne cessait de penser en elle-même : « C'est rien que mon imagination. C'est rien que mon imagination ».

C'est alors que l'unique ampoule qui éclairait le sous-sol a éclaté, puis s'est éteinte, laissant Amy dans le noir total.

On comprend facilement que la jeune femme ait laissé tomber son panier de linge, et qu'elle ait regagné le rez-de-chaussée, totalement effrayée. Elle a eu un instant de panique, lorsqu'elle a compris que la seule issue possible la rapprocherait de cette chose invisible et affreuse, mais son envie de fuir, sans perdre une seconde, fut plus forte que tout. Imagination ou pas, tout ce qu'elle souhaitait, c'était sortir de là.

Craignant de passer pour une vraie lunatique, elle avait hésité à parler à quiconque de ses rencontres avec la chose. Il n'était cependant pas question qu'elle retourne au sous-sol — plus jamais —, aussi a-t-il fallu qu'elle explique à son petit ami ce qui lui était arrivé, pendant qu'elle faisait la lessive.

Au cours des semaines où Amy avait supporté ces rencontres dans le vide sanitaire sans dire un mot, des incidents bizarres s'étaient produits dans le reste de l'appartement. Ces événements n'étaient pas aussi clairement reliés à quelque chose de surnaturel, mais ils semblaient pour le moins étranges. Depuis que Karl et Amy étaient venus habiter là, l'atmosphère dans l'appartement d'Evan était devenue plus lourde et plus oppressante. Ce n'était pas une chose qui se remarquait d'emblée, mais graduellement, l'endroit avait paru plus sombre. Un sentiment de menace avait envahi l'atmosphère, comme si une chose se cachait dehors, attendant le moment propice pour entrer. Dans cet environnement, Evan était passé d'hyperactif à terriblement nerveux, et certains jours, il était tellement anxieux, qu'il était incapable d'assister à ses cours. La relation entre Karl et Amy était elle aussi plus tendue. Malgré leur attitude rétrograde des années cinquante, en ce qui avait trait au travail de la femme, le couple avait eu l'air plutôt heureux et bien assorti au début. À présent, ils se disputaient sans arrêt, et le plus souvent pour des futilités. Pris séparément, tous ces petits incidents auraient pu s'expliquer par le stress, l'inévitable coût de la vie. Mais, lorsqu'on les mettait bout à bout, on avait l'impression qu'une force extérieure influençait la manière dont les gens se sentaient, lorsqu'ils étaient dans l'appartement.

Après l'expérience terrifiante qu'avait faite Amy, j'avais décidé d'aller mettre mon nez dans le mystère qui se cachait au sous-sol. Je n'étais toujours pas certaine de croire à la présence du « monstre sous l'escalier » dont parlait Amy. Je ne doutais pas qu'elle y croyait, mais l'idée d'une chose sans nom, tapie dans l'ombre d'un sous-sol mal éclairé, était tellement clichée, qu'il était difficile d'y croire sans réserve. Et à cette époque, malgré le fait que j'utilisais ouvertement mes capacités, pour sentir les esprits et travailler avec l'énergie, j'étais toujours une grande sceptique. C'est difficile, rétrospectivement, d'expliquer mon attitude d'alors. J'avais des dons, et je les utilisais très souvent, mais je me demandais encore si ces habiletés n'étaient pas seulement dans ma tête. J'acceptais la possibilité de me tromper au sujet de certains de mes dons, ou de tous, pour sentir l'énergie ou pour travailler avec l'énergie, et j'essayais de m'appuyer non sur mes convictions, mais sur des résultats.

C'était donc l'état d'esprit dans lequel j'étais, lorsque j'ai décidé de me rendre au sous-sol. Étant donné la nature pour le moins convenue de

« la chose dans le vide sanitaire », je ne m'attendais pas à y trouver grand-chose. Je me disais que ce n'était qu'un simple sous-sol, et que s'il vous donnait le frisson, c'était pour la seule et unique raison que tous les sous-sols le font.

C'est ce qui explique le choc que j'ai eu lorsque, au milieu des marches menant au sous-sol, je suis rentrée directement dans un mur de… beurk.

Je me suis arrêtée, afin de m'assurer qu'il ne s'agissait pas d'une réaction instinctive à l'obscurité ambiante. Mais je n'ai jamais eu peur du noir, et alors que la plupart des gens détestent les sous-sols, j'ai toujours préféré les parties souterraines des maisons. Je me sens en sécurité, lorsque je suis entourée de terre de toutes parts. J'aime les caves pour cette raison. Aussi, quand j'ai compris que ce que je ressentais n'avait rien à voir avec les instincts ou la psychologie, ni même avec mon cerveau reptilien, j'ai essayé de comprendre ce que cela pouvait être.

À ce stade, je cesserai de répéter qu'à cette époque, ma compréhension des esprits était très rudimentaire. Certes, j'avais étudié la question plus en profondeur que la majorité des gens de mon âge, et j'avais eu quelques expériences personnelles. J'avais lu sur le mouvement spiritualiste, ses séances, ses ectoplasmes et ses tables de spiritisme. J'avais joué avec des pendules et des planchettes de Ouija. Mais j'avais encore du mal à accepter l'idée que tous les fantômes sont des personnes décédées. Dans les livres auxquels j'avais eu accès, j'avais appris que s'il y avait des lieux hantés, c'était à cause des morts, presque universellement. Les esprits restaient attachés à une maison, ou à un autre type de résidence, parce que c'était là qu'ils avaient trouvé la mort, et qu'ils n'avaient pas réussi à aller de l'avant. Je partais du principe que certains fantômes étaient davantage comme des échos ou des enregistrements vidéo psychiques imprimés dans l'énergie d'un lieu, mais je n'avais pas encore saisi la notion selon laquelle les esprits puissent avoir des origines inhumaines — je veux dire à part les démons, dont je refusais carrément de croire en l'existence.

C'est donc avec une grande surprise que j'ai regardé cette chose oppressante, qui flottait dans l'air devant moi. Je n'ai jamais eu le sentiment d'être en présence d'un fantôme, ni même d'une chose douée de sensation. Il n'y avait que ce nuage dégueulasse, épais et sinueux, qui donnait l'impression d'un gros ver surnaturel rampant lentement vers le haut de l'escalier. J'étais trop curieuse pour avoir peur — une faculté qui, j'en suis sûre, me mènera un de ces jours à ma perte —, aussi suis-je restée là, toutes facultés psychiques en alerte, afin de m'imprégner de chaque aspect de la chose.

En passant en revue les couches conceptuelles de mes impressions, j'ai commencé à comprendre que ce n'était pas seulement une grosse masse dégueulasse. Elle était constituée de strates d'émotions, pour la plupart négatives. Des gens qui se disputaient. Les soucis d'argent du voisin d'en haut. Evan qui craignait que l'université ne le renvoie. Amy, gardant secret son besoin d'indépendance, à cause de son amour désespéré pour Karl. Des images et des sensations qui semblaient reliées à d'autres personnes, toutes inquiètes, effrayées ou généralement frustrées par la vie.

À ce moment-là, je ne trouvais pas les mots pour l'exprimer, mais je venais de me heurter à mon premier résidu psychique. Un résidu est un amas d'énergie, une énergie très souvent négative. Les résidus peuvent se former d'un coup, à la suite d'un événement très traumatisant (comme un meurtre ou un suicide), ou encore se gonfler avec le temps d'une multitude d'émotions négatives (en général) qui se superposent par couches successives. La plupart des résidus sont complètement inertes, semblant seulement coller aux espaces oubliés dans les maisons où ils se sont formés. Ils s'installent naturellement dans les pièces peu utilisées, comme les petits greniers, les placards et les sous-sols. Cela est dû au fait que l'activité quotidienne, dans les lieux non encombrés et très occupés des habitations, a tendance à garder l'énergie en mouvement, dispersant les résidus, avant qu'ils ne forment un amas important. Mais, comme ceux-ci peuvent se tapir dans les coins oubliés, il peut arriver qu'ils soient soudain animés d'une vie propre, même s'il semble qu'ils ne puissent jamais accéder à la conscience. Et comme ils ont tendance à dégager le même type d'énergie émotionnelle qui a contribué à leur donner vie, on les prend parfois pour des fantômes errants. Dans des cas extrêmes, ils peuvent capter les échos des événements rattachés à ces émotions, donnant ainsi l'impression que ces événements se répètent à un niveau spirituel.

À l'époque, cependant, je ne connaissais rien de tout cela. Tout ce que je savais, c'était que j'avais fourré mon nez dans cette énergie, et qu'elle n'avait pas bon goût. Et puis, elle ne restait plus tapie sous l'escalier ; elle était en train de remonter jusqu'à nous. J'avais l'impression qu'elle suivait Amy. La chose n'était pas vraiment consciente de la suivre, mais Amy était une riche source de négativité refoulée. Jusque-là, je ne me doutais pas à quel point sa relation avec Karl lui avait mis les nerfs à fleur de peau. Mais elle avait engendré une grande partie de l'énergie qui avait contribué à fabriquer cette chose. Et même si la chose ne semblait pas consciente, elle semblait avoir un certain instinct de conservation, ou du moins un instinct de survie. Elle recherchait la meilleure source à laquelle s'abreuver. Je me doutais qu'Amy avait en quelque sorte stimulé la chose, que ses nombreux allers et retours au sous-sol pour faire la lessive (elle en profitait sans doute pour ruminer en silence) l'avaient fait sortir du petit coin obscur où elle s'était à l'origine agglomérée.

Enfin, c'étaient mes impressions. Je ne trouvais aucun argument pour les étayer, d'autant qu'aucun des livres que j'avais lus n'avait jamais abordé le sujet des boules de négativité à demi conscientes, qui poussaient comme des champignons, dans les coins humides des sous-sols négligés.

La chose ne semblait pas volontairement malfaisante, ce dont Amy avait le plus peur. Elle semblait par ailleurs très lente, rampant à pas de tortue vers le haut de l'escalier. J'en ai donc déduit que la menace était bénigne, et je suis remontée pour rapporter à mes amis ce que j'avais découvert.

La première chose que j'ai dite à Amy et aux autres a été : « Ce n'est pas malin, pas exactement. » Chaque fois que j'ai dû mener ce genre d'enquête dans un lieu hanté, la première question qu'on m'a posée a presque toujours été la même : « Est-ce malin ? Est-ce que la chose essaie de me faire du mal ? »

Et bien, la chose dans le vide sanitaire ne semblait pas vouloir faire de mal à qui que ce soit, mais je pressentais qu'elle engendrait naturellement le même type d'émotions qui avait participé à sa création. Ce qui pouvait expliquer la lente progression de la peur, de la frustration et de l'anxiété qui avaient tourmenté les occupants de l'appartement le plus proche, depuis maintenant plusieurs semaines.

J'ai livré mes impressions et mes théories à Amy, Evan et Karl, sans toutefois préciser mes hypothèses, quant à l'état des relations entre Karl et Amy. Karl était sceptique. Amy était soulagée d'apprendre qu'elle n'était pas en train de perdre la tête. Quant à Evan, il était égal à lui-même, c'est-à-dire que sa réaction fut plus extravagante que dramatique. Voyez-vous, à ce qu'il paraît, il avait lu une ou deux choses sur l'autodéfense psychique, dans ses livres païens, une approche qui impliquait entre autres des runes sculptées dans le fourreau de son glaive.

Pendant qu'Evan courait à gauche et à droite, pour essayer de mettre des interdictions d'entrer sur chaque porte et chaque fenêtre de la maison, je me demandais s'il y avait un moyen de nous débarrasser de la chose. Tout compte fait, ce n'était qu'un amas d'énergie envahissant ; un genre de poussière psychique qui était devenu une boule si grosse qu'elle avait acquis une vie propre. Je ne savais peut-être pas tout des esprits et des fantômes à l'époque, mais je m'y connaissais plutôt bien en matière d'énergie.

J'ai donc dit à mes amis : « Avant de sortir les cloches, les livres et les chandelles et de courir au sous-sol, laissez-moi essayer quelque chose. »

Evan avait mis ses étagères de bouquins sens dessus dessous, pour tenter de trouver le livre de Ed Fitch, et il était occupé à réciter une incantation à Odin, ou à Thor. Je ne me souviens pas exactement. Cela aurait pu être Tyr, étant donné que c'était la rune dont il se servait tout le temps.

Pendant qu'il courait à gauche et à droite, et que Karl et Amy faisaient ce qu'ils pouvaient pour l'aider, je suis retournée au sous-sol.

Le travail sur l'énergie est une chose qui m'est toujours venue très facilement. D'aussi loin que je me souvienne, j'ai été capable non seulement de sentir l'énergie, mais aussi de lui donner forme et de la capturer. C'était quelque chose d'inné, je crois. Je suis née avec cette faculté. Je sais bien que cela peut avoir l'air prétentieux, mais c'est la seule façon que j'ai trouvée d'expliquer pourquoi cela m'est aussi facile que de respirer, et parfois aussi difficile à expliquer. À l'époque, cependant, même si je savais comment faire les choses, je n'avais pas une foi inébranlable dans mes méthodes. C'était à cause de ma tendance au scepticisme. Même si je possédais ce savoir, je n'avais pas encore appris à lui faire totalement confiance. Je préférais encore laisser la porte ouverte à toutes les possibilités. Je me faisais la réflexion que si le travail énergétique était seulement dans ma tête, cela ne pouvait certainement pas me faire de mal d'essayer de m'en servir. Inversement, si la thérapie énergétique était plus que le seul fruit de mon imagination, il se pourrait que j'arrive à quelque chose. Et, si j'obtenais des résultats, je pourrais enfin y croire totalement, sans retenue.

La chose dans le vide sanitaire — qui, à présent, était peut-être plus près du haut de l'escalier d'une vingtaine de centimètres — n'était rien de plus que de l'énergie. En réalité, c'était une grosse boule d'émotions réprimées, accumulées année après année. Einstein nous dit que rien ne se perd et que rien ne se crée ou n'est détruit, mais que l'on peut certainement changer son état, et j'avais la faculté instinctive de toucher l'énergie, de m'en emparer et d'en faire quelque chose. Je travaillais habituellement avec l'énergie des gens, mais je me rendais compte que cette grosse boule d'émotions négatives avait d'abord pris sa source chez des individus. C'était complètement fou, mais si je me croyais réellement capable de travailler avec l'énergie des gens, il n'y avait pas de raison pour que je ne puisse attraper cette boule d'énergie et la capturer de la même manière que j'attrapais l'énergie de ceux qui m'entouraient.

Je me suis donc installée en haut de l'escalier et je me suis concentrée sur la chose. Ensuite, j'ai imaginé que des rafales de mon énergie balayaient et fouettaient cette énergie négative. Je me suis acharnée dessus un bon moment, suspendant tout sentiment tenace d'incrédulité et m'abandonnant à mon instinct. J'ai fini par envelopper complètement la chose de ma propre énergie, la brisant jusqu'à ce qu'elle soit pulvérisée en petits morceaux maniables.

Tenant toujours la boule visqueuse maintenant réduite en miettes, j'ai marché à reculons jusqu'à la porte d'entrée située à quelques pas du haut des marches, et j'ai tout balayé à l'extérieur, dans le parterre, exactement comme j'aurais balayé les restes d'une monstrueuse boule de poussière. Depuis que je connaissais Evan, j'avais lu plusieurs livres sur la foi païenne, et parmi les notions que j'avais totalement intégrées, il y avait celle voulant que la Terre Mère finisse par tout recycler. Cela ne nous excusait pas de piller ses ressources par un gaspillage sans fin, mais quand il s'agissait d'énergie dont on ne savait trop quoi faire, la meilleure solution était ce que les païens appelaient la « remise à la terre ». Alors, après avoir battu le mal énergétique, jusqu'à en faire une pâte, j'ai laissé les résidus disparaître dans la terre, et j'ai adressé à la Terre Mère une requête silencieuse, dans laquelle je lui demandais de la purifier pour moi.

Cela a dû me prendre au total une dizaine de minutes. Je m'étais sentie un peu ridicule, avant et après mon intervention, étant donné que tout ce que j'ai fait a été de me tenir en haut des marches du sous-sol, de mener un combat imaginaire avec une chose invisible, et de mettre un terme au procédé en adressant une prière à la terre. Mais, lorsque je suis retournée au sous-sol, l'atmosphère était moins oppressante, cela ne faisait aucun doute, et cet envahissant mur poisseux avait disparu.

Mais pour moi, le vrai test consistait à vérifier si les autres pouvaient sentir la différence.

Evan et Karl étaient toujours à la porte arrière, en train de tenter un truc avec l'épée d'Evan et un seau. Le seau en question nous servait également de chaudron, étant donné que personne, dans l'appartement, ne possédait un chaudron de fer. Je ne savais même pas où l'on trouvait ce genre d'objet. Je les ai laissés à leurs occupations, et je suis allée rejoindre Amy.

— Je pense que tu peux aller chercher ta lessive, lui ai-je suggéré.

— As-tu réussi à t'en débarrasser? a-t-elle demandé.

J'ai haussé les épaules.

— J'ai tenté quelque chose. Vas-y, tu verras bien.

Elle n'avait pas vraiment l'air de me croire, mais je crois que Karl l'avait un peu engueulée à propos de la lessive. Lampe de poche à la main, elle est partie en direction du sous-sol. Au bout d'un moment, elle est remontée avec son panier de linge.

— La chose est partie, a dit Amy, l'air étonné. Comment as-tu fait?

J'ai souri avant de rétorquer :

— Je suis géniale, non?

Ou quelque chose de tout aussi stupide. Après tout, j'avais dix-neuf ans à peine.

Le fantôme dans la forêt de Whitethorn

Quelque chose erre dans la forêt, à Whitethorn. À ce jour, je ne peux pas dire ce que c'est avec certitude. J'ai entendu des théories d'autres personnes qui ont eu les mêmes expériences que moi dans ces bois, et, bien que certaines de ces théories d'entre elles me semblent tout à fait plausibles, elles n'en demeurent pas moins extraordinaires. Mais les choses que nous avons rencontrées dans cette mystérieuse propriété de Geauga County, dans l'Ohio, étaient en soi étonnantes. Même si j'avais été personnellement témoin de ces événements, pendant des années, j'ai continué à douter de mes propres perceptions. Certains endroits semblent simplement remplis d'esprits. Quoique cela puisse être d'autre, la forêt de Whitethorn est l'un de ces endroits. Cette propriété rurale est hantée non seulement par des fantômes, mais par une chose issue de la terre elle-même.

C'était en octobre 1992. Mon université parrainait un événement pour la jeunesse des quartiers déshérités. L'événement avait lieu dans cette magnifique propriété de Geauga County, dans l'Ohio, et nous avions toutes les vacances d'automne pour préparer l'endroit en vue de la fête. Afin de respecter le caractère privé de l'université, j'appellerai cette propriété Whitethorn Woods, en raison des nombreux arbres qui poussent à la grandeur du terrain. Whitethorn est essentiellement constituée de plusieurs hectares de forêt, d'un étang, d'un grand lac à l'est et de plusieurs petits lacs, qui faisaient jadis partie d'un ancien système de canalisation. La seule entrée donnant accès à la propriété est un pont de pierre, très vieux et très étroit, qui sépare le grand lac des petits lacs. Les pierres qui ont servi à la construction du pont sont vieilles et usées, car elles datent du début du XXe siècle, si elles ne sont pas plus âgées. C'est la plus ancienne construction humaine que j'aie vue sur la propriété. Tout le reste m'a semblé dater des années 1950 ou 1960. Malgré la jeunesse relative des bâtiments qui s'y trouvent, entrer dans Whitethorn Woods, c'était comme entrer dans un lieu hors du temps. La propriété dégageait une envahissante impression de surnaturel. J'avais d'abord attribué cela au magnifique agencement des lacs et des arbres. Après avoir déménagé en ville, pour entreprendre mes études universitaires, les grandes étendues de forêts qui recouvrent la majeure partie de l'ouest de l'Ohio m'avaient beaucoup manqué. À la lumière des événements qui allaient se produire plus tard, il allait s'avérer que ma perception initiale était davantage un pressentiment.

Il y a deux chalets d'été sur la propriété, des petits cottages. Ils sont voisins, mais un fossé les sépare et une petite passerelle relie le premier au second. Ils ressemblent à des chalets pour vacanciers. Loin dans le bois, derrière le cottage le plus éloigné, un court de tennis envahi par les mauvaises herbes attestait que cette propriété avait un jour appartenu à une famille riche, qui s'en servait comme maison d'été. Les deux cottages avaient été rénovés récemment et étaient munis de systèmes de sécurité dernier cri. Les plaques de plastique gris avec leurs écrans d'affichage LED produisaient un contraste étonnant avec le décor boisé entourant les deux cottages, en soulignant avec une insistance agressive la modernité dans laquelle nous baignons.

La première chose qui m'a sauté aux yeux, le premier jour où j'ai mis les pieds à Whitethorn Woods, c'était l'habitude étrange des étudiants qui y travaillaient, à l'égard de ces deux cottages. Les deux habitations avaient vraisemblablement été construites à la même époque. Les deux étaient complètement meublées et décorées dans un style très confortable, quoique tout en bois. Les deux possédaient des installations sanitaires propres et en bon état, un système de chauffage et un conditionneur d'air, ainsi qu'une cheminée fonctionnelle. De plus, ils étaient équipés de systèmes de sécurité identiques. Néanmoins, les étudiants évitaient le cottage situé de l'autre côté du fossé. Ils avaient beau être plusieurs à passer la nuit sur la propriété, ils s'entassaient tous dans le premier cottage, préférant dormir à deux ou à plusieurs, plutôt que de se disperser dans la deuxième maisonnette.

Au début, cela pouvait sembler plus pratique, puisque la seule façon d'accéder au second cottage consistait à traverser la passerelle de bois à pied, à cause du fossé qui sépare les deux maisons. Il n'est pas possible d'atteindre le deuxième cottage en voiture, ce qui fait que celui qui aurait l'intention d'y passer la nuit devrait d'abord traverser la passerelle avec ses valises. Les étudiants universitaires sont reconnus pour être partisan du moindre effort ; je trouvais donc tout naturel qu'ils préfèrent d'emblée le cottage le plus proche et le plus facile d'accès. Mais, peu de temps après mon arrivée, j'ai entendu les surnoms que les étudiants avaient donnés aux deux cottages de manière à les différencier. Le premier, et le plus proche, avait été baptisé la « bonne maison », alors que le second, construit plus à l'écart au fond des bois, avait mérité le surnom de « mauvaise maison ». Lorsque je leur ai demandé pourquoi on les appelait ainsi, personne n'a pu me donner de raison précise, mis à part que la « mauvaise maison » leur donnait le frisson.

Je crois personnellement que tout le monde a des dons psychiques, jusqu'à un certain point. La plupart des gens ne prennent tout bonnement jamais conscience de leurs impressions psychiques. Bien qu'il ne soit pas conscient de ses perceptions, l'individu moyen réagit quand même aux impressions psychiques. Les gens évitent certaines pièces d'une maison pour la seule raison qu'ils s'y sentent « mal ». Les gens portent des jugements instantanés sur les autres, des jugements qui, très souvent, se fondent uniquement sur le fait que la personne produit de « mauvaises vibrations ». Il m'arrive de penser que si les capacités psychiques sont difficiles à accepter, ce n'est pas parce qu'elles sont rares, mais parce qu'elles sont si courantes que nous avons trouvé d'autres noms pour les désigner.

Je me suis doutée que des impressions psychiques inconscientes étaient à l'œuvre, dès que j'ai entendu le raisonnement qui expliquait les surnoms donnés aux deux cottages de Whitethorn Woods. Les étudiants réagissaient inconsciemment aux impressions que provoquait chez eux le second cottage, en évitant d'y mettre les pieds et en refusant d'y passer la nuit. Leurs impressions inconscientes s'exprimaient clairement dans les appellations, en apparence arbitraire, de « bonne maison » et de « mauvaise maison ». Cela m'a mis la puce à l'oreille, et j'en ai déduit qu'il se passait quelque chose d'étrange, dans la maison la plus éloignée. Comme j'allais le constater plus tard, les deux maisonnettes nous réservaient quelques surprises, mais c'était la propriété de Whitethorn Woods elle-même qui en réservait le plus à ses visiteurs.

Évidemment, le fait que même en temps normal, les gens trouvaient la « mauvaise maison » effrayante, nous facilitait beaucoup le travail. Lorsque les enfants des quartiers déshérités de Cleveland eurent repris l'autobus qui les ramenait en ville, après une après-midi de plaisir à la campagne, nous disposions de quelques heures pour organiser les choses dans la « mauvaise maison » et faire en sorte qu'elle soit aussi sinistre que ce que nous avions imaginé. Pendant tout le reste du week-end, la propriété serait ouverte aux étudiants de notre université pour les festivités de l'Halloween. Pour agrémenter leurs soirées, il y aurait un feu de camp avec les traditionnelles guimauves grillées et le cidre épicé, et nous faisions de notre mieux pour que la « mauvaise maison » soit aussi terrifiante que possible, pour le plus grand plaisir de tous ceux qui oseraient s'y aventurer.

Il n'y avait pas grand-chose à faire. Nous en étions encore à l'étape de l'organisation de ce grand week-end de l'Halloween, et la plupart d'entre nous n'avaient aucune envie de se retrouver seuls dans la « mauvaise maison ». À l'époque, la maisonnette n'avait rien de franchement effrayant, à moins d'être rebutés par la tête de cerf empaillée et par le nombre incalculable d'araignées qui tissaient patiemment leurs toiles dans tous les coins. Au début, notre travail avait simplement consisté à faire un bon ménage des lieux, et, à voir les couches de poussière qui s'y étaient accumulées, on comprenait que la maison avait dû rester fermée durant toute une saison.

Mais tout de même, mis à part le fait que l'un des cottages était situé de l'autre côté de la petite passerelle, je ne voyais pas de raison justifiant qu'il ne soit pas utilisé. De toute évidence, celle que l'on surnommait la « bonne maison » était toujours habitée, et la seule partie de cette habitation qui attirait les araignées était le sous-sol. Mais, de l'autre côté du fossé, la « mauvaise maison » paraissait différente.

Tous, les hommes comme les femmes, étaient plus nerveux et beaucoup moins bavards, lorsqu'ils se retrouvaient dans la « mauvaise maison ». Et il s'y passait toujours quelque mésaventure. Un vendredi après-midi, un magnétophone relativement neuf avait avalé une cassette de musique flambant neuve que nous songions à utiliser pour créer l'atmosphère dans la maisonnette, le soir. C'était une minicassette de chants par les moines Gyuto, que j'avais achetée moi-même la veille et que j'avais écoutée plusieurs fois, sans incident, sur ma propre chaîne stéréo. Il arrivait très souvent que les ampoules, qui fonctionnaient très bien la première fois qu'on les avait allumées, grillent lorsqu'on voulait les allumer à la tombée de la nuit.

Et puis, il y avait ce système de sécurité dernier cri. Des unités identiques avaient été installées par l'université, afin de protéger les deux maisons des intrus. Celle de la « bonne maison » ne nous a causé aucun problème. Mais c'était une autre histoire dans la « mauvaise maison ». À de nombreuses reprises, le cadran numérique refusait d'accepter le code, verrouillant du coup l'entrée pour nous empêcher de pénétrer dans la maison. C'était encore plus troublant, lorsque le système de sécurité fonctionnait mal et nous enfermait à l'intérieur. Cela arrivait le plus souvent lorsque la nuit commençait à tomber, et que nous étions tous pressés de retourner dans le sanctuaire réconfortant de la « bonne maison ». Je ne pouvais tout simplement pas me débarrasser du sentiment que la « mauvaise maison » voulait nous garder prisonniers, toute la nuit.

Le système de sécurité de la « mauvaise maison » avait aussi l'habitude d'émettre des bips, que nous avions du mal à nous expliquer, et de s'éteindre même lorsque personne n'était entré ou sorti des portes auxquelles il était relié. D'un côté, je dois admettre qu'aucun d'entre nous n'avait vraiment l'habitude de ce genre de système, et que certains de nos problèmes auraient pu résulter d'une simple erreur de l'utilisateur, ce qui n'avait rien de mystérieux. Pourtant, le système relié à la première maison était identique, et nous n'étions jamais confrontés au même type de problème.

Nous assistions en outre, dans la « mauvaise maison », à une succession de disparitions. À peine les avions-nous déposés, que nos accessoires, minicassettes et articles personnels disparaissaient, une minute après. Ces incidents ont eu lieu durant tout le temps que nous préparions la « mauvaise maison », pour le week-end hanté. La majorité de ceux qui travaillaient dans les maisons était jeune, entre dix-huit et vingt-deux ans, soit l'âge des étudiants universitaires. On pourrait dire que nous étions impulsifs et influençables. En se fondant uniquement sur notre âge, de nombreuses personnes auraient douté de notre capacité à porter des jugements sûrs, concernant nos expériences. Et puis, nous étions là pour préparer le spectacle d'une maison hantée, pas pour faire la chasse aux fantômes. Nous n'étions pas venus pour y découvrir une vraie maison hantée, et la plupart des personnes présentes refusaient purement et simplement de croire en quoi que ce soit de surnaturel.

À l'époque, notre directeur était un adulte plein de bon sens, qui avait obtenu une bourse ROTC et qui avait la ferme intention d'atteindre un jour le grade d'officier de l'armée. Il ne cessait de nous répéter qu'il ne croyait pas un seul mot de toutes les histoires qu'il avait entendues à propos de Whitethorn Woods (des récits qu'il refusait absolument de nous raconter). Durant la période que nous étions sur la propriété, chaque fois que nous venions le voir pour lui parler de nos étranges expériences, il secouait la tête et nous réprimandait, en nous reprochant nos croyances stupides à propos des fantômes. Il en était même venu à suggérer que c'étaient les souris, et non des fantômes, qui étaient responsables des articles qui disparaissaient sous notre nez. Selon lui, les rongeurs ne se contentaient pas de manger des rouleaux de ruban adhésif et des lampes de poche, lorsque nous avions le dos tourné ; ils allaient même, plusieurs heures plus tard, jusqu'à placer ces objets dans d'autres coins de la maison !

Perturbations ou pas, nous avons fini par nous lasser des caprices de la « mauvaise maison », et notre week-end d'Halloween a eu lieu. Comme l'université avait du mal à convaincre les étudiants de passer leurs congés à Whitethorn Woods, j'avais joint mes contacts dans quelques-unes des autres universités de la région, et j'avais trouvé des bénévoles de l'université Case Western Reserve et de la Cleveland State, qui étaient venus nous porter main forte. La majorité de ces étudiants appartenaient à une organisation païenne, et ils étaient très excités à l'idée de passer Samhain, la fête païenne qui est célébrée le jour de l'Halloween, avec feux de camp, jeux et animations dans la forêt.

Comme la « mauvaise maison », une partie des bois avait été aménagée pour faire partie de l'attraction hantée. La forêt qui recouvrait la propriété était sillonnée de passages et de sentiers, et l'un de ces sentiers en particulier se déroulait en boucle autour de l'étang, pour aboutir à la porte arrière de la « mauvaise maison ». En fait, en traversant une section de la forêt, ce sentier suivait le chemin pittoresque qui menait d'un cottage à l'autre. Il était idéal pour notre mise en scène, car il constituait une longue entrée en matière, où nous pouvions faire durer le suspense jusqu'à la « mauvaise maison », qui, en quelque sorte, devait être le clou du spectacle.

Comme je travaillais dans la « mauvaise maison », je n'accompagnais pas ceux qui préparaient la forêt pour l'attraction. J'avais traversé ce bois une ou deux fois, mais je n'y travaillais pas, et je n'ai jamais été moi-même témoin des incidents qui s'y étaient passés. Cependant, la majorité des étudiants, qui avaient été affectés à cette partie de la forêt, ont rapporté s'être sentis observés. Plusieurs ont dit avoir entendu des bruits inhabituels. Celui le plus souvent rapporté ressemblait à une sorte de gémissement, et de nombreuses personnes ont affirmé avoir entendu des bruits de pas dans le sous-bois, mais n'avoir rien vu lorsqu'elles ont levé les yeux pour savoir qui était là. Attribuant la plupart de ces « bruits étranges » au fait qu'ils n'avaient pas l'habitude de se promener dans les bois, je n'ai pas tenu compte de la majorité de leurs avis. Les arbres soupirent, les feuilles bruissent, et les écureuils et d'autres petites bêtes sauvages peuvent émettre des bruits qui semblent menaçants ou inexplicables, à ceux qui n'ont pas l'habitude de ce genre de bruits de fond. Sur la propriété de Whitethorn, de nombreux arbres avaient poussé très proches les uns des autres, et lorsque le vent se mettait de la partie, leurs troncs entrelacés se frottaient les uns aux autres, produisant ainsi une plainte passablement sinistre. Aussi troublant qu'ait pu être ce bruit, son origine n'en était pas moins tout à fait naturelle. Le jour où un groupe d'étudiants est sorti de la forêt en tremblant, les visages blancs comme des draps, convaincus que quelqu'un les avait poursuivis dans le sentier, M. ROTC a été très clair : ils avaient entendu des ratons laveurs et des écureuils qui s'ébattaient dans les feuilles, rien de plus. D'après lui, Whitethorn Woods regorgeait d'animaux sauvages hyperactifs. Mais, bizarrement, aucun d'entre nous n'avait jamais aperçu la moindre petite bête. Pas même les écureuils qui sont partout en temps normal. Les seules créatures vivantes que nous ayons pu apercevoir, pendant notre séjour là-bas, c'étaient des canards qui étaient montés jusqu'à la « bonne maison », pour quémander leur pitance.

Néanmoins, pour des personnes qui n'en ont pas l'habitude, la forêt peut s'avérer un lieu fort étrange et intimidant, en particulier à la tombée de la nuit. La plupart des étudiants universitaires qui s'étaient portés volontaires pour hanter la forêt, affublés de déguisements, avec pour seule source lumineuse une lampe de poche ou un bâton luminescent, y pensait sans doute à deux fois à l'engagement qu'ils avaient pris, lorsque la pénombre s'installait. Voilà pourquoi j'avais rempli la forêt presque entièrement de mes amis païens, car non seulement ils avaient l'habitude de ce genre d'endroit et s'y sentaient à l'aise, mais aussi parce que plus d'un avait déjà travaillé professionnellement dans des maisons hantées de la région. Ils aimaient la forêt, et cela ne leur faisait pas peur de se tapir dans les coins sombres pour bondir en criant « hou », chaque fois qu'un groupe de jeunes passait par là.

Alors que Joe et Jane sont parfaitement inconscients de leurs perceptions psychiques latentes, la vaste majorité des païens modernes sont généralement très ouverts en ce qui a trait à leurs dons psychiques. D'après mon expérience, un grand nombre d'individus qui optent pour la foi païenne ou wiccane le font très souvent parce qu'ils sont sensibles aux phénomènes paranormaux, et parce qu'ils ont vécu des expériences que la plupart des autres religions ont tendance à réprimer ou à condamner. Un pan fondamental de la religion païenne consiste à apprendre comment percevoir et comment interagir avec le monde des esprits, comment reconnaître ses habitants et les dissocier, et comment atteindre ces citoyens d'un autre monde. Même si mon ami Evan faisait partie du groupe païen, qui était venu nous donner un coup de main à Whitethorn, il n'était pas vraiment représentatif de leur groupe. J'ai été frappée par le sérieux de la plupart d'entre eux, par rapport à leur religion. Evan, lui, était souvent prompt à s'exciter, à propos de tout et de rien.

Je dois admettre que chaque fois qu'Evan venait me voir pour me parler de quelque pouvoir mystérieux qui se promenait dans le bois, je n'étais pas portée à le croire du premier coup. Néanmoins, j'ai commencé à le prendre au sérieux, lorsque les autres païens qui travaillaient dans la forêt ont confirmé certaines de ses expériences, en y ajoutant parfois leurs propres histoires. Pour la plupart, ils n'ont fait que répéter ce que les étudiants citadins de mon université avaient dit, chaque fois qu'ils avaient mis les pieds dans cette forêt. Quelque chose les observait, et quelques-uns de mes amis païens avaient eu l'impression que cette chose n'appréciait pas leur présence.

Si cette force invisible se préparait à entrer en scène ce soir-là, nous n'avons rien vu. À cause d'un conflit au sein de l'équipe de travailleurs, j'avais décidé de retourner à mon appartement vendredi soir, en ramenant avec moi la plupart de mes amis païens. Même s'il y avait de la place pour tout le monde dans la « bonne maison », quelques étudiants de mon université étaient contrariés par la présence d'étrangers, ce qui rendait mes amis païens mal à l'aise. Et puis, M. ROTC et un de ses amis étant allés en ville pour acheter de la bière, je n'avais aucune envie de rester. Comme l'alcool était interdit sur la propriété, et que la majorité des étudiants n'étaient pas majeurs, je préférais n'avoir rien à voir avec leur petit *événement*.

J'étais donc de retour avec mon groupe, plus tard dans l'après-midi du lendemain. Nous avons aidé à nettoyer les lieux, avons réparé certaines des installations dans la forêt, puis nous nous sommes concentrés sur les déguisements et le maquillage, afin que chacun soit fin prêt pour sa dernière nuit à Whitethorn Woods.

La deuxième nuit, il n'y avait pas autant d'étudiants que la veille. Mis à part les événements sportifs, notre communauté estudiantine était notoire, tout du moins parmi les siens, pour sa léthargie générale, dans toutes les activités parrainées par l'université. On avait vraiment l'impression que personne, en dehors de ceux d'entre nous qui étaient déjà sur les lieux, n'avait l'intention de célébrer l'Halloween à Whitethorn Woods. Par conséquent, les étudiants, postés dans le bois, ont passé une bonne partie de la soirée assis à leur place à ne rien faire, seuls ou à deux. Nous avons fini par décider que la fête était terminée plus tôt que prévu, et j'ai envoyé un des guides chercher tous les acteurs dans la forêt. Nous nous sommes tous retrouvés autour d'un feu de camp, et nous avons passé le reste de la soirée à faire griller des guimauves et à boire du cidre et du chocolat chaud.

Ils étaient tous contents d'être sortis du bois, mais personne n'était aussi soulagé que mon amie païenne Cerridwen. Elle n'avait jamais été si pâle et silencieuse, quand elle avait quitté son poste, et durant les premières heures qui ont suivi sa sortie de la forêt, elle n'a pas prononcé un seul mot. Cette attitude réticente, qui ne lui ressemblait pas du tout, m'a un peu inquiétée ; je craignais qu'un étudiant de mon université lui ait fait une remarque désobligeante. Étant donné les tensions que j'avais remarquées le soir précédent, cela me semblait tout à fait plausible. De son côté, Cerridwen restait assise en silence, en fixant intensément le feu. Elle levait sans cesse les yeux, pour regarder à travers les flammes, en direction de la forêt. Et finalement, sur un ton neutre, elle m'a demandé de m'approcher.

— J'apprécie vraiment la chance d'être ici, tout près de Gaïa, à l'occasion de Samhain, a-t-elle commencé. Mais ne me demande plus jamais de venir jusqu'ici.

— Si quelqu'un t'a fait une remarque désobligeante concernant ta religion, je vais aller lui parler, l'ai-je rassurée. Ils sont mesquins et injustes.

Mais, cela n'avait rien à voir. Cerridwen avait été perturbée par quelque chose de beaucoup plus effrayant que la bigoterie de quelques étudiants universitaires.

Vraisemblablement, comme pratiquement l'ensemble du groupe, elle s'était sentie mal à l'aise tout au long du week-end. Elle avait refusé d'aller dans la « mauvaise maison », même si je n'avais jamais mentionné (ni devant elle, ni devant aucun des païens qui étaient venus avec moi) que nous pensions que cette maison était hantée. Malgré tout, elle avait tout de suite développé une aversion pour la « mauvaise maison ». Elle s'était portée volontaire pour être postée dans la forêt, mais, même dans le bois, elle sentait que quelque chose n'allait pas. À de plusieurs reprises, en préparant sa section, à la tombée de la nuit ou tard le soir, elle avait cru entendre des voix et des bruits de pas qui se rapprochaient. Elle s'était aussitôt dit que ce devaient être d'autres bénévoles, pour ensuite se rendre compte qu'il n'y avait personne dans les environs. Je dois préciser qu'elle occupait le premier poste habité sur le sentier forestier, et comme il y avait beaucoup de bois et seulement quelques personnes pour le remplir, son poste se trouvait à bonne distance du prochain poste habité. Une ou deux fois, après avoir entendu quelqu'un appeler dans la forêt environnante, elle avait couru jusqu'au poste le plus proche pour voir qui avait appelé, mais Colin, l'acteur qui était le plus près de son poste, était occupé à organiser son installation en silence.

Si elle n'avait pas ressenti le sentiment écrasant d'une menace, venant de la forêt, le bruit et les voix n'auraient probablement pas dérangé Cerridwen. Elle sentait des yeux posés sur elle en permanence — ces regards ne provenaient pas d'une source unique, mais d'une multitude, dont aucune n'était contente de sa présence. Cerridwen était une des rares volontaires à avoir grandi en milieu rural. Lorsqu'elle était plus jeune, elle s'était très souvent promenée, à la nuit tombée, dans des forêts semblables à celle-ci, sans jamais éprouver la moindre peur. Mais à Whitethorn Woods, les choses étaient différentes.

Même si elle n'aimait pas l'endroit, Cerridwen avait tenu bon durant tout le week-end, parce qu'elle s'était engagée à nous donner un coup de main. Les deux soirs où elle était restée tapie dans le bois, elle avait été témoin de divers phénomènes. Elle avait vu des lumières, très faibles et bleues, qui se déplaçaient dans la forêt. Elles étaient loin parmi les arbres et dans la direction opposée du sentier qu'utilisaient les étudiants. Les lumières se déplaçaient en silence, glissant une à une, ou à plusieurs. Après avoir été témoin de ce phénomène le vendredi soir, elle avait tenté d'inspecter l'espace où elle était certaine d'avoir aperçu les lumières. Mais cet endroit était absolument impraticable, jonché de ronces, de broussailles et de troncs d'arbres enchevêtrés, qui avaient valu son nom à Whitethorn Woods. En outre, les lumières dont les étudiants se servaient étaient soit des lampes de poche, soit ces bâtons verts luminescents dont se servent souvent les enfants pour l'Halloween. Nous les avions achetés en gros, et il n'y en avait pas de bleus. Comme j'avais moi-même aidé à les distribuer, je n'en doutais pas une minute.

Le deuxième soir, Cerridwen en avait eu assez de ces lueurs fantomatiques, et des murmures qu'elle n'arrivait jamais à comprendre. Avant que le crépuscule ne s'installe sur Whitethorn Woods, elle avait pris le temps de dessiner un cercle de protection autour d'elle. Elle avait aussi accompli un rituel d'évitement très simple, et était déterminée à ne pas sortir de ce cercle de toute la soirée. C'est qu'elle se méfiait des choses qui se tenaient dans la forêt, aux limites de ses perceptions. Il semble toutefois que les résidants non humains de Whitethorn Woods ont vu son cercle comme une provocation, comme un défi. Pendant qu'elle restait blottie en sécurité à l'intérieur de son cercle, le phénomène auditoire et visuel s'est amplifié. Finalement, environ une heure avant que l'on ne rappelle tout le monde à la « bonne maison », et environ trente minutes après que le dernier groupe d'étudiants en a fait le tour, toute la forêt autour d'elle est devenue silencieuse et immobile. L'air était saturé d'une terrible tension. Puis il y a eu un bruit qu'elle a décrit comme un hurlement. Elle ne pouvait dire si elle l'avait entendu physiquement, ou si elle l'avait simplement senti passer à travers elle. Elle croyait avoir vu, sortant du coin le plus éloigné de la forêt, une chose plus sombre que tout le reste. Elle n'arrivait pas à en décrire la forme exacte, tout ce qu'elle pouvait en dire, c'est qu'elle semblait voler droit sur elle, à toute vitesse. Elle affirmait que ce n'était ni une chouette, ni une chauve-souris, ni même aucune créature de la nature. Cela, elle en avait la certitude.

Voyant cela, Cerridwen s'était terrée au milieu de son cercle, en se recouvrant avec son manteau. Puis, elle avait senti l'intrus, qui tentait de l'intimider, passer directement au-dessus d'elle. Un bruit de bousculade, comme un vent très violent, avait semblé l'entourer, pendant un moment, et empêcher tout le reste de passer. Elle était restée face contre terre, cachée sous son grand manteau pendant au moins quarante-cinq minutes, tellement terrifiée qu'elle était incapable de bouger ou d'appeler au secours. Finalement, quand j'avais envoyé le guide chercher tout le monde, elle l'avait suivi dans la forêt jusqu'à chacune des stations, sans oser revenir par elle-même vers la lueur invitante du feu de camp.

D'après elle, Whitethorn Woods n'était pas simplement hanté. L'endroit était infesté de ce qu'elle décrivait comme des fées malicieuses. Elle sentait que ce terrain leur appartenait, qu'il était sacré pour ces créatures qui voyaient en nous des intrus. Ces esprits étaient indignés par notre intrusion et voulaient sincèrement nous faire peur. La majorité des histoires féeriques proviennent de l'Irlande celtique, mais le concept de fées est à peu près universel. On les voit normalement comme des esprits de la nature, originaires des espaces sauvages. Elles ont souvent un penchant malveillant, et il se peut qu'elles aient du mal à accepter la présence des humains sur leur territoire. Toutes les cultures du monde, ou presque, recèlent des histoires remplies d'êtres semblables, et alors que les noms qu'on leur attribue diffèrent souvent, leur nature fondamentale reste inchangée.

La majorité des autres païens, présents autour du feu, abondaient dans le sens de Cerridwen. Fait significatif, les ronces qui jonchent la propriété sont fortement associées aux fées. L'Halloween, mieux connue de la majorité des païens comme le jour de Samhain, était déjà une fête celtique, où l'on croyait que le mur séparant les mondes se réduisait. Le soir de l'Halloween était un temps où les esprits des morts hantaient le territoire; c'était également un temps traditionnel pour un phénomène connu sous le nom de « l'appel des Sidhe » (un événement brillamment décrit par W. B. Yeats dans un poème du même titre). Dans certaines légendes, les fées volent dans les airs en troupes importantes et affairées, enlevant tous ceux qui voyagent la nuit et qui sont assez malchanceux pour se trouver sur leur chemin. Durant cet « appel des Sidhe », les fées transporteraient leurs infortunées victimes, pendant un long et terrifiant voyage, pour finir par les déposer, au bout de plusieurs heures, dans quelque endroit éloigné et désert, très souvent à mille lieues de leur point de départ.

Heureusement pour mon amie Cerridwen, elle s'est cachée — peut-être juste à temps pour éviter d'être emportée au loin par quelque chose d'énorme, d'inamical et de totalement surnaturel. Elle a refusé catégoriquement de remettre les pieds sur la propriété, au cas où les esprits, dont elle avait senti la présence, auraient décidé de tenter leur chance une seconde fois. En ce qui me concerne, je ne pouvais pas refréner ma curiosité vis-à-vis des créatures qui hantaient réellement la forêt de Whitethorn. Je n'en avais pas terminé avec cette parcelle de terre bucolique et imprévisible, et les événements allaient plus tard prouver qu'elle n'en avait pas non plus terminé avec moi.

L'ange de la mort de Cleveland

Lorsque j'ai commencé à enquêter sérieusement sur la nature des lieux hantés, j'ai assisté à une conférence donnée par une chercheuse du paranormal de ma région. Comme elle avait des opinions bien arrêtées sur les cimetières, elle nous a présenté un point de vue auquel je n'avais encore jamais été confrontée. En règle générale, elle affirmait devant son auditoire que toutes les associations entre les fantômes et les cimetières ne sont que des mythes. Les esprits n'aiment pas se tenir parmi les cadavres en décomposition. Selon elle, les fantômes étaient plus enclins à hanter les endroits où ils étaient morts. Elle trouvait la notion d'un fantôme hantant un cimetière à peu près aussi improbable que l'esprit d'une vache hantant un flanc de bœuf.

Depuis cette conférence, j'ai appris que ce n'est pas tout à fait le cas. Je suppose que si un cimetière n'était rien de plus qu'un ramassis de vieux os, abandonnés et laissés pour compte par tout le monde, les esprits n'auraient pas de bonnes raisons d'y demeurer. Mais, le propre des cimetières est de nous permettre de conserver le souvenir de nos morts. Dans les demeures chinoises, les familles érigent un petit autel dédié aux ancêtres, afin qu'ils puissent sentir leur présence. Mais, ici, dans notre culture occidentale, la coutume consiste à aller saluer nos morts au cimetière. Certaines personnes vont même jusqu'à utiliser les pierres tombales comme des téléphones à sens unique ; elles font un saut au cimetière pour raconter à grand-maman ou à l'oncle Bob ce qui s'est passé dans leur vie. Cela peut sembler terriblement simpliste, mais parce que nous, vivants, voyons les cimetières comme des endroits où il est possible de communier avec les morts, c'est notre croyance qui incite les esprits à hanter ces lieux. Il est rare que nous laissions les morts occuper d'autres espaces de nos vies. Alors, pourquoi ne se rassembleraient-ils pas dans le seul endroit que nous leur réservons ?

Bien sûr, à l'époque où j'ai assisté à sa conférence, j'étais convaincue que n'importe quelle personne suffisamment experte pour converser sur un thème devait forcément en savoir beaucoup plus que moi sur le sujet en question. J'ai donc pris ses paroles à cœur, ce qui fait que j'ai été moins portée, par la suite, à enquêter sur les histoires de fantômes qui hantaient les cimetières de la région. Ce qui explique pourquoi j'ai mis un certain temps avant de m'intéresser sérieusement aux rapports entourant l'ange de Haserot.

L'ange de Haserot est un monument saisissant du cimetière Lake View, à Cleveland. Le cimetière lui-même est un genre de nécropole victorienne que l'on pourrait s'attendre à voir dans quelque élégante cité des vieux pays, mais certainement pas dans une ville industrielle comme Cleveland. Et pourtant, les 285 hectares de cette nécropole sont nichés en plein cœur de Cleveland, à quelques pas à peine de l'Université Circle et de la Petite Italie. Fondé en 1869, le cimetière ressemble davantage à un musée à ciel ouvert. Il tient lieu de monument, pour une période importante de l'histoire américaine. Capitaines de l'industrie, pionniers de la technologie, éducateurs, artistes et hommes d'État, tous ont été enterrés dans cette splendide cité des morts. La plus grande des obélisques a été érigée en mémoire du philanthrope John D. Rockefeller, qui a vécu pendant quelques années dans la célèbre « allée des millionnaires » à Cleveland, sur l'avenue

Euclid. Une chapelle, rehaussée de vitraux exécutés par le maître Louis C. Tiffany, a été érigée en l'honneur de Jeptha Homer Wade, fondateur de la Western Union et premier président de l'Association du cimetière Lake View. James A. Garfield, l'infortuné vingtième président des États-Unis d'Amérique, a été inhumé dans le pittoresque cimetière Lake View.

On y trouve de nombreuses tombes et sépultures, des personnages historiques comme Newton Diehl Baker, qui fut ministre de la Guerre de Woodrow Wilson, pendant la Grande Guerre ; John Milton Hay, qui fut secrétaire particulier de Abraham Lincoln et plus tard secrétaire d'État du président McKinley ; Garrett A. Morgan, inventeur noir de grande renommée, qui créa les feux de circulation à trois couleurs qui sont devenus les pivots de la circulation dans toutes les villes de l'Amérique. On trouve même, entre les murs imposants du cimetière Lake View, les cendres de « l'incorruptible » Eliot Ness, l'homme qui a renversé le syndicat du crime organisé d'Al Capone, à Chicago.

Puis, dissimulé par tout ce faste, un ange de bronze silencieux pose un regard bienveillant sur une tombe familiale.

L'ange a été commandé par Francis Henry Haserot pour Sarah, son épouse bien-aimée. Fils d'immigrants allemands, Francis avait connu des débuts modestes en distribuant les journaux, dès l'âge de sept ans, pour être plus tard nommé par le président McKinley, après la guerre hispano-américaine, à un poste de responsabilités à Puerto Rico. Sarah était la fille du juge Henry McKinney, de Cleveland ; elle mourut plus de vingt années avant Francis. Francis ne s'est jamais remarié, et à bien des égards, on peut voir la statue qui garde sa tombe comme un témoignage de son chagrin à la perte de sa femme. Coulée dans le bronze sur une base de granit poli, la statue représente un ange aux ailes déployées, presque de grandeur nature. L'ange regarde le terrain appartenant à la famille, avec des yeux qui semblent pénétrer l'éternité. Sa main repose sur une torche, représentant la vie qui vient de s'éteindre. Créée par l'artiste Herman N. Matzen en 1923, la statue a été justement nommée « L'ange de la mort ».

Si l'on en juge aux traits sévères et aux lignes réalistes de la statue, l'ange Haserot devait avoir quelque chose d'intimidant, au moment de sa création dans les années 1920. Toutefois, les décennies passées à monter la garde sur le terrain de la famille Haserot l'ont transformé de façon saisissante. La pollution de la cité industrielle, sans oublier les pluies acides, ont conféré au bronze un riche vert-de-gris. L'usure du temps se voit davantage sur le visage de cette sombre statue que sur toute autre partie de son anatomie. En effet, des filets d'oxydation noire nous donnent l'impression que l'ange a pleuré des larmes de suie. Le seul fait de rencontrer un monument aussi exceptionnel, en plein centre du cimetière verdoyant et tranquille de Lake View, inciterait n'importe qui à s'arrêter, mais, au milieu des années 1990, des rumeurs voulant que l'ange Haserot soit hanté ont commencé à circuler.

La première personne à me parler de la statue hantée du cimetière n'était pas le témoin le plus fiable. Amie d'une amie, cette jeune personne était le stéréotype de la fille paumée, et ce n'était un secret pour personne qu'elle se droguait. Elle avait trouvé le moyen d'entrer dans le cimetière, à la nuit tombée, et elle se servait souvent, avec ses compagnons de fortune, de cet espace immense comme d'un lieu sûr pour s'adonner à leur consommation illicite. Étant donné ses antécédents, chaque fois qu'elle me racontait ses rencontres avec des fantômes, il me fallait en prendre et en laisser. Elle affirmait avoir eu de longues conversations avec plusieurs esprits dans le cimetière, et j'en avais déduit qu'elle était sujette à de graves hallucinations. Une de ses substances de prédilection était le LSD, et j'avais déjà vu quelqu'un d'autre avoir une longue conversation animée avec une orange, sous l'influence de cette drogue. Je savais pertinemment que l'orange n'était pas un participant volontaire dans cette conversation, et c'est la raison pour laquelle je doutais des fantômes de Leela. Quoi qu'il en soit, sa description de l'ange de Haserot avait piqué ma curiosité, en ce qui concernait le monument lui-même. Ne serait-ce que pour cela, la statue me semblait être un objet d'art funéraire que j'aurais plaisir à photographier.

J'ai donc trouvé un moment, dans mon horaire très chargé, pour faire un petit saut au cimetière. Certes, Leela était une source douteuse en ce qui avait trait à la communication avec les esprits, mais en matière de cimetières, son goût était excellent. Je me suis donc perdue dans la sombre grandeur du cimetière de Lake View, fascinée par la beauté et la diversité des monuments qui s'y trouvaient. Elle avait précisé que le cimetière était grand, mais je ne pouvais pas deviner qu'il était suffisamment grand pour accueillir le plus important réservoir d'eau fraîche du comté. Et, à moins de foncer tout droit sur cette structure, ou savoir à quel endroit chercher pour la trouver, il était toujours possible de la manquer, parmi les hectares luxuriants et boisés de Lake View.

J'ai soudain regretté de ne pas avoir visité ce cimetière plus tôt. Mais j'étais contente d'avoir apporté mon appareil photo, car j'ai utilisé plusieurs rouleaux de pellicule (un détail prouvant que cette histoire ne date pas d'hier). J'ai mis des heures avant de localiser le monument Haserot, situé tout au fond d'une allée qui descendait vers une rangée de mausolées construits à flanc de colline.

Leela avait qualifié le monument d'« horrifiant ange gothique », en ajoutant qu'il pleurait des larmes noires. Je m'étais dit que les larmes étaient une autre exagération, c'est-à-dire un autre détail juteux, issu d'une de ses abracadabrantes aventures nocturnes. Mais, j'ai été forcée de lui donner raison. Les yeux de la statue avaient été teints en noir par les intempéries, et des rigoles de la même oxydation couraient telles des larmes de suie les deux côtés de son visage.

Je n'arrivais pas à chasser l'impression que la statue me fixait, de ses yeux noirs et vides.

Bien sûr, la statue ne pouvait pas vraiment être hantée. Là-dessus, la chercheuse professionnelle du paranormal avait été très catégorique, et je continuais de me répéter qu'elle devait sûrement en savoir plus que moi sur le sujet. Je cherchais donc d'autres raisons pouvant expliquer mes impressions. Elle nous avait expliqué que nous sommes enclins à voir des fantômes dans les cimetières pour la simple raison que nous nous attendons à les rencontrer, mais qu'en réalité, ces impressions ne sont que des projections de nos propres peurs. Je n'avais jamais eu peur des cimetières, mais je pouvais comprendre qu'il serait très facile de projeter certaines attentes sur cette statue. L'ange semblait vraiment vivant, et j'avais décidé que c'était pour cette raison, et uniquement pour cette raison, que mon esprit s'entêtait à penser qu'il y avait réellement une présence derrière ces yeux usés par le temps.

J'avais pris une série de photographies de la statue, pour un magazine dont j'étais rédactrice en chef à l'époque, puis j'étais rentrée chez moi. Mais, l'image de cet ange de la mélancolie ne me sortait pas de la tête. Très vite, Lake View était devenu un de mes lieux hantés préférés, et je suis retournée voir l'ange à de nombreuses reprises, étudiant sa forme à travers les lentilles de mon appareil photo, souvent fascinée lorsque je passais mes mains sur les courbes sensuelles de ses ailes majestueuses. Peu importe combien de fois j'ai essayé de me dire que ce n'était que mon imagination, l'impression qu'il y avait une intelligence profonde et sombre enfermée dans cette sculpture de bronze ne voulait plus me quitter.

Je commençais alors, à la lumière de mon expérience répétée de la statue, à mettre en doute la parole de la professeure et chercheuse du paranormal. Mais j'avais passé tant de temps en compagnie de cette statue singulière, que je ne me faisais plus confiance pour juger de sa nature avec impartialité. Ainsi, c'était quasi devenu un jeu, pour moi, d'inviter d'autres amis spirites à m'accompagner dans mes randonnées photographiques dans les allées du cimetière. Mais je ne leur disais pas un mot des impressions que me faisait cette statue. Je me contentais de leur relater l'histoire et la signification artistique de Lake View, en leur faisant faire une visite impromptue des nombreuses tombes célèbres qui s'y trouvaient. Je m'arrangeais toujours pour les conduire devant l'ange mélancolique, et je surveillais leurs réactions, avec beaucoup d'attention.

Tous, sans exception, ont senti que la statue était habitée par une présence. Plusieurs ont essayé de justifier leurs impressions en invoquant l'apparence saisissante de l'ange, tout comme je l'avais fait moi-même. Certains ont dit avoir senti une forte sensation de picotement, en approchant du monument. D'autres l'ont touché, comme je l'avais fait à plusieurs reprises, et ont rapporté avoir senti une chaleur surnaturelle envahir leurs mains. Cette sensation semblait aller au-delà de la chaleur à laquelle on est en droit de s'attendre d'une statue de bronze qui est restée toute la journée au soleil. Tous ont senti que ces yeux étaient chargés d'un regard intelligent et pénétrant.

J'ai fini par emmener mon amie médium, Sarah Valade, voir la statue. Nous avons déambulé dans le cimetière, par un beau samedi après-midi de printemps, en faisant sursauter les écureuils tapis dans les lits de lierre qui décoraient de nombreuses vieilles tombes. Puis, nous avons emprunté le sentier menant jusqu'à l'ange Haserot. J'ai conduit Sarah à la tombe située à flanc de colline. En arrivant dans le détour en passant par-dessus le remblai, elle s'est immobilisée, aux aguets. Sa réaction fut instantanée.

— Il est magnifique, a-t-elle dit, mais tellement triste.

Prudemment, Sarah s'est avancée et, tout doucement, a posé sa main sur la joue de la statue en disant :

— C'est pour cela que tu m'as amenée jusqu'ici, hein ? Je comprends pourquoi. Il y a un esprit ici, dans la statue. C'est un gardien, il surveille cet endroit. Mais ce n'est pas une personne vivante. Je sais que cela va paraître étrange, mais c'est comme s'il faisait partie de la statue, comme si la statue elle-même possédait une âme.

De plus en plus convaincue que la statue était réellement hantée, j'ai commencé à parler du monument, chaque fois que je m'adressais à un groupe paranormal de ma région. Cela a incité d'autres médiums et chasseurs de fantômes à aller voir le monument de Lake View, et tous étaient d'accord pour dire qu'il y avait une présence dans l'ange de bronze. Indépendamment des impressions de Sarah, je continuais à entendre des gens décrire l'esprit de la statue comme un « gardien » et comme une chose qui n'était pas humaine. Un médium qui possédait un solide bagage en pensée nouvel âge, est même allé jusqu'à déclarer que l'esprit qui hantait la statue était un ange authentique qui était venu pour surveiller les morts paisibles du cimetière. J'étais assez convaincue que les vrais anges avaient mieux à faire que de jouer les gardiens d'enfants auprès des morts, dissimulés dans une statue au cimetière. À la fin de la journée, son impression se résumait toujours à ce que tous les autres m'avaient dit : la statue était hantée par un esprit gardien, et cet esprit n'était pas humain.

Lorsque je me suis assise pour écrire un article sur l'ange de Haserot pour le magazine *FATE*, j'avais formulé ma propre théorie. Vous risquez d'être aussi étonné que je l'ai été, et cela pourrait vous sembler aussi incongru que l'idée qu'un ange authentique soit coincé dans une statue, mais prenez le temps d'écouter ce que j'ai à dire.

Les cimetières sont les cités des morts. Ce sont des espaces isolés du monde des vivants, où nous pouvons aller pour communiquer avec ceux qui ne font plus partie de ce monde. Si nous ne leur accordons aucune autre signification que leur impact psychologique, les cimetières demeurent des endroits où nous projetons naturellement nos attentes, en matière de communication avec l'au-delà. Nous les investissons de nos croyances, et les croyances ont un certain pouvoir en soi. Nous approchons naturellement les monuments qui marquent les tombes individuelles comme des symboles représentant les morts qui y sont enterrés. Ce sont les fenêtres ou les barrières qui nous permettent de communiquer, si ce n'est avec les gens eux-mêmes, tout du moins avec leurs souvenirs.

Chaque personne qui visite une tombe l'imprègne d'un minimum de foi.

En faisant ce raisonnement à rebours, soit en partant de la création du monument lui-même, il n'est pas impensable qu'un artiste concentré et patient puisse imprégner son œuvre de ses intentions et de ses croyances. Matzen, le sculpteur qui a créé l'ange de Haserot, était reconnu pour son talent, et a créé de nombreux monuments saisissants. Chacun de ces monuments témoigne d'un soin méticuleux que nous ne voyons tout simplement pas dans les statues modernes produites artificiellement, grâce à des techniques de gravure faites par ordinateur. Combien de chefs-d'œuvre conservés dans les musées semblent animés d'une vie qui leur est propre — ou, mieux encore, respirent la vie que leur a insufflée l'artiste qui les a créés ?

Si les impressions de Sarah étaient justes, comment une statue pouvait-elle arriver à avoir une âme ? À mon avis, la statue a pu être imprégnée d'une certaine essence énergétique par son créateur — peut-être inconsciemment, mais comme simple résultat du processus même de la création artistique. À la suite de cela, cette petite graine de vie aurait été nourrie par les visites répétées des amis et des membres de la famille, qui y ont projeté leurs croyances et leurs intentions. D'après moi, ils n'ont pas eu besoin de projeter une croyance dans sa réalité fondamentale, pour participer à la création de ce que les gens sentent aujourd'hui dans cette statue. Il suffisait qu'ils croient en sa signification. De toute évidence, la statue est un gardien. Elle a été conçue pour ressembler à l'ange de la mort lui-même. Après la famille, chacune des personnes qui — n'ayant aucune filiation avec la lignée des Haserot — se sont arrêtées pour regarder la statue dont les yeux sans fond lui ont rendu leur regard sans ciller — toutes ces personnes, sans exception, ont été touchées par cette apparence, et chacune y a mis sa propre foi et sa propre énergie.

Nul ne peut nier que la statue, par la nature même de sa forme, incite ceux qui la regardent à y voir bien plus qu'une simple sculpture de pierre et de bronze. Et je continue de penser que l'apparence de la statue elle-même joue un rôle en ce qui concerne la présence fantomatique que les gens lui attribuent. Mais aujourd'hui, je crois que c'est davantage que de la psychologie. Nous ne faisons pas que projeter une image ou nos attentes sur un objet muet, quoique saisissant. Pendant près de cent ans, la statue a été chargée de tant de convictions et de foi, qu'elle a dépassé l'aspect d'un bronze sans vie. Appelez cela comme vous voudrez : une construction de l'esprit, un résidu, ou même un fantôme du souvenir ; une chose hante l'ange de la mort à Cleveland, et bien qu'elle puisse ne pas être humaine, pour moi, elle puise ses origines dans l'humanité, cela ne fait aucun doute.

Un esprit malicieux

Pendant plus de cent cinquante ans, Columbus fut le site du pénitencier de l'Ohio, un énorme édifice de pierre établi en 1834 pour abriter les criminels d'État. En 1983, à la suite des changements de politiques concernant les prisons et de l'ouverture de la nouvelle prison de Lucasville, le pénitencier de l'Ohio a fermé ses portes. Les derniers prisonniers étaient censés quitter l'édifice le 31 décembre 1983, même si leur déménagement complet n'a été achevé que beaucoup plus tard, l'année suivante. Après 1984, le bâtiment est resté vacant au centre-ville de Columbus. En 1995, l'État a acheté la propriété délabrée. On avait d'abord eu l'intention de la rénover, mais ce projet est tombé à l'eau, lorsque le district de l'aréna de Columbus s'est agrandi, exigeant plus d'espace pour accueillir des installations additionnelles. Ainsi fut amorcée, en 1998, la démolition de la prison historique où avait été incarcéré le romancier O. Henry (pour détournement de fonds), ainsi que Sam Sheppard, le médecin dont la femme avait été assassinée et dont l'histoire a inspiré *Le fugitif*.

Même si la démolition avait commencé en 1998, on pouvait toujours voir, à l'été 2005, les restes pêle-mêle du pénitencier, sur un lot clôturé, accolé au district de la bâtisse. Briques, pièces de métal et détails architecturaux en pierre, étaient éparpillés au milieu des murs démolis de la bâtisse autrefois imposante, des grues et d'autres pièces de machinerie qui entouraient les restes d'un mur toujours debout.

L'endroit était dans cet état, lorsque mes amies Kristen et Amber, comme tant d'autres résidants de Columbus, avaient décidé qu'il leur fallait récupérer quelques souvenirs. De nombreux citoyens de l'Ohio ont recueilli des briques provenant de cette structure, pour satisfaire leur envie de posséder un morceau de ce site historique. Mais Kristen et Amber s'intéressaient davantage aux fantômes qu'à l'histoire. Le pénitencier — comme de nombreuses prisons de l'époque — avait la réputation d'être hanté. Bien sûr, il n'y a rien de choquant dans l'idée qu'une prison puisse être hantée. Mis à part les émeutes, les mauvais traitements et autres abus de tous genres, qui ont eu lieu entre les murs de la prison durant les cent cinquante années de son existence, trois cent quinze prisonniers ont été mis à mort au pénitencier. Au commencement, ils étaient pendus à un gibet installé à l'intérieur même de la prison, et plus tard, ils devaient connaître une mort aussi effroyable sur la chaise électrique. En plus des détenus qui étaient condamnés à mort, trois cent vingt-deux prisonniers et travailleurs y ont perdu la vie dans un incendie, en 1930 — un brasier qui, encore aujourd'hui, passe pour le plus meurtrier dans l'histoire des prisons aux États-Unis.

Sans craindre leur chasse aux fantômes — et sans craindre la loi —, Kristen et Amber avaient repéré une ouverture dans la clôture, et nous avaient tous invités à y jeter un coup d'œil. Cela se passait par un bel après-midi ensoleillé et chaud du mois d'août. Les gardiens de sécurité et les policiers de Columbus étaient rassemblés tout près de là, afin de maîtriser la foule qui s'était agglutinée pour assister au concert qui nous avait tous attirés dans ce coin de la ville. N'étant pas de ceux qui entrent sans permission, bien qu'il puisse être excitant de défier la loi, pour piller une ancienne prison, j'ai décliné l'invitation, comme nos autres compagnons. Sans se laisser démonter, Kristen et Amber se sont faufilées en plein jour sur le site des travaux. Se frayant un chemin parmi les gravats épars, elles tentaient de s'abandonner aux impressions qui se dégageaient encore des débris éparpillés ici et là. Leur but n'était pas seulement de rapporter une pierre provenant du vieux pénitencier. Elles espéraient y dénicher un souvenir qui serait toujours imprégné d'une parcelle d'esprit.

Si je n'avais pas voulu croire qu'elles réussiraient à entrer sur un site en construction, au beau milieu de l'après-midi, pendant que la police patrouillait trente mètres plus loin, leur choix de souvenirs m'a un peu estomaquée. Ne voulant pas se contenter d'une simple brique, Kristen et Amber avaient découvert plusieurs pierres sculptées en forme d'urne, qui avaient dû reposer sur le toit du bâtiment. Elles avaient tenté de soulever un morceau beaucoup trop gros pour être transporté, et l'avaient abandonné au profit de quelques morceaux plus petits. Malgré cela, la décoration de pierre que Kristen avait fini par ramener chez elle était un spécimen de bonne taille, d'au moins soixante centimètres de hauteur et pesant entre neuf et treize kilos, sinon plus.

Très fière de sa trouvaille, Kristen lui a immédiatement réservé une place de choix sur une étagère de livres, juste à côté de son lit. Aussitôt que la pièce fut bien installée, et solidement fixée, Kristen s'est assise à son ordinateur, pressée de relire les articles en ligne relatant l'histoire du pénitencier. Cela ne lui ressemblait pas de s'abandonner ainsi à sa fascination pour les lieux hantés, mais l'année avait été longue et fort étrange.

Plusieurs fois, on m'avait demandé de venir chez Kristen, afin d'enquêter sur des activités paranormales. Son appartement était situé dans le grenier rénové d'une vieille demeure, le reste de la maison ayant également été divisé en appartements. Il était clair, à voir l'ancienne rampe d'escalier, et d'autres détails architecturaux encore visibles, que cette maison avait jadis été opulente et magnifique. Mais, le temps ayant fait son œuvre, elle était aujourd'hui dans un sérieux état de délabrement. Située au milieu de demeures semblables, dans un quartier difficile aux abords du campus, elle n'était plus que l'ombre de sa gloire d'antan.

Il est important de noter que ce n'est pas Kristen elle-même qui, la première fois, a fait appel à moi pour enquêter sur des phénomènes paranormaux. C'était Crystal, sa colocataire, qui avait déjà occupé l'appartement situé juste en dessous, qui m'avait demandé d'enquêter sur certains bruits et sur une présence qu'elle avait cru percevoir dans une penderie, qui se trouvait dans sa chambre. Lorsque l'appartement du grenier s'était libéré, et qu'elle avait décidé d'y déménager, Crystal était pratiquement certaine que cela mettrait un terme à ces phénomènes, puisque tout ce qui se produisait dans son appartement semblait relié à cette penderie.

Crystal espérait donc se débarrasser de cette présence, mais, quoi que je fasse, elle revenait tout le temps. J'avais sollicité l'aide d'un ami plus expérimenté que moi dans la chasse aux esprits, mais la penderie lui avait donné du fil à retordre. Son examen des lieux m'avait toutefois appris une chose : le placard en question ouvrait sur un coin condamné de la maison. Pendant qu'ils effectuaient des rénovations, les menuisiers avaient construit ce placard pour terminer la chambre à coucher, mais celui-ci ne respectait pas exactement la forme originale de la maison. Tout au fond de la penderie, une planche de contreplaqué servait à séparer le placard lui-même d'un autre espace vide rempli de toiles d'araignées et de débris. C'était un espace étriqué et secret, où l'obscurité régnait en maître, et même le faisceau lumineux d'une lampe de poche n'arrivait pas à l'éclairer suffisamment pour voir jusqu'où il s'enfonçait dans le ventre de la maison. Mon ami enquêteur, un homme stoïque qui ne se laissait pas impressionner facilement, avait reçu des vibrations si négatives dans ce placard, qu'il avait préféré abandonner ses recherches. Le meilleur conseil qu'il avait pu donner à Crystal, c'était de déménager.

Ce qu'elle fit, prenant l'appartement du dessus avec Kristen, une jeune artiste qui souriait à l'idée que l'endroit puisse être hanté. Comme tout le monde, Kristen adorait entendre une bonne histoire de fantômes, mais certaines fréquentations l'avaient incitée à ne pas prendre les phénomènes paranormaux trop au sérieux. Son ancien groupe d'amis était de ceux qui croient aux fantômes et qui attribuent aux revenants le moindre craquement, voyant des phénomènes paranormaux partout. Kristen était suffisamment lucide pour s'apercevoir que la plupart de leurs sinistres expériences n'étaient que des incidents tout à fait normaux, montées en épingle par des imaginations enfiévrées en quête d'un peu de magie, dans un monde trop banal.

Lorsque j'ai connu Kristen, à force d'entendre délirer ses camarades, elle était devenue une sceptique avouée. C'est seulement au bout de quelques rencontres, et après avoir gagné sa confiance, que j'ai appris qu'elle avait personnellement vécu des expériences étranges, plusieurs fois dans sa vie. Son dédain pour ceux et celles qui faisaient tout un plat des phénomènes paranormaux, et pour leurs semblables, l'empêchait de parler ouvertement de ses expériences avec d'autres personnes que ses amis les plus proches.

C'est pour cela que Kristen n'a pas parlé immédiatement des expériences qu'elle avait vécues, dans son nouvel appartement. La plupart des incidents étaient bénins : des lumières qui s'allument et s'éteignent, la porte de son placard qui s'ouvre et se referme toute seule, la porte de sa chambre se comportant de la même manière. Il arrivait souvent que des petits objets disparaissent, pour réapparaître un peu plus tard dans des coins improbables. Mais Kristen attribuait certains de ces phénomènes à ses problèmes personnels. Une tumeur inopérable s'étant logée à la base de son crâne, la jeune femme avait des problèmes avec sa mémoire récente. La tumeur interférait aussi avec son sens de l'équilibre, si bien qu'elle avait appris à ne pas toujours se fier à ses impressions. Tout cela, combiné à son scepticisme, faisait en sorte que Kristen ne parlait pas de tous ces événements inhabituels.

Mais avec Crystal, c'était une autre histoire. Crystal était une jeune femme extrêmement émotionnelle et sensible, qui souhaitait désespérément croire en quelque chose. Toute sa vie, elle avait trempé dans l'occulte, et c'était souvent à sa demande insistante, et toujours à contrecœur, que Kristen acceptait de participer à des séances de Ouija, pour tenter de contacter l'esprit — ou les esprits — qui hantaient leur logis. Détail intéressant, la plupart de leurs tentatives pour communiquer avec les esprits se sont soldées par un échec. Soit la planchette refusait absolument de bouger, soit ses réactions n'étaient qu'un charabia incompréhensible. Les séances ne duraient jamais très longtemps, car Crystal et Kristen se sentaient très vite frustrées par leurs tentatives avortées.

Ce manque total de communication avec la planchette de Ouija me révélait un détail important à propos de la présence singulière dans leur appartement. D'après mes expériences précédentes, lorsqu'une croyante aussi sensible que Crystal était présente sur les lieux d'un phénomène paranormal, le désir d'obtenir des preuves pouvait être suffisamment fort pour pousser la personne à inventer des expériences, intentionnellement ou non. Si l'une ou l'autre des deux jeunes femmes avait créé des éléments du phénomène, cela aurait été le moment idéal, pour l'une ou l'autre, de se servir de la planchette de Ouija, pour mettre au point son canular. Pourtant, les esprits restaient étrangement muets.

Pendant ce temps, les incidents continuaient à se produire. Crystal s'était mise à faire des rêves horribles, où elle était attaquée et clouée au lit par une présence malveillante. Bon nombre de ses songes ressemblaient à de terreurs nocturnes ; elle avait l'impression d'être tout à fait réveillée, mais elle était toujours en butte aux éléments du rêve. Elle n'a jamais confié avoir vu son agresseur ; il s'agissait toujours d'une présence ou d'une force qui exerçait sur elle une pression horrifiante et suffocante. Chaque fois qu'elle revivait ces attaques, elle avait ensuite du mal à se réveiller et elle se sentait vidée. Ces rêves étaient devenus si terribles et si concrets, qu'il lui avait fallu consulter un thérapeute. Celui-ci les avait associés à des terreurs nocturnes, un cauchemar classique censé se produire dans un état hypnagogique, c'est-à-dire au cours d'une phase intermédiaire entre veille et sommeil. Étant donné que Crystal se sentait vidée après coup, mais qu'elle savait ce qu'était le travail énergétique, elle était donc bon juge de l'état de son énergie. Je soupçonnais qu'il s'agissait de bien davantage que de simples terreurs nocturnes. Le type d'expériences qu'elle décrivait pouvait très bien être associé à une crise psychique.

Kristen faisait elle aussi ce genre de rêves, même si elle n'en parlait pas. Pendant son sommeil, elle était confrontée aux images les plus horribles, luttant de toutes ses forces, mais incapable de se sortir de ses rêves affreux. Elle se réveillait complètement épuisée, le cœur battant, et la tête vide. Elle attribuait en grande partie son état à sa tumeur au cerveau. Les migraines étaient devenues choses courantes pour elle, la masse qui prenait lentement de l'expansion exerçant une pression de plus en plus forte sur son crâne. Malgré cela, la souffrance et l'épuisement qui suivaient ces terreurs nocturnes semblaient différents ; en tout cas, suffisamment pour que cette sceptique toujours sur ses gardes finisse par s'ouvrir à moi, en entendant sa colocataire relater des expériences similaires.

Je suis venue chez elles et j'ai placé des talismans, dans la chambre de Crystal. Je lui ai recommandé de se procurer un attrapeur de rêves ; je lui ai aussi suggéré d'essayer de communiquer avec les esprits. Elle m'a fait remarquer qu'elles avaient tenté le coup à l'aide d'une planchette de Ouija, mais ce que j'avais en tête était beaucoup plus prosaïque.

« Tu vas te sentir ridicule, mais contente-toi de lui parler. Parle fort et dis-lui que tu sais qu'il est là et que tu veux bien lui permettre de rester, à condition qu'il respecte certaines règles. Demande-lui d'arrêter de t'envoyer ces affreux rêves. »

Je lui ai également suggéré de lui faire une offrande d'énergie, comme on fait des offrandes aux esprits ancestraux, dans certaines cultures orientales. À voir à quel point les deux femmes étaient épuisées, à la suite de leurs rêves, je soupçonnais que l'esprit en question avait besoin de nourriture. Les émotions fortes produisent une énergie puissante, et je pressentais que l'esprit pouvait utiliser cette énergie comme carburant pour ses autres activités. En lui faisant une offrande délimitée et spécifique, et en trouvant un terrain d'entente, qui serait aussi avantageux pour elles que pour lui, elles pourraient le convaincre de cesser de prendre ce qu'il voulait et de respecter leur espace. Tout cela en partant de l'idée que l'esprit lui-même n'était pas tant méchant qu'incompris. J'avais beaucoup de mal à accepter l'idée que l'esprit « pourchassait » les deux femmes. D'après mes expériences, la majorité des esprits que les gens qualifiaient de malins essayaient tout simplement d'exister, comme tout un chacun. Étant donné que tout ce que l'on avait essayé pour convaincre l'esprit d'aller hanter d'autres lieux avait échoué, je pensais que le mieux, pour tout le monde, serait de se partager l'espace, les vivants autant que les morts.

Le fait de parler à l'esprit a semblé l'apaiser. Même s'il y a eu d'autres incidents où les objets changeaient de place et où les ampoules grillaient, Crystal réussissait à bien dormir la nuit. Mais la paix n'a pas duré. Après que Kristen eut rapporté le morceau du pénitencier de l'Ohio chez elle, les incidents, de plus en plus violents, sont allés bien au-delà des rêves.

Un soir que les deux femmes regardaient tranquillement la télé dans leur salon, dans la chambre de Kristen, un grand coup dans la porte les a fait sursauter. L'appartement du grenier était disposé de telle sorte que la chambre de Kristen donnait directement dans le salon. Elle était parfaitement visible, et les deux femmes la regardaient vibrer comme si quelque chose, de l'autre côté, tentait de sortir. À ce moment-là, malgré leur surprise, ni l'une ni l'autre n'était particulièrement effrayée. Elles avaient des chats ; il était donc logique de conclure que l'un des félins avait été oublié dans la chambre, lorsque Kristen avait fermé sa porte. Par conséquent, comme c'est souvent le cas avec un chat déterminé, l'animal essayait de se libérer.

Mais cette belle théorie est tombée à l'eau, lorsque tous les chats de la maisonnée ont accouru dans le salon, attirés par le bruit que produisait une chose qui grattait et qui donnait des coups dans la porte de la chambre de Kristen. Puisque tous les chats étaient là, les deux amies se sont demandé si un raton laveur n'aurait pas pu pénétrer dans l'appartement du grenier. Ces jolies petites bêtes s'étaient établies en ville, à quelques pâtés de maisons du campus de la plus grande université publique du pays. La présence d'un raton laveur était donc peu probable, mais pas impossible. Cela aurait pu expliquer que les chats s'approchent tour à tour de la porte, par curiosité, pour s'enfuir aussitôt, apeurés.

Le bruit avait cessé d'un coup. Tout en regardant sa colocataire aux yeux exorbités, Kristen s'était levée pour ouvrir la porte. Au début, la poignée lui avait semblé dure, et la porte refusait de bouger. Mais quand, enfin, elle réussit à l'ouvrir, il n'y avait rien. Les deux femmes ont alors fouillé la chambre de Kristen de fond en comble, pour tenter de localiser la source du bruit. Mais la chambre était vide. Persuadée que les mouvements violents de la porte étaient dus à un quelconque animal, Kristen s'est mise à taper sur les murs et à fouiller le fond de son placard, pour voir si une créature vivante aurait pu y entrer, puis en ressortir. C'est ainsi qu'elles se sont rendu compte qu'il y avait un espace vide dans la penderie de Kristen, derrière la feuille de contreplaqué, un peu comme dans le précédent appartement de Crystal, à l'étage du dessous. Piquée par la curiosité, Crystal a alors mené sa petite enquête, dans tout l'immeuble. Elle a même demandé à la nouvelle locataire du dessous de lui permettre d'inspecter son ancien logement. Ce qu'elle a découvert a confirmé ses soupçons : les deux placards aboutissaient sur le même espace perdu et vide.

Ayant vu sa part de films d'horreur, Crystal a commencé à se demander si il y avait quelque chose ou non dans cet espace. Elle ne pouvait s'empêcher d'imaginer, emmuré derrière la feuille de contreplaqué, un squelette jauni et poussiéreux, recouvert de toiles d'araignées. Mais, pour explorer cet espace, il aurait fallu que les deux femmes fassent tomber des portions de murs, et aucune ne voulait risquer de perdre le premier versement de loyer donné en garantie au propriétaire. C'est ainsi qu'elles m'ont demandé, une fois encore, de mener ma propre enquête.

Trois personnes, dont moi, ont tenté de débarrasser cet appartement de son fantôme bruyant. À ce moment-là, personne ne soupçonnait que les reliques du pénitencier puissent être impliquées dans l'affaire, car bien avant l'introduction de ces objets, de nombreux incidents spectraux avaient déjà eu lieu dans la maison. J'ai utilisé toutes les méthodes que je connaissais, pour purifier une maison et en chasser les esprits indésirables. Cela fonctionnait quelque temps, mais la présence revenait aussitôt, après mon départ.

La situation était devenue très intense, et les incidents inexplicables, de plus en plus étranges. Kristen s'était réveillée un matin avec une douleur au bras ; son bras était couvert d'égratignures et de bleus. Tout de suite, Crystal avait mis cela sur le dos de l'esprit, mais Kristen essayait de se convaincre qu'elle avait dû se cogner contre un objet en se retournant, vu que son sommeil était très agité.

Kristen m'a tout de même envoyé plusieurs photographies de ses blessures, pour savoir ce que j'en pensais. J'ai rarement vu des phénomènes paranormaux où des personnes vivantes étaient physiquement blessées par les morts. En règle générale, un esprit peut influencer l'énergie et faire en sorte que certains endroits nous semblent étranges — provoquer des chutes de température, interférer avec les appareils électriques, peut-être même influencer les rêves —, mais il lui faudrait une somme d'énergie extraordinaire, pour affecter le monde physique. Un fantôme très violent et puissant pourrait réussir à déplacer de petits objets, par exemple des bijoux, des assiettes ou des livres. Il peut arriver qu'une chose ait le pouvoir de déplacer un objet plus lourd ou plus gros, mais ces cas sont rarissimes. Cela signifie que les incidents où des personnes sont physiquement attaquées par des esprits sont rares et très espacés. Cela ne signifie pas que l'on n'a jamais enregistré ce genre d'incidents, mais les esprits qui possèdent un tel pouvoir et une telle malice ne sont pas nombreux.

J'ai dit à Kristen que l'idée qu'elle avait simplement trop tourné dans son sommeil me paraissait plausible, mais j'ai accepté de me rendre chez elle, pour inspecter sa chambre. Et c'est là que mon opinion a changé. Le lit de Kristen était un simple matelas posé en équilibre sur des caissons de lait, si bien qu'il n'y avait ni tête de lit, ni ce qu'on pourrait appeler un « rebord » contre lequel elle aurait pu se faire de telles blessures au bras. La seule structure sur laquelle elle aurait pu logiquement se faire mal, c'était l'étagère de livres, qui se trouvait juste à côté de son lit. Mais étant donné qu'aucune des figurines ou autres bibelots posés dessus n'en étaient tombés, je voyais bien qu'il était pratiquement impossible qu'elle se soit frappée avec violence, pour causer les blessures qu'elle m'avait montrées. De plus, j'avais beau visualiser toutes les positions qu'elle aurait pu prendre en dormant, l'angle ne correspondait jamais aux meurtrissures de son bras.

Le fait de communiquer avec l'esprit, et de lui faire des offrandes d'énergie, semblait ne plus être d'aucun secours. Les incidents étaient devenus si fréquents qu'on aurait pu les trouver banals, s'ils n'étaient pas devenus de plus en plus bizarres. Crystal avait un chrysanthème en pot. La plante était en santé et bien arrosée, mais un soir, après avoir senti une présence dans le salon, Crystal s'était rendu compte que sa plante s'était flétrie et était devenue sèche comme de vieux os, en l'espace de quelques heures. Elle affirmait qu'elle l'avait arrosée le soir même et qu'elle était parfaitement saine, plus tôt dans la journée. Elle m'avait envoyé une photographie de la plante, en me demandant si je pouvais lui donner une explication.

Kristen avait installé dans sa chambre un grand aquarium dans lequel elle gardait deux rats. Comme les chats s'intéressaient beaucoup aux rongeurs, le couvercle de son aquarium était un truc en bois très lourd, recouvert d'une grille de métal lestée d'un poids, afin que ni les chats ni les rats ne puissent le faire basculer. Encore une fois, tandis qu'elles étaient assises au salon devant la télé, les deux femmes ont entendu un bruit étrange, provenant de la chambre de Kristen. Ce bruit avait été immédiatement suivi d'un miaulement terrifiant, poussé par un des chats. La porte de la chambre de Kristen était ouverte, et le chat continuait à pousser son terrifiant hurlement.

Craignant qu'un des animaux ne se soit blessé, les deux femmes se sont précipitées dans la chambre. À leur grande surprise, elles ont trouvé le chat dans la cage des rats. Sur leurs gardes, les rats fixaient le félin, mais celui-ci était trop terrifié pour réagir. Les yeux écarquillés, les poils hirsutes, le chat était aculé au mur de verre de l'aquarium et ne cessait de miauler piteusement.

« Ça t'apprendra ! » a lancé Kristen, en déduisant tout naturellement que le gros chat était entré de sa propre initiative dans la cage des rats.

C'est lorsqu'elle a voulu le faire sortir de là, qu'elle s'est rendu compte que le couvercle n'avait pas bougé. Tous les poids étaient bien en place, et les grillages ne laissaient aucune ouverture par laquelle le félin de six kilos aurait pu se faufiler.

« Il s'est téléporté », a lancé Crystal à la blague, mi-figue mi-raisin.

Après avoir secouru le chat terrifié, Kristen a passé un bon moment à inspecter l'aquarium et son couvercle, mais elle n'arrivait pas à s'expliquer comment le chat avait pu se retrouver parmi les rats.

C'est toutefois après l'incident qui suit, que Kristen a atteint sa limite dans cette maison pour le moins perturbée :

Après une autre nuit épuisante remplie de rêves troublants, elle s'était soudain réveillée, et avait senti le besoin de sortir du lit sans attendre. Elle était allée à la salle de bain, puis avait pris la manette de la télé dans le salon, dans l'espoir de se rendormir en regardant une émission. Et soudain, elle avait entendu, venant de sa chambre, un grattement étrange suivi par un « boum » sourd. Certaine que les chats avaient fait tomber quelque chose, elle s'était relevée pour voir quel genre de dégâts il lui faudrait nettoyer.

En entrant dans sa chambre, Kristen n'a pas tout de suite remarqué ce qui manquait. Elle a regardé dans tous les coins où les chats auraient pu faire tomber un objet, mais elle n'a même pas vu le bout d'un museau. Intriguée, elle s'est assise sur le bord de son lit, en se disant qu'elle ferait mieux d'essayer de se rendormir. C'est à ce moment-là qu'elle a remarqué que la pièce en pierre sculptée de treize kilos, provenant du pénitencier de l'Ohio, n'était plus sur son étagère de livres. En tombant, la grosse pièce s'était retrouvée directement sur son oreiller. Si elle était tombée quelques secondes plus tôt, Kristen aurait eu le crâne fracassé.

Effrayée, mais essayant toujours de rationaliser, elle a soulevé la lourde pierre, pour la remettre à sa place sur l'étagère. Elle a pu constater, à ce moment-là, la force qu'il aurait fallu déployer, pour faire basculer l'objet sur son lit. Cela avait dû exiger un effort considérable. Elle est même allée jusqu'à imaginer la possibilité, improbable, que son chat ait pu faire tomber cette grosse pierre massive sur son oreiller. Mais cela n'expliquait pas que les livres de poche, alignés juste à côté de l'ornement de pierre, n'avaient pas bougé d'un pouce ; pour pouvoir pousser une si grosse pierre, un chat aurait forcément dû marcher sur les livres.

Le second problème, lorsqu'elle a essayé de soulever la pierre pour la remettre à sa place, constituait une preuve en soi. Vu la disposition de son lit et de l'étagère, la lourde pierre retombait chaque fois sur le bord du lit. En tombant d'elle-même, elle avait atterri tout droit au milieu de son oreiller. Pour que cela puisse se produire, il aurait fallu qu'elle trace un arc. Kristen avait beau tout essayer, elle n'arrivait pas à imiter cette trajectoire. Elle aurait pu penser que sa colocataire avait voulu lui jouer un tour, mais elle était la seule encore debout, à cette heure-ci. Étant donné la manière dont l'appartement était divisé, il aurait fallu que Crystal la croise à l'aller et au retour, à condition, bien sûr, qu'elle ait la force de déplacer la lourde pierre. Pour la première fois, Kristen était réellement effrayée.

Cette histoire de fantôme ne comporte pas de fin claire et nette. Les incidents ont continué, traversant des périodes d'activité intense, puis se calmant pendant de brefs moments ou rien d'étrange ne survenait. L'introduction d'objets provenant du pénitencier de l'Ohio avait semblé provoquer une période intense d'activité violente. J'ai senti que la possibilité que les reliques de la prison aient été hantées était faible. Il était beaucoup plus probable, selon moi, que ces pierres soient encore imprégnées de résidus émotionnels provenant de la prison elle-même, lesquels se nourrissaient et puisaient leur énergie à même un esprit qui était déjà présent et actif dans l'appartement.

Il arrivait parfois que les deux locataires se soupçonnent mutuellement de jouer des tours à l'autre et d'ajouter, peut-être, au chahut que faisait le fantôme. Surtout au début de l'activité paranormale, cela me paraissait plausible. Je passais souvent chez elles, pour observer non seulement le « résidant » paranormal, mais également les locataires, lorsqu'il se passait des choses parfaitement naturelles. Par contre, je crois que certains incidents que l'on a attribués au fantôme auraient pu s'expliquer autrement. Je ne suis pas totalement convaincue que le chrysanthème n'a pas été davantage victime d'un oubli, que de quelque mystérieuse force qui l'aurait asséché d'un seul coup. Il ne fait pas de doute que Crystal était devenue si obsédée par la répétition du phénomène, qu'elle avait tendance à mettre sur le compte du fantôme, chaque bruit bizarre ou chaque trousseau de clés qui n'était pas là où il aurait dû être.

Pendant un moment, j'ai supposé que Kristen était indirectement responsable de ces situations, car l'activité du fantôme semblait tourner autour d'elle. La grande majorité des incidents ont eu lieu dans sa chambre. Sa tumeur au cerveau conférait à ce cas une variable fascinante et unique. Se pouvait-il que la tumeur exerce une pression sur une partie du cerveau responsable de l'activité télékinétique ? J'étais incapable de la moindre hypothèse.

Y avait-il quelque chose dans le placard, une chose attachée à cet endroit de la maison ? Après avoir compris que le placard de Kristen ouvrait lui aussi sur cet espace perdu de l'immeuble, cette possibilité nous a paru de plus en plus plausible. De nombreuses personnes avaient éprouvé un certain malaise, à proximité de ce petit coin noir et renfermé. Fait intéressant, avant que le bail des deux femmes n'expire, une autre entreprise avait racheté l'immeuble et avait commencé des rénovations. Les travaux étaient importants, et plutôt que d'attendre que tous les locataires aient quitté les lieux, les travailleurs avaient commencé plusieurs de ces rénovations, alors que les gens y vivaient encore.

Les nouveaux propriétaires avaient une vision différente de l'immeuble ; ils n'aimaient pas la façon dont il avait été divisé en de multiples petits logements. Les murs avaient été abattus, et on avait découvert de nombreux petits espaces condamnés, dans plusieurs appartements. La construction avait révélé des zones cachées et poussiéreuses, dont plusieurs contenaient encore des articles abandonnés, à une autre époque de l'histoire du bâtiment. Nous avons appris que l'immeuble avait été érigé au début des années 1900, et avant que les deux femmes ne déménagent à leur tour, on avait découvert, à leur étage, un escalier oublié, un foyer et une cheminée qui avaient été recouverts, en plus de toute une section perdue de la maison, au-dessus et en dessous de la penderie de la chambre de Kristen.

Visions d'une terre lointaine

Il y a des fées à Hinckley Woods. Je me sens un peu ridicule d'utiliser le mot fées, mais je n'ai pas trouvé de meilleur nom pour désigner les esprits vifs qui semblent habiter les forêts et les prés de ma ville natale. Ce ne sont définitivement pas des esprits humains, mais ils sont manifestement sensibles et conscients des autres êtres qui les entourent. De plus, ils se comportent de cette manière énigmatique et capricieuse, liée de si près au folklore traditionnel des fées. Ni bons, ni méchants, ces esprits n'en font qu'à leur tête et, lorsque leur univers croise le nôtre, ils semblent être motivés autant par la curiosité que par la malice.

Bien sûr, lorsque j'ai dit « Je pense qu'il y a des fées dans nos forêts », mon meilleur ami n'a pas voulu me croire. L'ami en question est Jason B. Crutchfield, un gars de Détroit, que certains pourraient prendre pour un médium au premier abord. Jay est à peu près de ma grandeur, c'est-à-dire environ un mètre quatre-vingt, bien que sa prestance naturelle vous donne l'impression qu'il est encore plus grand. Pendant des années, il a travaillé comme videur, et il doit bien peser au moins quarante-cinq kilos de plus que moi. Que du muscle. Ajoutez à cela une longue queue de cheval, un chapeau mou et une veste de cuir noir, et vous aurez un personnage qui aurait tout à fait à sa place dans un roman fantastique. Cela, ou encore un motard dont la moto est au garage. Il ne ressemble surtout pas à quelqu'un qui s'occupe de thérapie énergétique, et à qui il arrive de communiquer avec les morts.

Même si Jay défie tous les stéréotypes relatifs à l'apparence que devrait avoir un médium, il n'en est pas moins un thérapeute énergétique doué et très puissant. Il possède plusieurs de mes talents, y compris la capacité de percevoir et d'interagir avec les esprits. Notre amitié est en partie fondée sur les talents que nous partageons, mais nous sommes aussi liés par le même genre d'attitude face à ces aptitudes. Jay et moi sommes des êtres naturellement sceptiques. Ce n'est pas que nous refusions de croire au paranormal, mais ni lui ni moi ne voulons risquer d'être la proie de croyances aveugles. Nous remettons en questions et analysons chacune de nos expériences, vérifiant nos impressions auprès de l'autre, deux fois plutôt qu'une, de manière à pouvoir rester aussi objectifs que possible en ce qui a trait à nos habiletés, et (je l'espère) à ne jamais prendre nos désirs pour des réalités. Nous avons trop vu ce genre de laxisme chez les autres, voilà pourquoi nous sommes doublement méfiants et que nous faisons très attention de ne pas adopter ce genre d'attitude.

Cela nous ramène aux fées. J'ai tout de suite rassuré Jay, en ajoutant que je ne croyais pas que la Fée Clochette allait sortir des arbres en voltigeant, pour venir se poser sur sa main, sous une pluie de poussière magique. Néanmoins, je voyais bien qu'il restait sceptique devant le concept de fées. J'ajouterai que Jay est ce que je considère comme un occultiste autodidacte, ce qui revient à dire qu'il tire la plus grande part de son savoir d'expériences personnelles. Il sait qu'il existe de nombreux livres sur des sujets allant des projections astrales aux guides sur les fées, mais il préfère apprendre par l'approche directe. D'une certaine façon, il évite de lire tous les livres disponibles, car il ne veut pas se créer de fausses attentes par rapport à ses expériences. Il préfère juger des événements par lui-même, à partir d'une page blanche.

Contrairement à lui, je lis beaucoup. Je fais mes expériences et je dis ce que je pense de ces dernières. Je consulte ensuite tous les livres qui ont été écrits sur le sujet, pour pouvoir comparer et mettre en opposition mon vécu et mes conclusions, avec celles de tous ceux qui ont exploré le même territoire avant moi. Par conséquent, j'avais déjà lu de nombreuses légendes sur les fées, et j'essayais d'expliquer à Jay que les esprits que j'avais surnommés « fées » avaient largement mérité ce surnom, car leur comportement était fidèle aux anciennes traditions concernant les fées. Ces esprits n'étaient pas humains ; pourtant, il était évident que c'étaient des esprits sensibles. Ils semblaient attachés à la nature, et préféraient les lieux sauvages peu fréquentés par les humains, même s'il leur arrivait parfois de s'aventurer dans certains coins de la maison. Ils étaient espiègles de nature, et les rares fois où j'avais été capable de les percevoir avec ma vision physique, ils m'étaient apparus comme des boules d'énergie mesurant entre dix et trente centimètres de diamètre. Ces boules voltigeaient de telle façon parmi les arbres ou les hautes herbes, qu'il était pratiquement impossible de *ne pas* penser que ces créatures étaient des fées. J'avais eu des chats et des chiens qui réagissaient à la présence des farfadets, et j'avais été témoin, au moins une fois, d'un incident fort amusant. J'aurais pu parier qu'un de mes chats avait non seulement pourchassé un de ces êtres éphémères, mais qu'il avait eu la malchance *d'attraper* la chose. Le pauvre minou avait passé les trois heures suivantes à courir partout comme un fou, les yeux exorbités et le corps aussi rond et hirsute qu'un rince-bouteille, comme s'il était poursuivi par une chose qu'il était le seul à voir. Détail intéressant, il n'a jamais pourchassé les grosses taches d'énergie grise et miroitante qui voltigeaient dans notre maison, de temps à autre.

En plus de se présenter sous forme de taches sombres et grises d'apparence *presque* tangible, les fées de Hinckley se manifestaient parfois sous la forme de minuscules lumières, dansant dans les arbres. On les confondait facilement avec des lucioles, car elles étaient presque de la même taille ; pourtant, elles prenaient souvent des couleurs dont aucune luciole n'aurait pu se parer, soit des rouges, des bleus, voire des tons de lavande très pâles. Pendant des années, j'ai cru qu'il existait des lucioles de toutes les couleurs, jusqu'à ce que j'apprenne qu'aux quatre coins du monde, la bioluminescence de la luciole donne systématiquement un beau jaune pâle verdâtre. Cela, en plus de l'incident avec mon chat, a fait que j'y réfléchissais à deux fois, avant de partir à la chasse aux lucioles par de chaudes soirées d'été. J'ignorais quelles conséquences cela aurait pu entraîner si, par mégarde, j'avais attrapé une fée dans mon filet. Je ne pensais pas qu'il s'agissait littéralement d'êtres *physiques*, et pourtant, comme je pouvais voir leurs lumières d'une manière très tangible, les fées semblaient danser lestement, à l'orée de cette mince ligne entre esprit et chair. L'expérience de mon chat n'a fait que souligner cette ambiguïté désarmante.

Jay était toujours convaincu qu'il ne s'agissait tout compte fait que de simples lucioles. Il est vrai qu'il aurait fallu que Hinckley ait développé différentes espèces de lucioles capables d'émettre une lumière violette et rouge, mais il s'était produit des choses plus étranges encore. En un sens, il était plus facile de croire à l'existence d'une espèce mutante de lucioles, que de croire à l'existence de vraies fées. Le chat aurait fort bien pu se comporter en chat, purement et simplement, c'est-à-dire courir après un petit rien et faire semblant d'être lui-même pourchassé par un petit rien. Comme tous les propriétaires de chats le savent, les chats font parfois ce genre de choses. Les taches grisâtres auraient pu n'être que des mottes de poussière, voire une défaillance visuelle, comme ces filaments de cellules mortes qui s'amoncellent dans les fluides internes de l'œil et qui, occasionnellement, deviennent visible lorsque les conditions sont favorables. L'apparente intelligence de leur comportement aurait pu n'être rien d'autre qu'une simple projection de ma part.

Évidemment, j'avais envisagé toutes ces possibilités, et c'est seulement après des rencontres successives, faites par d'autres personnes et moi-même, que j'avais commencé, à mon corps défendant, à parler de ces entités en utilisant le mot fées. Néanmoins, plus je m'intéressais aux légendes des fées, plus j'étais convaincue que ces curieux petits esprits étaient exactement les choses qui avaient inspiré la majorité des légendes folkloriques sur les fées. Le fait d'apprendre que des histoires similaires existaient, dans des cultures bien au-delà des îles britanniques, a également contribué à consolider cette opinion, puisque j'ai suggéré qu'il s'agissait d'un phénomène universel, plutôt que régional. Mais le concept de fées demeurait toujours un peu trop bizarre pour un homme qui avait grandi dans la ville industrielle.

Puis, Jay a fait sa propre expérience des fées, et il a changé de refrain.

C'était le début de l'été, dans les années 1990 ; j'avais organisé des retrouvailles pour notre groupe d'amis. Nous étions nombreux, éparpillés aux quatre coins du pays. Jay était venu de Détroit, et un soir, nous nous sommes tous retrouvés à Hinckley Lake pour un grand barbecue. Hinckley Lake est une réserve située aux abords de ce qui fut jadis une carrière de pierres. Les environs regorgent d'arbres, de vallons et de quelques zones humides qui forment un tout équilibré, et le parc sert de lieu de villégiature aux gens de la région, depuis de nombreuses années. Le lac, long de quatre-vingt-dix hectares, est une sorte de joyau sur ce territoire de plus de deux mille arpents. Je fréquentais Hinckley Lake depuis que j'étais toute petite, surtout parce que le parc était à quelques kilomètres à peine de la maison où j'ai grandi. Une des choses que j'aimais à propos de cet endroit, c'était que, contrairement aux nombreux parcs publics qui fermaient à la tombée de la nuit, Hinckley Lake restait ouvert jusqu'à vingt-trois heures. J'ai toujours été un oiseau de nuit, et cela voulait dire que je pouvais me promener dans les bois, après le coucher du soleil, et me régaler de l'aspect nocturne de la forêt, qui grouille à cette heure d'une vie sauvage complètement différente.

L'heure de fermeture du parc était une des principales raisons pour lesquelles notre petit groupe avait choisi d'y faire son barbecue. Nous avions donc l'intention de profiter du parc jusqu'à au moins vingt et une heures, ce soir-là. Comme nous étions un groupe de gothiques vêtus de noir, nous avions choisi, comme lieu de rassemblement, un petit coin isolé du parc, surtout parce que nous ne voulions pas faire peur aux habitués. C'était un coin un peu à l'écart du lac, où la forêt était très dense. Un ruisseau coulait le long d'un des côtés de ce site, et l'on pouvait voir, dans une petite éclaircie pratiquée dans les arbres, plusieurs rangs de balançoires. Les arbres étaient si grands ici, que même si l'aire réservée aux pique-niques était techniquement située dans une clairière, le feuillage des arbres l'assombrissait considérablement. L'endroit restait frais même à l'heure où le soleil était à son zénith, et seules quelques plaques de lumière d'un vert doré se frayaient un chemin jusqu'au sol recouvert de feuilles.

Le problème auquel nous avons été confrontés à cet endroit concernait l'éclairage. À l'époque, cette partie du parc n'était pas éclairée à l'électricité. Il n'y avait même pas un seul lampadaire, pour éclairer l'aire de stationnement. Je suis très à l'aise avec les lumières tamisées, et j'ai une excellente vision nocturne, aussi cela ne me dérangeait-il pas vraiment. En fait, c'était justement pour cela que j'avais choisi ce petit coin isolé du parc. Mais mes amis, gothiques ou pas, n'étaient pas aussi bien adaptés. Le soleil ayant commencé de décliner, notre emplacement dans le bois était devenu très sombre, et plusieurs de mes amis se sont plaints du manque de visibilité. Les braises, contenues dans les deux ou trois barbecues publics que nous avions réservés, ne contribuaient pas vraiment à éclairer quoi que ce soit, et nos camarades avaient du mal à naviguer entre les racines tordues des plus vieux arbres. Pour ajouter à leur inconfort, une nuée de moustiques assoiffés de sang s'était ruée sur la scène, presque à la minute où le soleil embrassait l'horizon. J'avais eu la bonne idée d'apporter quelques bouteilles de lotion anti-moustiques, mais ce n'était pas très efficace pour éloigner des insectes aussi voraces.

Nous avons donc décidé de ramasser nos affaires plus tôt que prévu, et nous avons commencé à organiser le retour en ville de nos invités de l'extérieur. Jay était venu en voiture avec un autre ami, Patrick, et celui-ci s'était rapproché de moi, parce qu'il cherchait Jay. Il l'avait cherché partout, mais ne l'avait vu nulle part. La clairière n'était pas si grande, aussi pouvait-on s'étonner d'avoir perdu notre ami des yeux. Comme Jay était un pur citadin, je me l'imaginais mal s'aventurant plus loin dans la forêt. Pourtant, même après avoir regardé partout autour de nous, notre grand gaillard d'un mètre quatre-vingt-trois, aux allures de motard, ne se trouvait nulle part.

Plusieurs de nos amis étant fatigués et nerveux, je leur ai dit de partir devant, pendant que nous cherchions Jay. J'ai demandé à Paul, mon coloc, qui était venu dans une voiture séparée, de partir en éclaireur, afin qu'il y ait quelqu'un à la maison pour les accueillir à leur arrivée. Puis, Patrick et moi sommes partis à la recherche de Jay. Nous avons regardé dans les salles de bains et dans le coin où il y avait les balançoires (quoique l'idée de Jay en train de se balancer comme un enfant était si improbable que j'avais du mal à l'imaginer). Nous avons exploré la digue rocheuse qui mène jusqu'au ruisseau, au cas où il se serait arrêté près de l'eau pour méditer. Puis, nous sommes retournés aux tables à pique-nique, près de l'aire de stationnement, en appelant son nom de temps en temps. Toujours pas de Jay.

Patrick était inquiet, et je commençais moi aussi à l'être. Ce n'est pas que nous doutions que Jay soit capable de prendre soin de lui-même. En cas de conflit avec un ***homo erectus***, on ne se demandait pas qui sortirait vainqueur. Mais la forêt pouvait s'avérer dangereuse, dans l'obscurité, pour quelqu'un qui ne pouvait pas s'orienter. Et puis, il y avait le lac. Il y avait un seul point qui était jugé sûr pour la baignade, et il se trouvait en bas de la chute artificielle. Le reste du lac était périlleux, jonché de rochers et de brusques dénivellations, dans des profondeurs boueuses et noires. Des rumeurs circulaient toujours, selon lesquelles il y avait eu de multiples noyades, durant les premières années du parc, suffisamment pour que les nageurs les plus aguerris se méfient de ses eaux noires et froides.

Jay se baignant de son plein gré dans le lac était à peu près aussi improbable que Jay faisant de la balançoire, mais il y avait des rochers qui surplombaient le lac, et s'il s'était aventuré dans cette direction et qu'il avait perdu pied, il y avait quand même un risque qu'il se soit retrouvé en mauvaise posture. Après avoir inspecté l'aire de pique-nique de fond en comble, nous nous sommes tournés vers le lac. Au-delà du terrain de stationnement, il y avait un terrain plat d'environ cent cinquante mètres, menant d'abord à un bosquet d'arbres, puis à une pointe peu profonde du lac. Une grande partie de cette dernière était constituée de marécages, bordés de roseaux et de ronces. Un des invités, qui avait pris son temps pour ramasser ses affaires, nous a demandé qui nous cherchions. Quand nous lui avons répondu qu'il s'agissait de Jay, il nous a affirmé l'avoir vu partir dans cette direction. Aucun autre membre de notre groupe n'était allé par là, et il n'y avait jamais eu personne dans ce coin, depuis le moment de notre arrivée. Je n'étais pas vraiment sûre que Jay se soit aventuré dans cette direction, à moins qu'il ne se soit ennuyé et qu'il ait décidé d'aller jeter un coup d'œil du côté du lac.

À ce moment-là, il faisait presque totalement noir, et Patrick commençait à se sentir un peu frustré de ne rien distinguer. Il avait donc décidé d'aller voir dans le camion s'il ne trouverait pas une lampe de poche. En l'attendant, je scrutais les ténèbres, en me promenant aux confins du terrain de stationnement. Il faisait si noir à présent, que le monde avait perdu toutes ses couleurs. Tout ce que je voyais m'apparaissait en diverses teintes de gris. Je voyais les formes de quelques tables à pique-nique se découper contre des ombres plus intenses. Ayant cru apercevoir une personne, debout près d'une des tables, j'étais tout excitée, jusqu'à ce que je réalise que ce n'était qu'un des barbecues publics. Le barbecue était beaucoup plus près de moi que la table, mais ma perception des profondeurs était altérée par l'obscurité, de sorte que l'objet semblait plus gros, plutôt que plus près. En regardant une deuxième fois, je n'ai vu aucune silhouette d'homme dans cette direction.

Patrick était revenu, mais sans lampe de poche. Il se plaignait de ne pas voir plus loin qu'à un mètre à la ronde, et il semblait un brin perturbé, car j'arrivais encore à distinguer des formes dans le noir. J'ai proposé de marcher jusqu'à l'autre section des tables de pique-nique, pour voir si Jay y était, mais il craignait de s'aventurer vers ce coin d'un noir d'encre. Nous nous sommes plutôt remis à crier le nom de Jay. Nous l'avions déjà appelé une ou deux fois, depuis que nous avions amorcé nos recherches, mais comme nous étions dans un lieu public, nous n'avions pas osé crier à pleins poumons. Fatigués, harcelés par les insectes et irritables, c'était tout ce que nous pouvions faire, à présent, crier son nom, tournés vers l'extrémité peu profonde du lac.

Puis soudain, nous avons cru entendre une voix nous répondre. Mais le son était déformé et semblait venir de très loin. Cela m'a paru une éternité, mais j'ai fini par apercevoir une silhouette, qui avançait vers nous dans le noir. À cause de ses vêtements noirs, Jay m'apparaissait comme une ombre solide émergeant d'ombres qui étaient à peine moins denses. Il a cligné des yeux dans l'obscurité, et j'ai vu sur son visage une expression de perplexité qui ne m'était pas familière.

Patrick a dit sur un ton bourru : « Jay, bon sang, où étais-tu passé ? On t'a cherché partout ! »

Jay nous regardait, avec un air perplexe. On aurait pu penser qu'il ne nous voyait pas vraiment. Son regard semblait arrêté sur un autre plan.

« Je ne suis pas vraiment certain de l'endroit où j'étais », a-t-il répondu sur un ton énigmatique.

Il n'en a pas parlé tout de suite, mais j'ai fini par apprendre ce qui s'était passé ce soir-là.

Quand les choses avaient commencé à s'éterniser, durant le pique-nique, Jay avait traversé l'aire de stationnement, pour se rendre dans la seconde section des tables de pique-nique, histoire de se retrouver seul un moment. M'ayant souvent entendue raconter toutes sortes d'histoires sur cet endroit, il avait voulu sentir l'énergie des lieux. En arrivant, il avait vu des petites lucioles qui dansaient en direction du lac. Il était enchanté de voir ce petit essaim lumineux, d'autant qu'il avait pu constater que quelques-uns de ces insectes prenaient des couleurs qu'il n'avait jamais vues auparavant. Il avait entendu les histoires que je racontais sur les « lucioles » aux couleurs incroyables, dans la réserve de Hinckley, mais c'était autre chose de les voir de ses propres yeux. Il avait continué à avancer, se rapprochant de plus en plus de ces petites lumières dansantes, dans l'espoir d'en attraper une dans ses mains et de vérifier qu'il s'agissait bien d'une coccinelle bioluminescente en train d'exécuter une danse nuptiale, et non d'une chose aussi bizarre qu'une fée. Mais, chaque fois qu'il avançait d'un pas, les lucioles s'éloignaient. Il n'avait donc pas réussi à s'approcher davantage de l'essaim lumineux. Il avait noté que ces lucioles ne clignotaient pas de la même manière que celles de ses souvenirs ; cela aussi lui avait semblé un peu étrange, mais tout de même pas extraordinaire au point d'en déduire qu'elles étaient surnaturelles.

Tandis qu'il s'enfonçait plus profondément, dans cette partie du parc, les derniers rayons du soleil disparaissaient, derrière la ligne d'horizon. Le soleil se couchait en face et sur sa gauche. Bien que toutes les couleurs du lac avaient perdu de leur éclat, le paysage baignait toujours dans la pénombre, et il voyait chaque chose clairement, en ombres argentées et grises. C'est alors qu'il s'intéressa davantage à ce qui se tenait devant les lucioles, qu'aux lucioles elles-mêmes. Jay venait d'apercevoir, déployée au-delà de la ligne mince des arbres, une jolie prairie vallonnée. Fasciné, il s'était arrêté pour observer la scène, car il ne gardait aucun souvenir de cette portion du terrain. Il était à peu près certain d'avoir fait face au lac, mais à la place d'une étendue d'eau, il voyait, au-delà de la ligne des arbres, un champ plongé dans une semi-obscurité, où grouillaient des lucioles multicolores.

À un moment de son escapade, il s'était senti très loin de notre fête bruyante qui, d'après lui, devait se trouver à une centaine de mètres au sud environ. Pourtant, lorsqu'il tendait l'oreille, les bruits des gens et des voitures lui semblaient étrangement éloignés, comme s'ils parcouraient des kilomètres avant d'arriver jusqu'à ses oreilles. Autour de lui, sous la lumière argentée du crépuscule, tout était immobile et silencieux, illuminé par le scintillement des lucioles qu'il n'avait pas pu attraper. Il s'était senti irrésistiblement attiré vers ce pré énigmatique. Il avait également eu l'impression de se tenir sur un seuil entre deux mondes. Il avait senti que quelque chose l'invitait à traverser dans l'autre monde, mais il n'avait pas osé, parce qu'il ignorait s'il serait en mesure de retrouver son chemin pour rentrer.

Il était resté là un moment, à étudier le phénomène qu'il avait devant les yeux. Émerveillé, il faisait de gros efforts pour comprendre ce qui se passait. À aucun moment, ce crépuscule féerique n'avait perdu de son éclat. Puis, de loin, de très loin, il avait cru entendre des voix appeler son nom.

En tournant le dos au pré, Jay avait constaté qu'il s'était beaucoup éloigné de l'aire de pique-nique. Les ombres qui s'étendaient entre lui et le terrain de stationnement étaient si denses, qu'il ne voyait même plus la première rangée des tables à pique-nique. Puis, de nouveau, il avait entendu son nom, et il nous avait répondu. C'était comme s'il avait essayé de crier depuis un lieu très éloigné. Tournant le dos à la fascination du pré et à ses invraisemblables lucioles, Jay s'était remis à marcher, en direction de la fête. Sa marche avait semblé lui prendre un temps incalculable, et tandis qu'il se rapprochait, l'obscurité devenait de plus en plus grande. De nouveau, il avait été envahi par l'impression d'avoir franchi un seuil dans la réalité, et il avait fini par émerger et par apercevoir Patrick, debout près des quelques voitures encore garées là.

Plus tard, en plein jour, Jay était retourné à l'endroit où il s'était perdu. Il avait retrouvé la rangée d'arbres dont il se souvenait, en bordure de ce pré féerique et crépusculaire. Mais, au-delà des arbres, il n'y avait qu'un marécage. Cherchant à résoudre l'énigme de l'image de ce marécage par rapport à l'image du pré qui hantait son souvenir, il s'était demandé si, à la noirceur, il n'aurait pas pu confondre le marais avec un champ, mais il avait beau retourner la question dans tous les sens, cette explication ne lui paraissait pas acceptable. Il n'avait jamais vu des lucioles comme celles-ci avant ce soir-là ; il n'en a jamais revu depuis, et le fait que ni Patrick ni moi n'ayons vu des lucioles dans ce coin, pendant que Jay y était, n'arrange pas les choses.

Quand Jay m'a raconté le souvenir qu'il avait de cette soirée, l'expérience m'a semblé tout à fait sensée — à condition d'accepter l'idée que les lucioles n'étaient pas de simples coccinelles occupées à exécuter leur danse nuptiale. Dans différentes légendes où il est question de fées, on trouve de nombreux comptes rendus de gens qui ont été attirés par des farfadets. Très souvent, en traversant la forêt, un voyageur fatigué aperçoit une lumière au loin. Croyant qu'il s'agit d'une lanterne ou d'une lampe allumée dans une vieille cabane, il la suit, pour ensuite s'apercevoir qu'il s'est aventuré dans un bourbier ou dans un coin dangereux de la forêt. D'autres voyageurs rapportent avoir été attirés par des lumières jusqu'au bord d'une falaise, qu'ils avaient confondue avec la suite du sentier, et avoir bien failli y trouver la mort.

L'expérience de Jay est parfaitement fidèle à la tradition. Les « lucioles » l'ont attiré jusqu'au bord du marécage. Fasciné, il s'est senti attiré par cette extraordinaire prairie, et s'il s'y était aventuré, il aurait ruiné ses bottes dans cette mare boueuse. Mais Jay continue de penser que s'il s'était aventuré plus loin dans ce champ à la pénombre, il se serait retrouvé complètement ailleurs, incapable de revenir à la réalité qui avait été la sienne jusque-là. Pour ma part, je suis très contente qu'il ait décidé de rebrousser chemin, à ce moment-là.

Plus proche que vous ne l'imaginez

Certaines de mes enquêtes sur les lieux hantés sont des cas qui m'ont été racontés par des connaissances. En 1998, j'ai eu vent d'un cas intéressant impliquant un fantôme, parce que la personne qui en était victime m'avait été présentée par une amie commune. Mon amie connaissait un jeune homme qui était harcelé par un revenant. Ce dernier avait entendu parler de mes travaux, mais il n'osait pas me contacter de lui-même. Selon ses dires, chaque fois qu'il avait cherché de l'aide, afin de résoudre ce problème, l'esprit qui le hantait avait voulu se venger, en détruisant des pièces de son équipement électronique. L'esprit s'en prenait plus particulièrement à des appareils qui empêchaient le jeune homme de communiquer avec ses semblables. J'ai écouté son histoire, car mon amie m'avait affirmé avoir été témoin que tout le réseau informatique d'un cybercafé avait planté à répétition, alors que le jeune homme tentait d'expliquer sa situation à un copain, par le biais d'un site de clavardage. Apparemment, il utilisait un ordinateur public, parce que son ordinateur privé avait grillé à cause d'une surtension, alors qu'il essayait d'envoyer le même message.

Chaque fois que l'on fait appel à moi pour une présumée activité paranormale, j'opte pour le scepticisme, tout au moins au début. Cela est particulièrement vrai, lorsque les gens viennent me voir en affirmant qu'un esprit a fait d'eux leur souffre-douleur. Bien que le phénomène des fantômes soit très bien documenté, je sais d'expérience que les activités spectrales avérées sont fort rares. En outre, il n'est pas courant qu'un esprit prenne un intérêt direct et personnel à blesser un individu, surtout si l'esprit n'a pas connu cette personne durant sa vie.

Dans le cas de ce jeune homme, que je nommerai Brandon, je ne savais pas trop quoi penser. L'amie qui me l'avait recommandé était une personne au grand cœur, qui avait naguère été trompée par des gens qui semblaient honnêtes, mais dont les motifs étaient tout, sauf sincères. Étant donné qu'elle avait été la première à juger de la situation de Brandon, j'ai redoublé de prudence, lors de notre première rencontre. Son histoire comportait un certain nombre de détails qui activaient chez moi une sonnette d'alarme. Brandon était très jeune, et il s'était récemment retrouvé sans abri, ce qui m'indiquait en quelque sorte qu'il était irresponsable. À la manière dont on m'avait relaté les incidents, tout au moins ceux liés à ses tentatives de communication, cette histoire me semblait inventée, pour entourer Brandon et son fantôme d'une aura de mystère. À ce point de ma carrière d'enquêteuse des phénomènes étranges, ce genre de démagogie paranormale me rendait en effet très suspicieuse.

Notre amie commune jouait le rôle d'intermédiaire, un autre détail qui commençait à éveiller mes soupçons sur Brandon. Malgré mes réticences, je sentais que Brandon méritait que je lui consacre au moins une heure de mon temps. Convaincu que toute tentative pour me joindre serait vouée à l'échec, il ne pouvait pas me contacter par courrier électronique, soi-disant parce que l'esprit avait une énorme influence sur les systèmes informatiques. Il hésitait même à me contacter par téléphone, mais mon amie avait réussi à le convaincre de le faire, en alléguant que j'avais un téléphone fixe, et non un portable. Apparemment, dans une précédente tentative de me parler de l'esprit en se servant d'un cellulaire, le téléphone lui-même se serait mis à mal fonctionner, au point de devenir inutilisable.

Notre amie commune avait continué à insister auprès de lui jusqu'à ce qu'il se décide à m'appeler. J'étais sortie, la première fois que Brandon a téléphoné. Je n'étais donc pas là pour décrocher le combiné, et je suis entrée dans mon bureau au beau milieu du message qu'il laissait sur mon répondeur. Aussitôt qu'il eut raccroché, j'ai appuyé sur le bouton pour prendre son numéro, puis j'ai pris mon téléphone pour le rappeler. Il n'y avait pas de signal. Sur le coup, cela ne m'a pas dérangée, car je présumais que j'avais simplement pris l'appel trop tôt, après qu'il eut raccroché, et que cela l'avait empêché de se connecter à une autre ligne. J'ai raccroché, j'ai attendu un moment, et j'ai refait son numéro. Une fois de plus, je n'ai obtenu aucun signal.

Un peu déconcertée, je suis allée frapper à la porte de mon voisin. Son téléphone fonctionnait parfaitement, et je m'en suis servie pour appeler Brandon. Il y avait un club que nous fréquentions tous les deux, et nous avons convenu de nous y rencontrer. Entre temps, mon téléphone refusait toujours de fonctionner. Refusant de nourrir sa croyance que l'esprit qui le hantait possédait le pouvoir de s'attaquer à ses méthodes de communication, je n'en avais rien dit à Brandon. Je n'étais toujours pas convaincue.

J'ai dû appeler la compagnie de téléphone, pour que l'on vienne rétablir mon service. Le réparateur était un peu décontenancé par le problème. Je n'ai pas compris tout ce qu'il a tenté de m'expliquer, mais j'ai cru comprendre qu'un truc s'était détaché, et que ce truc très particulier était à l'intérieur d'un boîtier scellé où il était peu probable que le fil puisse se détacher. Le réparateur m'a dit que la pièce semblait avoir été sectionnée. Pourtant, seule la compagnie de téléphone avait accès au boîtier renfermant ces composantes. Mieux, à l'intérieur du boîtier, une boîte plus minuscule servant à protéger cette composante particulière, était encore plus difficile d'accès.

J'ai passé un bon moment à essayer de comprendre, et je dois admettre que ma première réaction a été d'être sceptique. Notre amie commune m'avait dit que Brandon s'y connaissait en ordinateurs. De son point de vue, cela rendait la situation encore plus intrigante, lorsque les ordinateurs se mettaient à se détraquer autour de lui. Pour ma part, je me demandais si Brandon n'était pas assez compétent pour feindre ces défaillances.

Même si cela frisait la paranoïa, la première fois que mon téléphone a mal fonctionné, je me suis demandé quel genre de connaissances un pirate informatique devait posséder, pour réussir à couper une seule ligne à la fois.

Si Brandon inventait réellement son histoire et qu'il voulait vraiment me faire croire à la nature malicieuse et abusive de cet esprit, en coupant ma ligne téléphonique immédiatement après un appel, il posait un geste très spectaculaire. Bien sûr, toutes ces pensées me sont venues avant que le réparateur m'explique que la source des problèmes de mon téléphone était physique. Une petite partie de moi se demandait toujours si oui ou non quelqu'un aurait pu toucher le boîtier du téléphone. Il ne se trouvait pas directement dans mon appartement, mais au rez-de-chaussée, près du chauffe-eau et d'autres appareils. Je me disais que si quelqu'un savait exactement ce qu'il cherchait, il aurait su où le trouver.

J'avais fini par mettre l'incident du téléphone sur le compte d'une simple coïncidence. C'est donc avec l'esprit ouvert, ni trop crédule, ni trop critique, que je me suis préparée à aller à mon rendez-vous avec Brandon. Je l'ai attendu au club, pendant de longues minutes. Mais il n'est pas venu. J'ai parlé à notre amie commune, qui était là en même temps que moi, et elle m'a expliqué qu'il avait eu un problème de transport, à la dernière minute. Elle m'a présenté ses excuses au nom de son ami, mais je recommençais à me demander combien de ses innombrables mésaventures étaient un effort calculé, de la part de Brandon, pour créer le mystère et le suspense.

Plus tard la semaine suivante, Brandon m'a rappelée sur ma ligne téléphonique qui venait d'être réparée. Cette fois, j'étais là pour répondre. Au terme d'un bref échange, nous avons convenu de nous rencontrer, le week-end suivant. J'ai raccroché et je n'ai plus pensé au présumé fantôme de Brandon, jusqu'à ce que je décide de commander une pizza, quelques heures après. Une fois de plus, la ligne ne fonctionnait pas. Ma première réaction a été de me dire que le réparateur avait mal fait son travail, et qu'il devait s'agir du même problème. Je me suis rendue immédiatement chez mon voisin, lui ai demandé d'utiliser son téléphone, et je ne me suis pas gênée pour passer ma mauvaise humeur sur la compagnie de téléphone. À l'autre bout du fil, l'opératrice s'est confondue en excuses et m'a dit que quelqu'un viendrait réparer le problème, à la première heure, le lendemain.

Le lendemain, un autre réparateur s'est présenté à ma porte. Après avoir réparé le téléphone, il est venu me dire ce qu'il avait fait. Il avait le bon de travail du premier réparateur entre les mains, et m'a vite expliqué que le nouveau problème n'avait rien à voir avec la première réparation. Je lui ai fait remarquer que c'était la deuxième fois que je payais le service de réparation en autant de semaines. Lorsque je lui ai demandé de me garantir qu'il n'y aurait plus de problème, il s'est contenté de dire, avec un haussement d'épaules :

— Je ne sais pas quoi vous dire, m'dame, sinon que les lignes dans votre immeuble doivent se faire vieilles, parce que le seul problème, c'est que cette pièce s'était relâchée. Je l'ai bien resserrée. Cela ne devrait pas se reproduire.

— C'était la même chose la dernière fois. Comment ces petites pièces peuvent-elles se relâcher d'elles-mêmes ?

Nouveau haussement d'épaules.

— Il y a eu beaucoup de vent cette semaine. Ce boîtier est dehors. Je ne vois pas comment… c'est peut-être à cause du vent.

— Ce boîtier n'est-il pas fait pour protéger les composantes du vent, de la pluie et d'autres dangers ?

— Je ne sais pas quoi dire de plus, sinon de nous rappeler, si vous avez d'autres problèmes.

Et c'était tout. Je lui ai ouvert la porte et l'ai refermée derrière lui, en me demandant si mes problèmes de téléphone avaient vraiment quelque chose à voir avec le vent.

* * *

J'ai enfin eu la chance de rencontrer Brandon, la semaine suivante. Dans le club, nous avons déniché un coin tranquille, pour nous asseoir et discuter. Roxanne, l'amie qui avait fait tant d'efforts pour que cette rencontre ait lieu, était assise tout près et prêtait l'oreille. À contrecoeur, et avec de nombreux regards furtifs en direction de Roxanne, Brandon a entrepris de me raconter son histoire. Il était petit et maigrelet ; il avait un visage anguleux et des cheveux longs et blonds. Il était si mince qu'il paraissait presque émacié, et ses grands yeux bleus étaient cerclés de grands cernes.

J'étais devant quelqu'un qui n'avait pas dormi depuis plusieurs semaines, dont la nervosité se lisait dans sa manière de se tordre les mains et de changer sans arrêt de position. Il me regardait dans les yeux, quand il le pouvait, mais il détournait souvent le regard, pour fixer ses mains ou le plancher. Dans ces moments-là, je n'avais pas l'impression qu'il regardait ailleurs parce qu'il mentait, mais parce qu'il était désorienté par toute la situation. Déboussolé... et effrayé.

— Je veux que vous sachiez que je vous parle de tout cela uniquement parce que Roxy a confiance en vous, a-t-il dit, en prenant une cigarette pour s'occuper les mains.

Il l'a allumée, en a inhalé une bouffée en tremblant, et a soufflé un nuage de fumée en direction du plafond.

— C'est un peu la dernière étape, avant de conclure tout simplement que je suis fou.

Il a aspiré une autre bouffée en tremblant, puis m'a raconté son histoire.

Brandon disait être une personne sensible. Il se disait empathique, et il m'a expliqué qu'il était souvent conscient des émotions des autres. Il m'a aussi dit avoir parfois du mal à maîtriser ses émotions, ainsi lorsqu'il côtoyait une personne en détresse émotionnelle, il ressentait non seulement son état émotionnel, mais il se retrouvait lui-même plongé dans cette détresse. Brandon mettait sa propre agitation émotionnelle sur le compte de son hypersensibilité aux états émotifs des autres. Ayant travaillé avec d'autres personnes empathiques, je n'avais pas de mal à le croire.

Brandon avait quitté le collège, pour entrer dans la marine. Mais il n'était pas resté longtemps dans l'armée, car il était de nature très indépendante et avait un sérieux problème avec l'autorité. Il avait compris, après avoir essayé, qu'il n'était sans doute pas fait pour la vie militaire, mais à l'époque, il n'avait aucune idée de ce qu'il pourrait faire d'autre de sa vie. Très vite, il avait eu des problèmes de discipline et avait été congédié. Depuis ce temps, il allait de petit boulot en petit boulot, et de difficulté en difficulté. Plus d'une fois, il s'était retrouvé sans domicile. Environ six mois avant de me rencontrer, il avait traversé une période d'errance. Il restait avec un autre garçon qui, comme lui, avait été congédié de l'armée, et ils s'étaient retrouvés dans un quartier de Garfield Heights, à la recherche d'un endroit où vivre. Son copain connaissait une maison abandonnée relativement habitable, dans une rue résidentielle. La maison était à vendre depuis plusieurs années, et aujourd'hui, elle semblait avoir été reléguée aux oubliettes.

Brandon et son ami avaient l'intention d'entrer dans cette maison par effraction, pour la squatter pendant un moment. Brandon était d'accord avec cette proposition, jusqu'à ce qu'ils arrivent à proximité de la maison. Brandon m'a raconté que presque à l'instant où ils sont arrivés dans l'allée, il avait eu le sentiment écrasant que quelque chose ***n'allait pas***. Les instants suivants avaient été très déroutants pour lui, car il s'était senti submergé par une tempête de sensations contradictoires. Il était tombé à genoux en se contorsionnant, presque à l'agonie.

— C'est ici que les choses deviennent bizarres, m'a informée Brandon.

Lorsque Brandon s'était écroulé au milieu de l'allée pavée, il s'était senti écrasé non par un, mais par deux états émotionnels distincts et traumatisants. Dans le premier, il s'identifiait à une jeune femme ou à une fillette. Il sentait que cette personne avait été une victime, maltraitée et fort probablement assassinée. Asservi à quelque force étrange, qui allait au-delà des murs de la maison, Brandon avait l'impression de revivre les mauvais traitements qu'elle avait subis, ainsi que le moment de sa mort. Au même instant, il avait senti une présence masculine ; il faisait simultanément l'expérience de la victime et du bourreau. À l'époque, il était convaincu que ces émotions étaient reliées à la maison dans laquelle il se préparait à entrer illégalement. Ces sensations avaient fini par perdre de leur intensité, et il avait trouvé la force de se remettre sur pied. Son ami l'avait aidé à se relever, mais Brandon avait refusé de mettre les pieds dans cette maison.

Une ou deux choses rendaient Brandon perplexe, dans cette expérience initiale. Premièrement, il y avait le fait d'avoir éprouvé deux types d'émotions radicalement opposés, tout en les revivant simultanément. Il pouvait comprendre l'un ou l'autre, mais il s'expliquait mal pourquoi, ou comment, il avait pu ressentir les deux. En outre, il sentait que son expérience était reliée à bien plus que des échos émotionnels. Il avait réellement perçu un sentiment de personnalité, dans les deux ensembles d'impressions. Cela l'avait amené à la conclusion qu'il avait affaire à des fantômes, mais cette conclusion n'était qu'à moitié sensée. D'après ses impressions concernant la fillette, il était à peu près certain qu'elle avait été assassinée dans la maison. En fait, il en était si sûr, n'eût été de son propre passé en dents de scie, et de l'errance qui les avait conduits jusqu'à cette maison, il serait allé rapporter ses soupçons à la police. Restait cependant la question de son agresseur, une présence qu'il avait ressentie avec la même intensité. À moins qu'il se soit suicidé, cela n'avait aucun sens que l'agresseur soit mort, presque au moment même où il avait attaqué la fillette. Brandon n'avait pas senti qu'il s'était fait du mal, il avait seulement senti la colère et la violence de l'agression.

À ce point de son histoire, j'ai suggéré que la rencontre de Brandon n'était pas liée à une histoire de fantômes. J'ai plutôt avancé la possibilité que tout ce qu'il captait résultait de résidus émotionnels. Dans la vaste majorité des cas de hantises, il n'y a pas le moindre fantôme. Au contraire, lorsqu'un événement particulièrement traumatisant se produit, les émotions vécues par les participants peuvent s'imprimer, dans l'espace où l'événement a eu lieu. Les champs de bataille sont fort probablement les plus fabuleux exemples, où l'on voit se manifester ce genre d'impressions émotionnelles. La bataille de Gettysburg est un très célèbre cas américain de hantise, mais dans l'Antiquité, on avait également reconnu que le champ de Marathon gardait les échos de la bataille sanglante qui y avait eu lieu.

— C'est ce que j'ai d'abord pensé moi aussi, Michelle, a dit Roxie qui, en tant que prêtresse païenne, n'était pas étrangère aux phénomènes des esprits.

— Je ne sais pas, a dit Brandon en haussant les épaules et en écrasant sa cigarette, sur le plancher de béton. Est-ce normal, pour des impressions émotionnelles comme celles-ci, de s'accrocher à quelqu'un de sensible ? Parce que c'est ce qu'elles ont fait. C'était comme si elles attendaient quelqu'un qui était assez sensible pour en être imprégné. Quand j'ai quitté la maison, elles m'ont suivi. Et depuis, je les revis sans cesse. Maintenant, vous savez pourquoi je pense que je suis fou.

Brandon a continué de m'expliquer que depuis son expérience sur le terrain de la maison de Garfield Heights, il avait été en proie à l'une des deux personnalités, à de nombreuses occasions. Parfois, il les vivait comme des entités extérieures à lui. Mais le phénomène était plus alarmant, lorsqu'il vivait cette vague d'émotions intérieurement, comme s'il était cette fillette horrifiée ou encore, parfois, l'homme horrible qui l'avait assassinée.

D'après ses dires, il avait hésité à raconter ses expériences à qui que ce soit, gardant pour lui le secret des esprits errants, sans même les confier à l'ami qui avait été témoin de sa première réaction. Cependant, la présence de quelque chose de surnaturel était rapidement devenue une réalité qu'il ne pouvait nier. En plus d'avoir parfois l'impression que ces entités écrasaient sa propre personnalité, Brandon avait commencé à remarquer que les lumières clignotaient ou que les appareils électroniques se mettaient à mal fonctionner, en réaction à ses humeurs extrêmes.

Les gens de son entourage ayant commencé à remarquer que quelque chose n'allait pas chez lui, quelques-uns avaient tenté de s'enquérir de la nature de son problème. C'est alors qu'il s'était rendu compte que les esprits n'aimaient pas qu'on parle d'eux. Selon Brandon, au moment où il avait cette conversation, un autre de ses amis jouait sur une console de jeu. Brandon était assis sur le divan, en train de dire qu'il craignait d'être la proie de fantômes vagabonds, l'écran s'était figé, puis était devenu noir. La machine avait émis un craquement, aussitôt suivi de fumée et d'une odeur de court-circuit.

Roxie n'était pas présente, au moment de l'incident, mais plus tard, j'ai pu retrouver l'ami en question. Le jeune homme à qui appartenait la console de jeu a confirmé que son mystérieux problème avait coïncidé avec la tentative de Brandon de lui confier ses problèmes. Le jeune homme, prénommé Greg, reprochait toujours à Brandon d'être responsable de la destruction de son système de jeu, malgré le fait que ce dernier était assis sur un divan à quelques mètres de lui, lorsque l'incident s'était produit.

Brandon avait eu la nette impression que la console de jeu avait été détruite précisément parce qu'il avait tenté de parler de ses esprits. On peut comprendre sa frayeur. Toutefois, il était encore plus effrayé à l'idée de perdre la tête complètement, à la faveur de la personnalité dominatrice de l'agresseur furieux et violent. Il n'avait plus parlé de ses problèmes, pendant quelques semaines, mais très vite, il avait essayé de s'adresser, par l'entremise d'Internet, à des personnes susceptibles de l'aider.

La première fois que Roxie avait entendu parler des problèmes de Brandon, elle avait tenté de le débarrasser de ses esprits, sans succès. Elle affirmait être capable de sentir la plus sombre des deux personnalités, et elle pouvait témoigner que Brandon était aux prises avec des fantômes. Elle avait peur pour son ami, mais se sentait impuissante, et c'était la raison pour laquelle elle s'était empressée de me contacter. Elle espérait, vu mon expertise en matière de communication avec les esprits, que je pourrais débarrasser Brandon de l'influence dominatrice d'une entité qui semblait décidée à le posséder.

Après ce premier entretien avec moi, Brandon s'était excusé à l'avance pour tout problème informatique ou électronique que je pourrais rencontrer, pour avoir osé m'entretenir avec lui. À ce moment-là, je ne lui avais pas encore dit que j'avais déjà eu des problèmes avec mon téléphone. Je n'étais toujours pas totalement convaincue que Brandon était vraiment la victime de fantômes. Tout le temps qu'il avait parlé avec moi, je n'avais rien senti. Je savais que cela n'était pas une garantie qu'il n'y avait rien à sentir, puisque les esprits ont l'habitude d'aller et de venir selon une mystérieuse logique. J'essayais néanmoins de demeurer sceptique, sachant que je ne pouvais pas rejeter entièrement la possibilité que ces autres personnalités prennent leur source en Brandon lui-même, que ce soit intentionnellement, ou malgré lui.

Chez quelqu'un qui avait des difficultés financières, qui avait du mal à garder un emploi et un toit au-dessus de sa tête, il n'était pas inconcevable que des personnalités secondaires émergent, d'une part, pour lui permettre d'exprimer plus librement la colère et la rage qu'il entretenait contre la société, et d'autre part, pour exprimer le sentiment qu'il avait d'être une victime impuissante. Des cas de possession soupçonnée reflètent de si près de vrais problèmes psychologiques graves, qu'un chasseur de fantômes s'aventure sur un terrain très glissant, en tentant de séparer l'un de l'autre. J'avais fait quelques recherches, mais je n'avais trouvé aucun document indiquant que la maison de Garfield Heights avait été le théâtre d'un meurtre.

Cela ne rejetait pas totalement la possibilité que deux esprits jouant le rôle de la victime et du bourreau aient hanté ces lieux. Je savais depuis longtemps qu'il était naïf de présumer que les esprits ne pouvaient pas voyager. En particulier dans les cas de morts violentes, lorsque des émotions fortes contribuent à attacher un esprit à un endroit en particulier, ces attaches ne sont pas des boulets aux pieds. Les esprits sensibles ont beaucoup plus de choix que la plupart des histoires de fantômes traditionnelles ne le laissent entendre, quant aux lieux qu'ils hantent.

Au bout de plusieurs rencontres successives, et après avoir été témoin d'autres exemples où Brandon — ou ses compagnons fantômes — avait interféré avec des équipements électroniques, j'avais cru bon de prendre cette situation au sérieux. J'avais demandé à Brandon de venir chez moi, où je pourrais analyser son énergie de plus près, dans un endroit où il me serait plus facile de me concentrer que dans une discothèque, un bistrot ou un restaurant, tous ces lieux publics où nous nous étions rencontrés jusque-là, pour converser.

Les vivants créent des liens entre eux par le biais de fortes interactions émotionnelles, autant que par un intensif travail énergétique. Les vampires psychiques créent des liens avec les autres, afin de se connecter à leur énergie. Les esprits créent ces liens pour réaliser une connexion similaire, se nourrissant parfois comme des vampires psychiques, et se servant parfois de ce lien pour influencer la personne qui se trouve à l'autre extrémité. Considérant l'endroit où se situaient ces liens sur Brandon — à la base du crâne, au milieu du dos — je soupçonnais le deuxième cas de figure.

J'ai saisi ce lien pour sentir couler son énergie, et essayer d'en trouver la source. Il est vrai que dans mes entretiens avec Brandon, je n'avais jamais été une seule fois témoin de la manifestation de l'entité sombre et agressive, que ce soit à l'intérieur du garçon lui-même, ou encore autour de lui. L'absence de cette entité avait certes contribué à mon scepticisme, à propos du fait que ce cas soit une réelle tentative de possession par un esprit. Comme aucun esprit n'était jamais présent, lorsque j'observais Brandon, je continuais à chercher d'autres explications. Ayant enfin pu mettre mes mains sur la vrille d'énergie qui se dégageait du dos du jeune homme, je soupçonnais que l'entité avait toujours fait en sorte que je ne puisse pas la voir, se tenant aussi loin qu'elle pouvait de Brandon, chaque fois qu'il venait me voir pour que je l'aide.

J'ai travaillé avec Brandon, pour le délivrer de ces entités. Mais il suffisait que je le débarrasse d'une seule des deux. La fillette, menue, effrayée et timide, semblait davantage liée à son agresseur qu'au jeune homme avec lequel ils étaient tous les deux entrés en contact de façon accidentelle. J'étais franchement peinée pour la petite, et j'ai essayé de l'aider à partir. J'ai eu l'impression qu'elle en était capable, au grand désespoir de la présence obscure qui l'avait tourmentée, dans la mort comme dans la vie. Cette sombre présence a été retranchée avec succès de Brandon, qui est resté depuis un ami reconnaissant et un élève assidu.

Nous croyions tous les deux que l'histoire avait pris fin, avec notre séance intensive de thérapie énergétique, en le purifiant de ces parasites spirituels indésirables. Cependant, plus d'une année plus tard, dans la lignée des expériences qui avaient débuté dans l'allée d'une maison abandonnée de Garfield Heights, j'ai dû faire face à un chapitre final inattendu et particulièrement horrifiant.

Tard un soir, alors que je faisais des heures supplémentaires à une station-service, et que je cherchais désespérément à occuper mon esprit somnolent, je tournais les pages de l'édition quotidienne du *Cleveland Plain Dealer*, oublié sous le bureau par un des caissiers de jour. Perdu dans les dernières pages du journal, dans une section que je n'aurais jamais lue si je ne m'étais pas autant ennuyée, un article m'a tellement donné la chair de poule que j'en suis restée tremblante, jusqu'au matin.

L'article racontait l'histoire d'un homme qui avait acheté une unité de réparations à Garfield Heights. Pendant qu'il effectuait des réparations, il avait abattu une partie de mur, afin de trouver des restes humains fossilisés, dans cet espace poussiéreux et étouffant. On avait découvert qu'il s'agissait du corps d'une fillette d'environ onze ans. L'article ne donnait aucun autre détail, quant à la manière dont elle était morte, pas plus qu'il ne mentionnait qui aurait pu la cacher là. J'ai découpé l'article pour Brandon. Vous comprendrez sans doute qu'il était trop perturbé pour lire plus que quelques lignes, après m'avoir confirmé qu'il s'agissait bel et bien de la maison que son ami et lui avaient eu la malencontreuse idée de squatter.

Le vampire nécronomien : un récit édifiant

Aux environs de mai 1996, une petite annonce, parue à la dernière page du magazine *Fate*, attira mon attention. Je ne me souviens pas textuellement de son contenu, mais l'annonceur, qui habitait la ville de Kent, dans l'Ohio, cherchait des renseignements sur les vampires. À l'époque, je publiais un journal sur le vampirisme psychique intitulé *The Midnight Sun*. Je me rendais aussi très souvent à Kent, où se trouve l'université libérale Kent State (mon alma mater). Curieuse de connaître une personne qui vivait si proche, avec le même intérêt que moi pour les vampires, j'ai écrit une lettre à cet homme, que je surnommerai Travis.

Au bout de deux ou trois lettres, dans lesquelles nous échangions des renseignements élémentaires sur notre intérêt commun, Travis m'a révélé les raisons qui l'avaient poussé à publier sa petite annonce. Comme sa lettre disait peu de choses, je me suis arrangée pour le rencontrer en personne. Si cet homme voulait me mener en bateau, ce serait plus facile de le confondre en le regardant dans les yeux ; mais ce n'était pas le cas, et il avait vraiment besoin de l'aide de quelqu'un qui savait comment s'occuper des esprits et des attachements malins.

Voici l'histoire qu'il m'a racontée : avec un de ses amis, il avait commencé à s'intéresser à l'occulte. L'ami en question avait apporté la version de Simon du *Necronomicon*. Ensemble, ils avaient essayé un des rituels de clôture qui se trouvait dans le livre, mais rien ne s'était produit. Déçus, ils avaient oublié leurs expérimentations, pendant un moment.

Néanmoins, peu de temps après, Travis avait commencé à faire des rêves dans lesquels une voix l'appelait. Il avait senti qu'il s'agissait d'une chose dépourvue de corps, d'un esprit, et il lui avait semblé que la communication venait de très loin. Parfois, Travis n'était même pas certain qu'il s'agissait bien de songes, parce que le plus souvent, lorsque cela se produisait, il était dans sa chambre, tout à fait éveillé, avec l'impression que la voix l'avait sorti de son sommeil.

La voix, qui s'accompagnait parfois d'un rougeoiement sinistre, ne cessait de lui demander de l'aider et de l'amener de l'autre côté. Comme me l'a expliqué Travis, durant cette période, il était également obsédé par le *Necronomicon* de Simon. Dans ce genre de rêves, il lui arrivait de voir des sigils, comme s'ils étaient tracés dans ce léger rougeoiement qui brillait à l'intérieur de ses pupilles. Il n'arrivait jamais à les voir clairement ; ce n'étaient que des impressions de lignes, de cercles et de motifs.

Cela avait duré des semaines, mais Travis ne pouvait pas m'en dire combien exactement. Cela l'avait toutefois incité à aller dans la chambre de son ami, un soir que le jeune homme était absent, pour tenter de recréer le rituel, seul, en se servant de l'exemplaire du *Necronomicon* que ce dernier gardait dans ses affaires.

Cette cérémonie était très différente de la première. Pendant qu'il l'accomplissait, Travis avait eu un peu peur de lui-même. Il m'a raconté qu'il s'était mis à faire et à dire des choses qui n'étaient pas dans le livre, mais que cela lui avait *semblé* bien. Il m'a également confié qu'il s'était mis à parler tout haut, tout à fait spontanément, dans une langue qu'il ne connaissait pas. Mais cela aussi lui était venu tout naturellement, et comme cela lui avait paru normal, il avait continué.

Comme j'appuie mes dires sur la véracité de ses propos, je vous demande encore un peu de patience face à ce qui suit. J'ai interrogé Travis et j'ai découvert qu'il avait dix-sept ans. Il avait un ami plus âgé qui allait à l'université ; cet ami n'a jamais été nommé, et je ne l'ai jamais rencontré. Quand je lui ai parlé, il m'a paru évident qu'il était bouleversé par ses expériences. À en juger par ses tics, son langage corporel et l'émotion qui se dégageait de sa personne, Travis croyait tout ce qu'il me racontait.

Les chandelles qu'il avait allumées pour le rituel avaient commencé à se comporter bizarrement, leur flamme s'allongeant, puis prenant une étrange lueur bleu verdâtre qui lui rappelait ses rêves. Travis avait senti que quelque chose prenait de l'ampleur dans la pièce. Cela avait commencé comme un genre de sensation désagréable, qui montait et descendait sur sa peau, puis, au moment où le rituel atteignait son paroxysme, le phénomène était devenu plus intense. Travis m'a également rapporté avoir senti que la pièce était étroite, ou pleine à craquer. Puis, les chandelles s'étaient éteintes.

Peu de temps après, une rafale soudaine et violente était entrée par la fenêtre (dont je présume qu'elle était déjà ouverte, ce qui pourrait expliquer que les chandelles se soient éteintes). C'est à cet instant précis que Travis avait été renversé par une force invisible. Il s'était cogné au mur derrière lui, puis, les genoux flageolants, il avait glissé sur le plancher. Selon ses propres dires, il aurait eu la frousse de sa vie. Il avait laissé tomber le livre et s'était jeté sur la porte. Il avait d'abord eu du mal à l'ouvrir, car on aurait dit qu'un grand poids pesait dessus de l'intérieur. Quand il y était parvenu, c'était comme si la pièce avait été scellée par aspiration. Il avait eu une sensation de succion, et c'était comme si un air plus froid, moins « lourd », avait pénétré dans la chambre par la porte ouverte. Travis s'était précipité dans le couloir, et la porte s'était refermée derrière lui, vraisemblablement de son propre chef.

Travis avait cru que c'était fini. Mais, comme le savent tous ceux et celles qui ont déjà vécu ce genre de phénomène, ce n'est jamais fini. Au cours des semaines qui ont suivi, il avait commencé à sentir qu'il « changeait », selon ses propres termes. C'est ici que le vampire entre en scène. Travis était devenu plus sensible aux lumières vives ; il avait même noté que sa vision nocturne s'était améliorée. Il avait également du mal à s'alimenter, mais il avait toujours faim. À un moment donné, il avait eu la conscience aiguë de la force vitale des gens de son entourage. Il se sentait capable de percevoir leur énergie, et quelque chose en lui voulait absolument se l'approprier.

Des pensées prédatrices, qu'il décrivait comme ne lui ressemblant pas du tout, avaient commencé à lui traverser l'esprit. Il sentait qu'une autre conscience occupait son esprit. Il avait des pensées et des émotions qu'il ressentait comme étant siennes, mais son intuition lui disait qu'elles provenaient d'une source secondaire. Son humeur changeait peu à peu, et quelques-uns de ses amis commençaient à avoir peur de lui. Certains d'entre eux avaient pris leur distance, sans dire pourquoi ils étaient effrayés. Quelques-uns lui avaient fait remarquer qu'il n'était plus lui-même. Ils affirmaient que ses yeux avaient changé. Il leur arrivait même de voir son visage changer ; ce qu'ils voyaient alors, c'était un visage qu'ils ne reconnaissaient pas, ou tout du moins une expression qu'ils trouvaient étrange et troublante.

Une partie de Travis se réjouissait de ces changements. Ils lui donnaient l'impression d'avoir du pouvoir. Même s'il commençait juste à étudier la magie, il était désormais capable d'accomplir certaines choses spontanément. Par exemple, il affirmait pouvoir invoquer le vent et l'orage. Il n'avait jamais appris à le faire auparavant, mais depuis son expérience, dans la chambre de son ami, il le « savait ». Une autre partie de Travis était plutôt effrayée par toutes ces aptitudes et, instinctivement, il associait ces changements à son expérience dans la chambre de son ami. Il craignait que tout cela lui fasse perdre la tête et fasse de lui une personne complètement différente.

C'est le propriétaire du *Necronomicon* qui, le premier, a parlé à Travis de ses excursions nocturnes. Le jeune homme s'était disputé avec Travis, qu'il accusait de lui sucer son énergie. C'est alors que Travis avait compris qu'il pouvait agir à distance, mais il était loin de se douter que tout cela s'accomplissait à un niveau astral. Il avait apparemment rendu visite à l'autre jeune homme, dans son sommeil. Ce dernier avait senti que Travis survolait son lit. À ce moment-là, il ne pouvait plus bouger et avait senti que l'on aspirait la vie qui était en lui. Bien sûr, il s'agit là d'une description très classique d'une attaque astrale de vampire, et bien que je l'aie entendue de la bouche de Travis, je sentais que c'était la vérité.

Travis était sincère, lorsqu'il me priait de le débarrasser de « cela », quoi que « cela » puisse être. Il sentait qu'il était en train de se perdre dans cette chose, et il craignait qu'elle ne prenne le contrôle total de sa personne. C'est alors que j'ai examiné l'énergie de Travis, afin de voir si je pourrais détecter une preuve de possession.

Voici ce que j'ai vu : deux grosses cordes tendues dans le corps énergétique de Travis. La première était reliée à la base de son crâne ; l'autre était attachée au milieu de son dos, enroulée autour du chakra du plexus solaire. (J'ai vu depuis la même configuration dans bon nombre de cas de « cavaliers » qui tentent d'influencer, voire de posséder leurs hôtes.) Ces cordes s'étiraient par tous les moyens dans le dos de Travis, et en me connectant brièvement aux deux cordes, j'ai perçu une sensibilité — plutôt malveillante et particulièrement égocentrique — qui planait un peu plus loin. Même si le contact avait été fugace, la chose avait semblé sentir que je la sondais, voilà pourquoi je me suis retirée un moment.

Fait significatif, le comportement de Travis a changé, peu de temps après avoir établi ce contact énergétique. J'ai trouvé cela intéressant, car je ne lui avais pas dit ce que j'avais fait. Il est devenu sournois et agité, et il a commencé à inventer toutes sortes d'excuses pour mettre fin à nos échanges. Lorsque je lui ai demandé s'il voulait toujours que je tente quelque chose, il a répondu que tout compte fait, ce n'était peut-être pas une si bonne idée, qu'il était sans doute un peu paranoïaque, qu'il n'y avait vraiment pas de problème, et ainsi de suite. Ainsi, chacun est resté sur sa position, mais je lui ai laissé mon numéro de téléphone, en lui disant de m'appeler en cas de besoin.

J'étais consciente que l'histoire que m'avait racontée Travis pouvait être un moyen d'attirer l'attention, pour un garçon de son âge. Dieu sait que j'en avais vu, des ados qui se prétendaient magiciens ou occultistes. Il aurait fort bien pu exagérer certains détails (ce qui est assez courant chez les jeunes) et, histoire d'impressionner les autres et de se donner de l'importance, il aurait pu fabriquer le reste à partir du matériel occulte qu'il avait lu.

Toutefois, je continuais de penser que Travis était un véritable novice en la matière. Il m'apparaissait peu probable qu'il en connaisse suffisamment sur le sujet pour inventer, voire fabriquer, certaines des descriptions très précises qu'il m'avait données, par exemple en ce qui avait trait aux sensations, à la fois physiques et énergétiques, induites par son invocation expérimentale dans la chambre de son ami. Les descriptions au sujet de la façon dont il s'y était pris pour vampiriser l'énergie étaient aussi très exactes. Cela se passait peu de temps avant que Konstantinos ne publie son livre, *Vampires : la vérité occulte*, de sorte que cette information était très difficile à trouver.

Finalement, le soudain changement d'attitude de Travis, après avoir procédé à un balayage préliminaire de son corps énergétique, m'avait donné une certitude : le garçon avait invoqué une chose qui avait décidé de rester attachée à lui. Tout au moins, cette chose se nourrissait à travers lui, afin de se renforcer ; au pire, elle vidait lentement le garçon de sa volonté, le préparant ainsi à une totale possession.

Dans mon travail avec les esprits et l'Au-delà, j'ai rencontré pas mal d'êtres surnaturels, qui ne sont pas humains et ne l'ont jamais été. Bon nombre de ces entités semblent complètement spirituelles. C'est-à-dire qu'elles ne se sont jamais incarnées, mais qu'elles existent entièrement au niveau astral, ou proche de l'astral (ce que j'ai l'habitude de nommer la « réalité subtile »), ou en certains points encore plus éloignés, détachés de notre réalité. De plus, un grand nombre d'entre elles semblent vraiment *vouloir* s'incarner, mais pour une raison ou une autre, elles ne le peuvent pas.

Je pense personnellement que leur structure énergétique est si étrangère, en particulier à un corps humain, qu'elles sont tout simplement incapables de réussir leur incarnation. Néanmoins, un certain nombre d'entités semblent capables de prendre possession d'un corps, après qu'un autre esprit a réussi à s'incarner dans ce corps. Par inadvertance, il arrive que des personnes naïves permettent à ces êtres d'avoir une emprise sur elles ; il se peut qu'un individu avide de pouvoir les invite délibérément à entrer, présumant à tort qu'un tel partenariat est possible et leur permettra d'exploiter le pouvoir de l'entité. Le Temple du vampire, un groupe que je n'affectionne pas particulièrement, est très célèbre pour ce genre d'actions.

Mais revenons à ce récit : dans le cas de Travis, j'ai senti que j'avais affaire à une entité vampirique/parasite. Quand je lui ai demandé quelle entité il avait tenté d'invoquer, il a répondu « Akharu », un nom qui apparaît dans le glossaire du *Necronomicon* de Simon et qui signifie « vampire ».

Ayant parcouru le texte de Simon, je savais qu'il puisait allègrement aux sources sumériennes et babyloniennes ; j'ai donc essayé de trouver le vrai sens du mot « *akharu* » (vous direz que je suis folle, mais je ne me fiais pas vraiment à l'érudition ou à la légitimité du *Necronomicon* de Simon.) J'ai vite constaté que très peu de ces précieux dictionnaires sumériens, babyloniens ou akkadiens étaient en circulation, et dans les rares textes que j'ai pu trouver et qui contenaient un genre de glossaire (*Poems of Heaven and Hell*, par exemple), il n'y avait aucune mention du terme « *akharu* ».

Au hasard de mes recherches, j'ai effectivement trouvé un ancien mot égyptien, « *akhekhu* », qui m'a paru si semblable à « *akharu* », que je n'ai pu l'ignorer. J'ai lu les écrits de certains savants égyptiens qui émettent l'hypothèse que l'Égypte doit sa langue aux Sumériens (un point avec lequel je ne suis pas tout à fait d'accord — mais admettons qu'il y a eu un *échange* culturel et linguistique entre les deux cultures). Cela ajouterait un certain poids à l'idée que les mots « *akharu* » et « *akhekhu* » puissent avoir la même racine, ou tout au moins, à la base, un sens commun. Dans les traductions de Budge (sans doute pas la plus fiable des sources, mais certainement la plus accessible, en ce qui concerne la langue de l'Égypte ancienne), on utilise ce mot pour parler de la « noirceur », ou d'un être démoniaque éponyme qui règne sur les ténèbres. Ce mot sert également à désigner la nuit.

Arrivée à ce stade, j'ai pris le temps d'étudier plus en détail le *Necronomicon* de Simon. Sachant que ce livre était à l'origine une invention de l'écrivain de science-fiction H. P. Lovecraft, j'avais toujours abordé ce texte avec un certain mépris. Il ne pouvait s'agir que d'un texte apocryphe, créé dans le but de s'enrichir, grâce à la mystique entourant l'œuvre inventée par Lovecraft. Mais en tournant les pages de l'œuvre de Simon, j'ai bien vu que celui qui avait compilé tout ça avait puisé à des sources babyloniennes légitimes. J'y ai reconnu certains détails tirés d'un mythe sumérien, *La descente d'Inanna aux enfers*, ainsi que l'invocation des cinquante noms de Marduk. À l'évidence, certains détails avaient été modifiés, pour mieux cadrer dans le mythe cthulhu, mais je commençais à concevoir que celui qui *croyait* en la véracité du texte pourrait probablement exploiter les rituels, pour en faire une œuvre authentique.

Qu'était, ou qui était « *akharu* », cela n'avait plus aucune importance. J'en avais déduit que dans les mains de gens naïfs ou d'aspirants occultistes, le *Nicronomicon* de Simon était comme la planchette de Ouija. Accomplir n'importe quel rituel équivalait à allumer une grosse enseigne au néon qui annonçait en clignotant : « Viens semer la pagaille avec moi ! » Trop heureuse de prendre l'apparence d'Akharu, d'Hastur ou même de Nyarlohotep, n'importe quelle entité surnaturelle aurait répondu à cet appel, si tel était le désir de l'occultiste en puissance. Certaines l'auraient fait pour l'énergie, d'autres pour l'attention (ce qui revient pour ainsi dire au même), et quelques-unes l'auraient fait uniquement pour rigoler.

Comme Travis était réfractaire à l'idée d'une seconde rencontre, après son « revirement », j'ai essayé de faire mon travail de suppression à distance. Mais je n'ai pas senti que cela avait marché. Alors que je croyais avoir une bonne prise sur l'entité, il semble qu'elle se soit reconnectée aussitôt après que j'ai cessé de lui livrer bataille.

Convaincue qu'il allait vivre une très mauvaise expérience, j'ai continué à écrire à Travis, en lui faisant des suggestions et des mises en garde. Au bout d'un moment, je me suis arrangée pour le revoir. Il me paraissait plus hagard et hanté qu'avant, et une fois encore, il me priait de le débarrasser de la chose. Nous nous sommes installés par terre, dans un coin boisé du campus de Kent State, et je me suis mise au travail. En temps normal, je n'utilise pas beaucoup d'outils ; je travaille avec l'énergie au niveau subtil (près de l'astral), ce qui fait qu'en règle générale, mon énergie et ma volonté sont les seuls outils dont j'ai vraiment besoin (bien qu'il m'arrive d'opter pour quelque chose d'un peu plus cérémoniel).

J'ai commencé par rompre les liens — d'abord au niveau de la nuque, ensuite dans le plexus solaire. Ceux-ci semblaient avoir une vie bien à eux, et ils essayaient de se rattacher aussitôt après avoir été rompus. À la fin, j'ai cautérisé les points de contact qui avaient été créés sur le corps énergétique de Travis, puis, saisissant ces liens, j'en ai fait de même avec les extrémités. J'ai procédé à un rituel de bannissement mineur, mais l'entité refusait de partir ; j'ai donc attrapé les vrilles qu'elle continuait d'envoyer en direction de Travis et je les ai détachées une par une. Je les ai utilisées pour me connecter à son énergie, et je l'ai énergétiquement rouée de coups, drainant son énergie et envoyant de violentes piques de haut en bas de la ligne, en alternance. Satisfaite de l'avoir soumise à force de coups, je l'ai lancée aussi loin que j'ai pu. Pour finir, j'ai placé quelques (plusieurs) écrans de protection sur Travis, et je lui ai donné un cours intensif sur le sujet et l'autodéfense psychique.

La fin de l'histoire est incertaine, et pour le moins décevante. Travis s'en est bien sorti, pendant un moment ; il a semblé retrouver son état normal, mais il a gardé une fascination pour le travail sur le livre de Simon. En dépit de mes nombreuses mises en garde, il était convaincu qu'il y avait une « bonne » façon de réussir une invocation, et avait le vague sentiment que cela pourrait lui être d'une certaine utilité. Il semble que l'on soit venus à bout du premier attachement, mais je suis à peu près certaine qu'il s'est jeté à corps perdu dans un travail qui lui en aura valu un autre. À la fin, nous avons perdu le contact.

J'ai croisé Travis à quelques reprises, mais depuis ce jour, j'ai rencontré un grand nombre d'occultistes en herbe, et j'ai compris qu'on ne peut pas toujours les protéger contre eux-mêmes. J'avais perdu mon temps — considérant la somme de travail que cela avait exigé de rompre le lien et de renvoyer le méchant petit vampire astral sur le plan d'existence d'où il était venu —, car ce que Travis cherchait à faire, c'était d'en attirer un autre, en présumant, à tort, qu'il finirait par le maîtriser.

Compter les corneilles

Après les aventures que nous avions vécues à l'automne 1992, on pourrait penser que personne n'aurait voulu retourner à Whitethorn Woods, surtout pas à l'occasion de l'Halloween. Mais, le phénomène des fantômes a beau avoir le pouvoir de faire peur, son pouvoir de fascination est plus grand encore. J'y suis retournée en 1993, car j'étais déterminée à me documenter sur le phénomène dans la mesure du possible. Cette année-là, j'étais à la tête du comité responsable de la maison hantée, gérant les achats, les installations et la conception des manifestations fantomatiques du week-end. J'avais également obtenu de l'université une permission spéciale pour passer toute la semaine précédant le week-end hanté, seule à Whitethorn Woods. C'était soi-disant pour préparer la « mauvaise maison » et la forêt pour les festivités du week-end, mais j'avais également mon propre programme en tête.

Cette année-là, les activités de la maison hantée tombaient précisément durant le week-end de l'Halloween. J'avais déjà fait le nécessaire pour qu'un groupe plus important d'amis et d'associés — certains païens, d'autres pas — arrivent en voiture, dès vendredi soir, afin de remplir la forêt et la maison hantée. Seulement trois membres du groupe des païens, ayant participé à l'événement l'année d'avant, avaient accepté de reconduire l'expérience. Evan était l'un d'eux. Vous ne serez pas étonnés d'apprendre que Cerridwen avait déclaré forfait.

Sans me laisser décourager, j'avais réuni un autre groupe d'amis qui n'avaient aucun lien avec l'université. Quelques-uns d'entre eux étaient des païens de la région, mais la plupart voulaient seulement s'amuser et vivre une expérience unique pour l'Halloween. Bien évidemment, les étudiants de mon université avaient eu écho des événements de l'année précédente, mais je m'étais bien gardée de raconter quoi que ce soit aux amis qui étaient venus me donner un coup de main, ce week-end là. Je ne voulais pas leur créer d'attentes ; je ne voulais surtout pas qu'ils s'imaginent pouvoir faire leurs propres expériences.

On m'avait donné les clés de la barrière d'entrée et des deux maisons, ainsi que les codes de sûreté, et je m'y suis rendue le lundi après-midi, avec tout l'équipement nécessaire et suffisamment de nourriture pour passer la semaine. C'était la fin du mois d'octobre, mais il devait faire beau toute la semaine, et les journées étaient plutôt chaudes. En arrivant à Whitethorn Woods, j'ai commencé par faire cuire des gâteaux. J'avais fait pas mal de recherches sur les fées, depuis l'expérience de l'année précédente, et j'avais décidé d'adhérer à l'explication du phénomène que m'avait donnée Cerridwen — tout au moins en guise de théorie de travail. Traditionnellement, on apaisait les fées en leur laissant des gâteaux et de la crème, mais je me suis dit que du lait entier ferait l'affaire. J'avais apporté un moule à muffins spécial pour fabriquer de minuscules cupcakes — la grosseur idéale pour les fées, à mon avis — et j'ai fabriqué une douzaine de petits gâteaux épicés au clou de girofle, à la cannelle, à la muscade et au miel. Si ce terrain était le leur, et qu'elles nous considéraient comme des intrus, une offrande amicale contribuerait peut-être à améliorer leur attitude.

À l'heure où le crépuscule tombait sur ma première journée en forêt, j'ai choisi, pour déposer mon offrande aux fées, une vieille souche vénérable qui se trouvait à une certaine distance des maisons. J'ai placé les douze petits gâteaux en cercle sur le plat de la souche, puis j'ai versé un litre de lait autour de sa base. Me sentant un peu ridicule, mais bien déterminée à voir si mon truc allait fonctionner, je me suis poliment adressée aux bois, et j'ai demandé aux fées d'accepter de partager leur forêt avec mes amis et moi, à l'occasion de Samhain. Je leur ai dit que je travaillerais encore quelques jours dans la forêt. Je leur ai demandé la permission d'utiliser leur territoire sans incident ; mais aussi de permettre à mes amis d'en faire autant, à leur arrivée. Pour terminer, j'ai promis que nous aurions quitté les lieux dès dimanche, et que nous ferions tout notre possible pour laisser l'endroit dans l'état où nous l'avions trouvé.

Je dois avouer que j'étais contente d'être seule sur la propriété, à ce moment-là. J'étais plantée là, devant une souche, en train de jeter de l'excellent lait sur le sol, en parlant à l'air frais. Si quelqu'un m'avait observée à cet instant précis, il aurait sans doute pensé que j'étais folle. Mais, aussi fou que tout cela puisse paraître, je sentais une présence dans la forêt, autour de moi. Il a fallu que je me répète que pratiquement chaque culture dans le monde possédait sa version du mythe des « petits êtres », et que des mythes aussi omniprésents doivent forcément receler un brin de vérité. J'avais eu l'impression, au fil de mes lectures, que le mot fée n'était qu'un nom que les gens donnaient aux esprits de la nature environnante. Je me doutais que ces êtres existaient, au même niveau que les fantômes, mais, contrairement à eux, les fées n'avaient jamais été humaines. Peut-être, comme le disait souvent mon amie Cerridwen, qu'elles étaient les gardiennes de la nature ; peut-être aussi n'étaient-elles que des esprits avec une existence séparée de la nôtre, mais une existence qui croisait néanmoins notre monde, dans certaines circonstances.

Quoi qu'il en soit, après avoir fait mon offrande, j'ai eu moins de mal à respirer dans les bois apparemment paisibles de Whitethorn. En fait, les jours suivants furent d'une décevante monotonie, en comparaison de la peur que les gens avaient ressentie l'année d'avant. Ce qui ne veut pas dire qu'il ne se passait rien du tout. Chaque jour, il se produisait des petits incidents. Outils et accessoires disparaissaient pendant que je travaillais ; je les retrouvais ensuite dans un endroit où je les avais déjà cherchés. Le soir, j'entendais des bruits incongrus en provenance de la forêt. Le bruit le plus inhabituel était un genre de chuchotement ou de soupir. J'essayais de me convaincre que c'était seulement le vent qui soufflait entre les branches, mais j'avais grandi en campagne ; les bruits de la forêt ne m'étaient pas étrangers, et ceux-là ne me paraissaient pas ordinaires. J'entendais comme des mouvements autour de la maison — des bruits furtifs de branches et de feuilles que l'on froisse. C'était beaucoup plus facile de me convaincre que des animaux curieux s'étaient approchés pour satisfaire leur curiosité. Je ne pouvais cependant chasser l'impression d'être observée, surtout après le coucher du soleil, mais au moins, la présence ne semblait pas malveillante comme celle de l'année dernière. Si une chose m'observait, cette chose me paraissait plus curieuse que méchante.

Rien de tout cela n'était fidèle à la réputation de Whitethorn Woods, que j'avais toujours en tête depuis l'année dernière. Je m'étais au moins attendue à rencontrer un spectre malicieux, pendant que je travaillais dans la forêt. J'ai passé beaucoup de temps dans le bois, afin de m'assurer que les sentiers étaient sans danger pour les invités du week-end. Je travaillais surtout en plein jour, pour profiter du soleil, mais il m'arrivait souvent de m'attarder jusqu'à la tombée de la nuit. Le seul incident à se produire, à l'heure où le soleil se couchait, impliquait des oiseaux. Chaque jour, au crépuscule, un grand silence tombait sur la forêt. Tous les petits bruits auxquels vous ne pensez pas en temps normal : le chant des oiseaux, le bourdonnement des insectes, le pépiement des écureuils cessaient complètement.

L'absence de ces sons omniprésents mais discrets me paraissait plus bruyante que les sons eux-mêmes. Dans le silence qui s'ensuivait, l'air était tendu, comme si la forêt elle-même retenait son souffle. Puis, au plus profond de Whitethorn Woods, en direction du soleil couchant, s'élevait une immense nuée d'oiseaux. Pendant un moment, l'air s'emplissait du bruit de leurs ailes, et les corneilles — plus que je n'aurais pu en compter — sortaient de la forêt pour s'envoler au-dessus du lac et disparaître. Aussitôt après leur passage, on aurait dit que la forêt expirait soudainement, puis la vie reprenait son cours. C'était l'automne ; les volées d'oiseaux n'étaient donc pas quelque chose de nouveau, mais chaque jour que j'étais là, ils émergeaient du même endroit, à la même heure, et le silence qui précédait leur passage ne me paraissait tout simplement pas naturel.

Étrangement, le seul autre endroit où j'avais vu des corneilles dans le bois de Whitethorn, c'était sur la souche où j'avais fait mon offrande aux fées. Le jour suivant, je m'étais levée à l'aube. Aussitôt sortie de la maison, la rosée avait mouillé mes chaussettes à travers mes bottes. Un brouillard recouvrait le lac et les étangs, s'attachant aux troncs des arbres, et plus particulièrement à la grosse souche. En m'approchant, j'y ai vu trois formes noires. C'étaient des corneilles. Je me suis arrêtée, et elles sont restés là à me regarder, pendant un moment. Puis, comme si elles ne faisaient qu'un, elles se sont envolées en silence vers la forêt. Les gâteaux, bien sûr, avaient disparu. Il ne restait pas une seule miette. Ce détail n'avait rien de choquant, puisque les corneilles sont des charognards et qu'elles mangent tout ce qu'elles trouvent.

Pourtant, la corneille a une longue histoire d'associations folkloriques. Dans certaines cultures, elle joue le rôle de psychopompe — celui qui sert de guide aux âmes des morts. Chez nous, le lien mythique entre les corneilles et la mort s'exprime indirectement dans un grand rassemblement de ces oiseaux. En soi, une corneille n'est qu'une corneille, mais un groupe de corneilles, cela s'appelle une « volée de corneilles ». Dans les mythes amérindiens, la corneille est un voleur. Pour le peuple inuit, le corbeau, cousin de la corneille, est comme la figure de Prométhée, qui a dérobé le feu du ciel. Et dans les îles britanniques, le corbeau freux, un autre oiseau noir parent des corneilles, a été associé dans le passé au folklore des fées.

Je pensais à toutes ces associations, en regardant les trois formes sombres s'envoler dans le brouillard. J'avais fait cette offrande une seule fois, et pourtant, chaque matin, je retrouvais les trois mêmes corneilles sur la souche. Peut-être revenaient-elles uniquement pour voir si d'autres gâteaux les attendaient, mais je trouvais bizarre qu'elles ne soient que trois — jamais plus, jamais moins — à se poser sur la souche.

À part les corneilles, rien de vraiment spécial ne s'est produit, pendant que j'étais seule sur la propriété. Peu à peu, j'avais tout mis en place en vue du week-end. Puis, la fin de semaine est arrivée, et progressivement, les autres bénévoles de l'université se sont pointés. Cette année-là, j'avais également convaincu quelques-uns de mes amis de l'université de venir me prêter main-forte. Plus tôt dans l'année, j'avais formé un groupe avec Dominic St Charles et d'autres étudiants. Dominic et moi avions convaincu le bassiste et l'autre chanteur de venir fêter l'Halloween avec nous. Dominic était aussi arrivé accompagné de nos amis communs,

Chris et Evan. Evan — vous vous souviendrez de lui dans « La chose dans le vide sanitaire » — avait pris part aux festivités l'année d'avant. Chris était un nouveau venu dans la chasse aux fantômes organisée par l'université, mais en tant que grand admirateur de Lovecraft, l'écrivain américain de science-fiction, il était ravi de prendre part à nos étranges aventures.

L'après-midi avec les enfants des quartiers défavorisés s'est passé sans incident. Ils se sont bien amusés, passant le plus clair de leur temps à s'émerveiller des vaches qu'ils avaient vues durant le trajet jusqu'au site. Aussitôt que les enfants furent remontés dans les bus pour Cleveland, nous avons tout nettoyé et nous nous sommes préparés pour la vraie partie de plaisir : l'arrivée des étudiants de l'université.

J'avais cessé toutes mes activités, afin de faire cuire une autre douzaine de petits gâteaux, puis j'avais marché tranquillement jusqu'à la souche des fées, afin de leur faire mon offrande de paix, quelques minutes à peine avant que les corneilles ne prennent leur envol. Je savais que les étudiants de mon université pouvaient se montrer turbulents, parfois même un peu agités. Me sentant toujours un peu ridicule, j'avais demandé aux esprits de la forêt de tolérer leur présence envahissante. Je leur avais demandé plus particulièrement de ne pas leur jouer de tours et de ne faire de mal à personne. Puis, j'avais réitéré ma promesse que tout le monde serait reparti dès dimanche après-midi.

Après ma petite excursion jusqu'à la souche, c'était presque l'heure de commencer. Le premier bus devait arriver vers sept heures trente ou huit heures. Mes amis qui n'étaient pas de l'université étaient déjà en route. Je suis retournée à la « bonne maison » pour vérifier les maquillages et les déguisements de mes acolytes. Puis, j'ai pris à part mes trois guides, Chris, Dominic et Evan, pour bien m'assurer qu'ils remplissent leurs fonctions en temps voulu. Ils avaient plus ou moins mémorisé les sentiers de la forêt, de même que l'ébauche des textes qu'ils devraient déclamer pour accueillir les étudiants à chacune des stations. Tous les gars avaient reçu une formation en théâtre ; ils savaient donc comment projeter la voix pour se faire entendre de tous. De plus, ils avaient eu toute la journée pour se familiariser avec la forêt, ce qui fait qu'ils étaient sûrs de pouvoir guider les participants en toute sécurité. Nous étions tous excités. Nous avions mis de gros efforts dans la maison hantée, cette année, et nous étions impatients de montrer le résultat à nos pairs.

Les premiers groupes sont passés sans le moindre problème. Je faisais la navette entre la « bonne maison » et la « mauvaise maison », afin de tout coordonner, tout en jouant mon rôle. J'ai entendu des étudiants qui venaient de faire le parcours, se vanter de ne pas avoir été effrayés une seconde, ce que j'ai pris pour un signe qu'ils l'avaient été.

Puis, quelque chose a déraillé.

En règle générale, les étudiants universitaires ont la réputation d'être de gros buveurs, surtout s'ils ne sont pas majeurs. Notre université ne faisait pas exception à la règle. Le deuxième autobus était rempli de fêtards très ivres et très bruyants. Ils donnaient du fil à retordre aux guides et chahutaient à peu près tous ceux qui étaient costumés, mais ils ont semblé se calmer, quand vint leur tour de traverser le bois pour se rendre dans la maison hantée. Mais cela n'a pas duré. Plusieurs jeunes gens ont continué à s'agiter, mais en plus, ils ont détruit des décors et ont volé de nombreux accessoires. Je n'étais pas très contente d'apprendre cela. Nous avions travaillé trop dur à la préparation de cette attraction hantée, pour accepter que de jeunes idiots ivres viennent tout ruiner.

Nous avons donc réuni les groupes, afin d'essayer de récupérer les articles qui avaient été volés. J'avais d'abord tenté de régler le problème moi-même, mais j'étais tellement contrariée que ma colère ne faisait qu'empirer les choses. J'ai donc laissé à Dominic et à ses acolytes le soin de discuter avec ces étudiants perturbateurs. Puis, pour tenter de me calmer, j'ai voulu m'éloigner autant que possible et me suis retrouvée tout près de la souche des fées. Incapable de réprimer ma curiosité, j'ai vérifié si les gâteaux étaient toujours là. Ils n'y étaient pas. Je me suis dit que les ratons laveurs s'étaient régalés, mais une part de moi conservait l'espoir que la disparition de mes cupcakes soit due à autre chose. Je suis restée un moment près de la souche, à regarder la nuit. J'entendais les guides réprimander les étudiants au loin. Ils leurs demandaient de s'avancer et de révéler les noms des vandales, ou tout au moins de retourner les articles qu'ils avaient dérobés. Ce que j'entendais n'avait rien pour me calmer. J'avais besoin de décharger ma rage. Par deux fois, j'étais venue jusqu'à cette souche et je m'étais adressée à des choses invisibles ; c'était aussi ici que je laissais exploser ma colère, en m'adressant à l'air frais de la nuit, les yeux levés au ciel.

— Est-ce que vous êtes là ? ai-je lancé. Vous avez vu ça ? J'ai promis que l'on respecterait votre forêt, et ils font de moi une menteuse ! Je suis désolée. Je ne m'attendais pas à cela. Ces jeunes sont de petits minables ; ils ne méritent aucune protection. Épargnez mes amis, mais la chasse à ces petites crapules est ouverte. Ils ont manqué de respect à mes équipements et ils ont manqué de respect à votre forêt. Vous pouvez leur faire tout ce que vous voudrez.

J'étais debout, les poings serrés, et je regardais la forêt, de l'autre côté du lac.

— Vous m'entendez ? La chasse est ouverte pour ces petits minables. Exercez votre vengeance. Déclenchez tout !

Au moment où je terminais mon invective, un vent violent s'est soudain levé, faisant tourner les feuilles dans tous les sens. De l'autre côté du lac, je voyais les cimes des arbres ployer sous la force du vent. Éole poursuivait son œuvre, et le bruit qu'il faisait en soufflant dans les branches à moitié nues donnait l'impression que la forêt elle-même mugissait. Puis, aussi soudainement qu'il s'était levé, le vent s'est calmé. C'est à peu près à ce moment-là que je me suis rendu compte que je n'étais pas seule. Dominic, le guitariste du groupe, m'avait suivie. Je ne sais pas si cela faisait longtemps qu'il m'observait, ni ce qu'il avait entendu, mais à voir l'expression sur son visage, il en avait assez entendu. Un peu craintif, il m'a demandé :

— Michelle, que viens-tu de faire ?

Je n'en avais pas la moindre idée, mais nous n'allions pas tarder à le savoir. Peu de temps après ma crise de colère devant la souche, nous avons réussi à convaincre les pilleurs de se livrer et de nous rendre les objets volés. À l'aide de lampes de poche, nous nous sommes empressés de réparer les tableaux dans la forêt. Nous avons tout remis en place, et tout fut à nouveau fonctionnel. Depuis mon bref passage dans la forêt, je pouvais dire que les choses avaient changé. Sauf qu'à ce moment-là, je ne réalisais pas à quel point. De nouveau, l'endroit paraissait très menaçant, mais en plus de cela, il avait un air de malveillance. J'espérais que cela venait seulement des comédiens, que ces actes de vandalisme gratuit avaient tous rendus aussi furieux que moi. Ils avaient décidé de se venger de ces petits voyous, en allant le plus loin qu'ils pouvaient pour leur foutre la trouille de leur vie. Mais j'ai très vite compris que ce n'étaient pas seulement les comédiens qui avaient décidé d'utiliser cette approche.

Après mon appel à la vengeance, Dominic fut le premier à conduire un groupe à travers bois. À son retour, il était terriblement pâle. J'ai su tout de suite, rien qu'à voir son visage, que quelque chose ne tournait pas rond, et au début, j'ai craint que les étudiants lui aient causé d'autres problèmes. Imaginez ma surprise, lorsque ce non-croyant très pragmatique m'a demandé, avec des trémolos dans la voix :

— Michelle, peux-tu me dire à quoi ressemble un chien de l'enfer ?

Je dois vous préciser quelques détails au sujet de Dominic. Il a un an de plus que moi, et depuis que je le connais, il a toujours été un musicien passionné et talentueux. À l'époque, il étudiait la psychologie et les communications à l'université. Nous nous sommes rencontrés dans un cours de psycho, et c'est en tant que partenaires de laboratoire que nous nous sommes liés d'amitié. Dominic rêvait de travailler auprès des jeunes délinquants. Fils d'un ancien alcoolique, il était fermement opposé à l'alcool et aux drogues. Et cela était vrai de tous mes bons amis, ce qui explique que nous étions si affectés par le comportement des buveurs. En outre, Dominic était un fervent catholique. Sa mère était une sorcière blanche ; aussi tolérait-il les croyances des autres. Perplexe, mais ouvert d'esprit en ce qui concernait les gens comme moi, il n'avait jamais, de toute sa vie, vécu d'expérience surnaturelle. Il répétait d'ailleurs très souvent qu'il aurait pu accorder plus de crédit aux pratiques de sa mère si cela lui était déjà arrivé.

Apparemment, Dominic conduisait son groupe dans la forêt, lorsqu'il s'était aperçu qu'ils étaient suivis. Au début, la chose était restée tapie dans le sous-bois, se faufilant dans des coins pratiquement impraticables, à en juger par nos précédentes explorations. Quelques-uns des jeunes gens qui le suivaient avaient remarqué la chose, mais ils avaient cru que cela faisait partie de l'attraction. D'après la description que m'en a faite Dominic, la chose ressemblait à un molosse ; elle avait à peu près la taille et la morphologie d'un chien-loup, avec des yeux sauvages qui semblaient luire dans la nuit. L'ayant regardée nerveusement, à la dérobée, à quelques reprises, il avait noté que la bête semblait émettre une lueur phosphorescente, d'un vert très doux. Il entendait les étudiants de son groupe faire des remarques sur l'animal en se demandant si la chose était réelle. Tous étaient d'accord pour dire que c'était un accessoire impressionnant.

Vu les recherches que j'avais effectuées sur les fées, j'étais parfaitement au courant des histoires qui circulaient sur les chiens fées. Et j'avais la nette impression que Dominic venait de m'en décrire un, même si j'étais tout à fait certaine qu'il n'était pas familier avec ce concept. Même si sa mère était une sorcière, Dominic avait beaucoup plus de traits communs avec son père, qui faisait partie de la classe ouvrière. Préférant l'approche pragmatique de la réalité, il s'intéressait le moins possible aux phénomènes surnaturels. Je savais que si Dominic était convaincu de la nature extraordinaire de ce chien, c'était qu'il avait déjà épuisé toutes les hypothèses et qu'il était arrivé à la conclusion qu'il ne s'agissait pas d'un banal animal. Je lui ai demandé si le chien avait semblé vouloir s'en prendre à quelqu'un, ce à quoi il a répondu par la négative. L'animal s'était contenté de marcher à leurs côtés, pendant un moment. Un ou deux membres de son groupe s'étaient plaints d'avoir reçu des coups. L'un des garçons avait même crié à la ronde, pour rappeler à tous ceux qui pouvaient l'entendre dans les limites de la forêt, que les comédiens n'avaient pas le droit de toucher aux étudiants. Ce qui voulait aussi dire, avait-il ajouté, qu'il était défendu de leur lancer des objets.

Bien sûr, cela correspondait aussi parfaitement aux histoires qui circulaient sur les fées. En fait, le terme dont nous nous servons pour dire que nous avons reçu un coup vient de la notion de « coup d'elfe » ou de « coup de fée ». On croyait, en particulier dans les pays celtiques, que les fées protégeaient leurs forêts sacrées et d'autres territoires, en bombardant les visiteurs humains indésirables de projectiles enchantés susceptibles de les rendre aveugles ou sourds. Plus souvent, cependant, les coups des elfes avaient pour effet de les égarer et de leur faire oublier leur destination. Ce truc était particulièrement utile en terrain périlleux, car l'intrus ne risquait pas de se perdre, mais plutôt d'être blessé, voire de se noyer dans un marais ou un étang qu'il n'avait pas pu repérer.

À voir le regard et les agissements de Dominic durant tout le reste de la soirée, il était clair qu'il croyait que ce qu'il avait vu était plus que naturel.

Il voulait toujours guider les jeunes gens dans la forêt, à condition de pouvoir emporter un gros bâton de pèlerin, au cas où le chien déciderait d'attaquer. Mais l'expérience de Dominic avec le chien n'était qu'un début. Pendant tout le reste de la soirée, il s'est produit toutes sortes de phénomènes bizarres, alors que les étudiants marchaient dans la forêt. Les guides ont été témoins de la plupart de ces incidents, même si ce ne sont pas eux qui en ont subi les pires effets. De nombreux étudiants se sont plaints d'avoir été touchés par des petits galets ou des petits cailloux. Ces bombardements survenaient invariablement le long des sentiers, où aucun des comédiens n'était positionné, parce que les broussailles et les ronces étaient trop denses. Au cas où l'un d'eux aurait fait passer sa colère légitime sur les étudiants, je leur ai par la suite demandé s'ils avaient lancé des cailloux. Si un des participants aux festivités était coupable, personne n'a avoué son méfait.

En plus d'avoir été frappés par les elfes, un certain nombre d'étudiants s'étaient retrouvés inexplicablement séparés du groupe et perdus dans la forêt. Nos guides étaient à la tête de groupes de cinq à quinze personnes, mais la moyenne était de douze. Ils restaient presque toujours à proximité les uns des autres, parce que s'ils traînaient trop loin derrière, ils n'entendaient pas les instructions du guide. Les quelques étudiants, que nous avions dû plus ou moins récupérer, savaient pertinemment que nous n'aimions pas beaucoup leur courir après. Mais ils affirmaient qu'une minute auparavant, ils étaient au milieu du groupe, suivant sagement leur guide, pour se retrouver la minute d'après, dans une autre portion du bois, plongée dans le noir total.

En marchant ainsi dans la forêt, plusieurs étudiants avaient reçu des branches dans le visage. C'était un détail intéressant, puisque nous avions consciencieusement débarrassé le sentier de tous les obstacles qui l'encombraient. Le guide et plusieurs étudiants qui précédaient ceux qui se plaignaient de recevoir des branches, étaient passés par là sans que la moindre branche ne les effleure, et pourtant, les seconds étaient couverts d'égratignures témoignant de leur malchance. Là encore, il est possible qu'un méchant farceur ait pensé à attraper une branche basse en passant, pour la relâcher ensuite dans le visage de quelqu'un, mais vu l'autre phénomène, cela est peu probable. Étant donné tous ces incidents, il semblait tout à fait plausible que les branches des arbres se penchent pour s'en prendre aux gens.

Après l'épisode avec les fêtards, un fossé s'était creusé entre les étudiants venus à la maison hantée en tant qu'invités, et ceux qui étaient chargés de l'animation. Voilà pourquoi personne ne m'a directement raconté ce qu'ils avaient vécu dans la forêt, à l'exception des comédiens. Les comptes rendus des autres étudiants n'étaient que des rumeurs. Mais ce qu'ils avaient entendu prouvait à quel point cette nuit avait été fascinante. Certes, après avoir plus ou moins goûté aux espiègleries des fées qui hantaient les bois, la marche en forêt était devenue beaucoup plus effrayante pour les étudiants. Cela avait semblé être une combinaison de choses : un changement d'atmosphère, un écrasant sentiment de confusion et de désorientation, qu'avaient ressenti (heureusement pour eux!) à peu près tous ceux qui avait été conduits dans la forêt par les guides, ainsi que ces effets spéciaux, en apparence impossibles, mais « super cool », que nous avions pour ainsi dire inventés, comme le chien à l'air méchant, les lumières qui suivaient le groupe, et d'autres formes étranges à moitié entrevues, tapies dans les ombres les plus profondes de la forêt.

Et tous ces effets étranges ne se limitaient pas seulement à la forêt. La « mauvaise maison » était soudainement devenue un lieu où il était très désagréable de se trouver, quand les lumières étaient éteintes, même pour les comédiens qui y avaient passé la journée, cachés dans le noir, pour répéter leurs rôles en prévision de la soirée. Les acteurs avaient pris l'habitude de rallumer toutes les lumières entre les groupes de gens, à cause de l'obscurité oppressante et de l'atmosphère qui commençait à les rendre nerveux. Quand les lumières étaient éteintes, on entendait des bruissements incongrus, et plus d'un comédien avait eu l'impression que quelqu'un se tenait près d'eux ou se frottait à eux, alors qu'il n'y avait personne aux alentours. On peut seulement imaginer ce que les étudiants ont ressenti, en traversant la maison, même si je suis au courant d'au moins un incident que personne n'a jamais pu expliquer.

J'étais officiellement assignée à la « mauvaise maison », mais comme je l'ai déjà mentionné, je courais sans cesse à la « bonne maison », afin de tout coordonner. Normalement, je disposais de suffisamment de temps, entre les groupes pour courir jusqu'à l'autre maison, de l'autre côté de la passerelle, et revenir à ma place, avant qu'on ne remarque mon absence. Néanmoins, au moins une fois, cela ne s'est pas passé ainsi. Evan, dont je vous ai déjà parlé dans « La chose dans le vide sanitaire », était à la tête du groupe dont il est question. Comme il était naturellement nerveux, il avait voulu savoir où chacun des acteurs était censé sortir du bois ou essayer d'effrayer les passants. Il savait que j'étais affectée au salon, vêtue de noir de la tête aux pieds, et dissimulée derrière un rideau noir. Malgré les règles et autres « interdits de toucher », j'étais sortie de ma cachette et j'avais effleuré des passants malchanceux. Comme j'avais toujours les mains très froides, cela était du plus bel effet.

En traversant le séjour, Evan avait senti une main froide le toucher et avait marmonné un truc dans le genre : « Très drôle. Attrape quelqu'un d'autre. » N'ayant obtenu aucune réaction, il s'était simplement dit que je ne voulais pas que les autres me découvrent. En fait, je ne l'avais pas touché du tout. Je m'étais seulement arrangée pour éteindre toutes les lumières, avant l'arrivée du groupe, et je n'avais pas eu le temps de retourner à mon poste sans être repérée. J'étais à l'autre bout de la pièce, lorsque Evan et son groupe l'avaient traversée, et il n'y avait pas âme qui vive dans le coin où Evan avait été touché. Combien d'autres touchers de fantômes ont été ressentis, tandis que les étudiants traversaient cette maison ?

Dans une des pièces de la « mauvaise maison », deux des comédiens jouaient une scène de viol, suivie d'un meurtre. Vers le milieu de la soirée, ces deux jeunes gens sont venus me demander la permission de quitter leur poste. Ils étaient pâles et avaient les yeux hagards sous leur maquillage d'horreur ; la jeune femme tremblait comme une feuille. Au début, ils ont refusé de me dire pourquoi ils ne voulaient pas continuer à travailler dans la « mauvaise maison », mais Markie, qui jouait le rôle de l'agresseur, avait fini par m'avouer qu'il avait l'impression de se perdre dans son personnage. Il ne se sentait plus assez à l'aise pour jouer cette scène. C'est tout ce qu'ils ont voulu me dire au début, mais j'ai fini par apprendre qu'ils s'étaient tous deux sentis possédés par quelque chose, et Raven, la jeune femme, a voulu savoir pourquoi j'avais choisi une brutale scène de viol pour cette pièce en particulier. J'ai haussé les épaules.

— C'est une chambre à coucher. Je ne savais pas quoi faire avec le lit. Dans une cabane isolée perdue dans la forêt, un viol m'a vraiment paru approprié.

En fixant ses chaussures, Raven a dit d'une voix éteinte :

— Eh bien, je crois qu'il s'est vraiment passé quelque chose ici, un viol prémédité ou quelque chose comme ça. Markie et moi, nous le voyons sans cesse, encore et encore. Je crois que cet événement s'est gravé dans les murs de la chambre et que tu l'as ressenti. Je ne veux pas y retourner.

J'ai acquiescé, et nous avons apporté quelques changements de dernière minute, remplaçant la scène qui se déroulait dans cette chambre par n'importe quoi, à part un viol. Markie est parti se promener dans les bois près de la « mauvaise maison ». Nous espérions qu'il pourrait ainsi effacer cette scène de sa mémoire.

À un moment donné, Barry, l'autre chanteur du groupe, un garçon doué qui faisait aussi des études en mathématiques, est venu me voir pour me dire qu'il avait attrapé un des esprits féeriques qui hantaient la forêt. Il tenait quelque chose entre ses mains, et il y avait comme de l'électricité statique qui en émanait. Il ne voulait pas ouvrir les mains pour me montrer ce qu'il tenait, parce que, disait-il, il ne voulait pas risquer que « cela » s'échappe. Barry étant un grand farceur, je ne savais pas trop si je devais le prendre au sérieux. Plus tard dans la soirée, Barry a disparu pendant un long moment. Nous étions tous beaucoup trop occupés par les autres événements de la soirée, pour prêter attention à son absence.

À ce qu'il paraît, Barry était allé se promener dans le bois et s'était perdu, reprenant ses esprits après s'être avancé dans le lac jusqu'à ce que l'eau lui arrive à la poitrine. Mais il n'a pas eu de témoins. Je le répète, Barry aimait jouer des tours, si bien qu'aucune des personnes présentes n'aurait su dire s'il fallait le prendre au sérieux. J'ajouterai toutefois qu'après cet incident, l'attitude de Barry envers Whitethorn Woods avait totalement changé. La veille encore, l'idée que la forêt était hantée par des fées lui avait paru plutôt amusante ; il s'était rendu à l'orée du bois pour se moquer des supposés résidants surnaturels, en les défiant de s'attaquer à lui. Le lendemain matin, il avait perdu sa belle arrogance. Pour ceux qui connaissaient Barry, c'était un signe incontestable qu'il s'était passé *quelque chose*.

Les visions et les bruits étranges n'ont pas pris fin, après que nous ayons fermé l'attraction hantée pour la nuit. Tous nos collègues étudiants, qui étaient seulement de passage, sont remontés dans les autobus et sont rentrés en ville. Ceux d'entre nous qui avaient travaillé à l'organisation de l'événement de façon bénévole sont restés, car il fallait tout nettoyer, le lendemain. Nous étions une douzaine environ, et les maisons étaient petites, même si on y trouvait presque exclusivement des chambres, dont quelques-unes avec deux lits superposés. Il aurait été plus sage que la moitié du groupe aille dormir dans la « bonne maison », et l'autre moitié dans la « mauvaise maison ». Mais, après les événements de la soirée, personne n'en avait le courage. Pas même moi. Nous avons donc fouillé dans les penderies et les tiroirs, pour y dénicher des oreillers et des draps, puis nous avons préparé les couchettes pour ceux qui voulaient y dormir.

Dans la « bonne maison », il y avait une chambre au grenier, avec un lit gigogne. Plus tôt durant la semaine, j'y avais jeté un rapide coup d'œil en explorant la maison. Je dis « rapide », parce que je n'avais pas tellement aimé la chambre du grenier. Pour une raison ou une autre, elle m'avait semblé trop étroite, trop… je ne sais quoi. Aussi sûre que puisse nous paraître la « bonne maison », en comparaison de la « mauvaise maison », j'avais quand même évité le grenier et le sous-sol. C'est que je n'avais pas aimé l'impression que ces deux endroits m'avaient laissée, et à présent, en tentant de trouver de la place pour que tout le monde puisse y passer la nuit, je découvrais que je n'étais pas la seule. Personne ne voulait monter au grenier, même si une jolie couchette, bien douillette, attendait que quelqu'un la réclame.

Nous préférions nous empiler les uns sur les autres, plutôt que de nous retrouver dans une chambre vide. Durant les heures qui ont suivi, nous sommes restés entassés dans la cuisine et le séjour, à boire du chocolat chaud et à regarder des films. Pendant ce temps, Barry était absent, et bien qu'on ait fait allusion à lui une ou deux fois, personne ne voulait partir à sa recherche. Barry était loin d'être petit : un mètre quatre-vingt-quinze, cent trente-cinq kilos. Nous étions convaincus qu'il pouvait prendre soin de lui. N'ayant jamais été très à l'aise en société, personne ne s'étonnait qu'il évite de se retrouver parmi la foule. Il n'avait jamais vraiment su comment se comporter dans la cohue.

Quelqu'un avait apporté un excellent choix de vidéos et nous étions tous affalés sur les sofas du séjour, en train de regarder le *Dracula* de Bram Stoker, lorsqu'un bruit provenant du grenier nous a tous figés sur place. Pendant quelques secondes interminables, toutes les paires d'yeux ont fixé les marches menant à la chambre d'en haut. Puis, nous avons entendu un deuxième son, beaucoup plus troublant que le premier. Le premier bruit était comme un grattement suivi d'un boum, comme si quelque chose était tombé et avait glissé sur le plancher de bois franc. Cela avait semblé très lourd, de sorte que nul ne pouvait imaginer ce que c'était, mais ce n'était pas un bruit totalement improbable. Par contre, le second était tout à fait invraisemblable. On aurait vraiment dit que des griffes s'enfonçaient dans le bois du plancher.

Raven, déjà effrayée par son expérience avec Markie dans la « mauvaise maison », était pour ainsi dire devenue hystérique. Tous les autres bénévoles étaient figés sur place, alors Dominic et moi avons décidé d'aller voir ce qui se passait.

L'interrupteur de la chambre du grenier était en bas de l'escalier. On a allumé. Les marches étaient un peu raides, et compte tenu de la disposition des pièces, il fallait que nous montions dans la chambre du dessus pour y voir quelque chose. Nous sommes donc montés à l'étage, sans trop savoir à quoi nous attendre, mais après tous les nombreux incidents étranges de la soirée, nous étions prêts à tout et à n'importe quoi.

— Barry, a appelé Dominic, en se rappelant le penchant de son ami pour les blagues douteuses.

En moi-même, j'ai promis de me venger de Barry, s'il advenait qu'il s'était amusé à nous faire peur.

Au début, ce fut comme une douche froide, lorsque nous sommes arrivés en haut des marches, Dominic et moi. La chambre était vide, mais il y avait cette senteur de moisi, cette puanteur.

— Qu'est-ce que c'est ?

Dominic n'a pas répondu tout de suite ; il fixait une chose à ses pieds. Une énorme malle de bateau à vapeur était posée sur le plancher. Je me rappelais l'avoir vue, en explorant le grenier. J'y avais jeté un œil, quelques jours auparavant. Elle était incroyablement lourde, remplie de couvertures et de linge de maison. Elle avait été poussée contre le mur opposé au lit, juste en haut des marches en rentrant. Je dis « avait été », car elle se trouvait maintenant à environ un mètre du mur. On pouvait voir, sur le plancher de bois où on l'avait posée, des égratignures laissées par les coins de la malle. Inutile de chercher à comprendre comment elle avait pu se retrouver là. Le pan de mur contre lequel la malle était appuyée était tombé de travers juste à côté.

— Qu'est-ce que je vois ? a demandé Dominic. Où ce trou peut-il mener ?

Le panneau avait été cloué au mur pour sceller un passage menant à un espace vide. Apparemment, seule une partie du grenier de la maison était finie. L'espace en creux, pas assez large pour être transformé en chambre, ouvrait sur une autre section de l'avant-toit. La lumière au-dessus de nos têtes laissait entrevoir des chevrons rouges et de l'isolant rose. C'était également de là que venait cette étrange odeur de moisi.

Dominic s'est avancé et a touché les bords de l'ouverture. Il y avait des éclats frais dans le bois, autour d'une multitude de trous faits par des clous minuscules. Des clous correspondants luisaient sur les bords de la planche tombée de guingois. On aurait vraiment dit que ce morceau de bois avait été arraché du mur.

— La malle était-elle contre cette planche ? a demandé Dominic.

J'ai acquiescé, tout en essayant de comprendre ce que je voyais exactement.

— Une chose est sortie de là, tu ne crois pas ? a dit mon ami. Il le faut. Le bois, la malle. Une chose s'est traînée en dehors de cet espace vide.

— On dirait bien, ai-je fini par admettre.

— Mais quoi ?

Puis, de nouveau, le même grattement s'est fait entendre. Nous nous sommes tournés vers la source du bruit. Sur le lit adossé au mur opposé, il y avait un édredon qui tombait presque, mais pas tout à fait, jusqu'au plancher de bois nu. Dans les trois centimètres restants entre la couverture et le sol, tout ce que l'on pouvait voir, c'était un noir d'encre. Puis, une chose a semblé bouger sous le lit. L'édredon ondulait tranquillement, mais les trois centimètres que nous pouvions voir restaient totalement noirs et impénétrables.

— Les deux maisons sont équipées de systèmes d'alarme, a fait remarquer Dominic. Comment cette chose aurait-elle pu entrer ?

— Peu importe que le panneau qui est là soit — ou ait été — cloué, ai-je fait remarquer. Cette chose voulait sortir. À tout prix.

— C'est ton champ d'expertise, pas le mien, a-t-il repris. Qu'est-ce qu'on fait maintenant ?

Je regardais l'espace sombre sous le lit et je sentais se dresser les poils sur ma nuque. Quoi que ce soit, je n'aimais pas cela.

— Si elle veut sortir, ai-je dit, on la laisse faire. On ouvre toutes les portes et on fait sortir tout le monde jusqu'à ce qu'elle ait foutu le camp.

— Et comment savoir si elle est partie ? a demandé Dominic.

— Je pense qu'on va s'en rendre compte.

Dominic m'a aidée, et nous avons fait sortir tout le monde. Il a fallu que nous soyons persuasifs, car personne n'avait vraiment envie de quitter la chaleur et la sécurité relative de la « bonne maison ». Quand nos copains nous ont demandé ce qu'il y avait dans le grenier, nous leur avons dit qu'un raton laveur avait réussi à entrer dans le cottage ; à présent, il avait peur et il cherchait seulement à fuir. Certains d'entre eux avaient remarqué la pâleur et le choc sur nos visages ; ils nous ont regardés d'un air sceptique, mais nous nous en sommes tenus à cette version. Ainsi, tous les bénévoles ont pris leurs pulls et leurs vestes. Ils sont sortis de la maison avec leurs tasses de chocolat chaud entre les mains. Dominic et moi avons ouvert toutes les portes, puis nous nous sommes joints au groupe, blotti les uns contre les autres, histoire de se réconforter tout en se gardant au chaud.

Dominic allait me demander si ce manège allait fonctionner, quand toutes les portes de la maison se sont refermées en même temps, avec un bruit semblable à un coup de fusil, suivi par celui d'une violente bourrasque de vent. La brise qui a soufflé entre les branches des arbres emportait avec elle la même odeur caractéristique de moisi, qui nous avait monté au nez dans le grenier.

Tout le monde a sursauté et tous les regards se sont tournés vers la maison. Dominic et moi avons échangé des regards inquiets.

— Hé, devinez quoi, ai-je fini par dire après quelques palpitations. Je viens de voir notre petit ami raton laveur qui fuyait par là. Tout va bien. On peut rentrer maintenant.

Lorsque nous sommes retournés au grenier, Dominic et moi, afin de remettre la planche et la malle à leur place contre le mur, personne n'a voulu savoir pourquoi. S'ils nous avaient posé la question, nous n'aurions pas pu leur fournir d'explication.

La maison nous a semblé bizarrement plus légère, après que cette chose sans nom en fut sortie, et nous avons passé la nuit à regarder des films et, enfin, à dormir. Le lendemain matin, réveillés par les merles qui chantaient dans les arbres, les événements de la veille nous paraissaient aussi loin et improbables qu'un cauchemar. Quelqu'un a mis la machine à café en marche, et nous avons pris notre petit-déjeuner sur le porche, en regardant le soleil avaler au loin les derniers rubans de brume encore accrochés à la surface du lac. Tout était calme, parfait et magnifique, et il était facile de penser que tout ce dont nous avions été témoins — même l'intrus étrange et nauséabond — n'avait pas sa place dans un paysage aussi bucolique. Mais Whitethorn Woods n'en avait pas fini avec nous. Pour tout dire, il nous réservait le meilleur pour la fin.

Nous avons entrepris notre grand nettoyage, aussitôt après le petit-déjeuner. Nous n'étions pas particulièrement pressés. Nous avions toute la journée pour nettoyer le terrain de long en large et enlever les décorations d'horreur, afin de les ranger jusqu'à la prochaine fois. Tout ce que l'université nous demandait, c'était de quitter la propriété, avant la tombée de la nuit. Cela nous semblait raisonnable, puisque le jour suivant était jour de cours pour toute la bande. Nous avons vite compris, cependant, que l'horaire de la maison elle-même était supérieur à tout horaire imposé par l'université qui en était propriétaire. Et il se trouve que Whitethorn Woods voulait que nous ayons plié bagage, dès la fin de l'après-midi. Au cas où nous aurions eu des doutes sur son horaire, la propriété nous a communiqué un message on ne peut plus clair.

Autour de seize heures, un grand silence s'est installé sur la forêt. J'en avais déjà fait l'expérience, durant la semaine, pendant que je préparais la maison. Cherchant à savoir s'il s'agissait simplement d'un phénomène naturel dont j'ignorais l'existence, j'en avais glissé un mot à quelques copains. Même si j'avais grandi en campagne, j'acceptais l'idée que des tas de choses concernant la nature demeurent un mystère pour moi.

Tout le monde l'avait remarqué, même ceux qui s'étaient moqués des événements bizarres des nuits précédentes. L'air semblait plus tendu, et tous les animaux s'étaient tus. Rien ne semblait bouger, pas même la brise. Nous n'avions pas fini de tout nettoyer, quoique, à cette heure, nos travaux se limitaient à l'espace situé directement autour de la « bonne maison ». La chose qui nous posait problème, c'était l'emplacement du feu de camp. Nous avions réussi à faire un feu si chaud, que le sol continuait de fumer, même lorsque l'on versait de l'eau dessus.

Je me souviens avoir soudainement levé les yeux, en entendant un bruit étrange qui se répercutait jusqu'au fond des bois. C'était comme un battement sourd qui semblait trouver son écho dans l'air lui-même. J'ai regardé mon amie Liz en disant :

— Qu'est-ce que c'est pour l'amour du ciel ?

Elle a haussé les épaules et a accéléré sa cadence de travail.

Puis, Evan est sorti de la « bonne maison » en regardant dans la direction du bruit.

— Qu'est-ce que c'est ? a-t-il demandé.

— Aucune idée. Mais on dirait que ça se rapproche.

Pendant les quelques minutes qui ont suivi, le son a continué à battre la cadence, sans la moindre accélération, mais de plus en plus fort. Impossible de ne pas penser que quelque chose approchait. Et puis, nous avons tous cru trouver une explication, lorsqu'une immense nuée d'oiseaux noirs est sortie de la forêt. Les oiseaux arrivaient de la direction d'où provenait le bruit, et des milliers de battements d'ailes sont venus s'ajouter aux autres bruits étranges qui remplissaient l'air lourd et suffoquant.

— Rien que des oiseaux, ai-je dit en lâchant un soupir.

Et je me suis remise au boulot, jetant des papiers et d'autres débris dans de grands sacs de plastique. Evan était resté planté à côté de moi, raide comme une barre. Il regardait la « mauvaise maison », de l'autre côté du fossé.

— Qu'est-ce qu'ils font ? a-t-il demandé.

À ce jour, je n'ai toujours pas pu répondre à sa question. Je sais ce que j'ai vu, ce que faisaient les oiseaux, mais je ne m'explique toujours par leur comportement. Cette dernière expérience à Whitethorn Woods restera toujours un mystère pour moi. Si je n'y pense pas pendant un long moment, je peux presque me convaincre que cela ne s'est jamais produit. Des années plus tard, nous avions presque réussi à croire que la dernière partie de l'expérience s'était passée seulement dans nos têtes, Dominic et moi, jusqu'au soir où nous sommes revenus sur le sujet. À la fin, tout ce que nous avons trouvé à dire, c'était : « C'est réellement arrivé ? »

C'est arrivé. Je l'ai vu de mes yeux. Je ne peux l'expliquer.

Une nuée d'oiseaux noirs est sortie de la forêt : corneilles, étourneaux, quiscales, et d'autres oiseaux dont j'ignorais les noms. Ils ont foncé vers la clairière en volant au-dessus de nos têtes, mais plutôt que de nous dépasser et de traverser le lac, ils se sont mis à tomber du ciel. Pour commencer, ils ont atterri sur la « mauvaise maison », jusqu'à ce que le toit soit noir d'oiseaux. Des corneilles et des étourneaux de toutes les tailles. Lorsqu'ils se posaient, ils restaient là en silence, à nous regarder de leurs petits yeux semblables à des billes. Cela n'avait rien de terrifiant, jusqu'à ce que l'on se rende compte que cette volée formait un motif. Ils avançaient vers nous, centimètre par centimètre, recouvrant le parterre devant la « mauvaise maison », jusqu'à ce qu'il ne reste plus qu'une mer de têtes à plumes luisantes, de becs pointus et d'yeux froids et brillants. Le fossé qui séparait les deux maisons était très escarpé et profond d'environ trois mètres. Une passerelle reliait les deux maisons, et les oiseaux noirs venaient se poser sur cette structure en bois et sa peinture bleue écaillée. Et chaque fois qu'un oiseau se posait, il repliait ses ailes et se taisait, en nous regardant ; puis un de ses congénères venait se placer dans l'espace devant lui. Et ce manège a continué, jusqu'à ce que les oiseaux noirs recouvrent le moindre centimètre du parterre devant la « mauvaise maison ». Ils ont rempli le ravin. Ils ont recouvert la passerelle, et à chaque nouvelle vague qui tombait du ciel, ils se rapprochaient inexorablement de nous. Et, pour souligner le silence lugubre des oiseaux, il y avait cette pulsation étrange qui émanait toujours de la forêt.

Barry a réagi avant tout le monde. Il a sauté dans son Geo Tracker pourpre et a démarré le moteur.

— Je fous le camp d'ici ! a-t-il lancé, en regardant, les yeux exorbités, la vague d'oiseaux sinistres qui arrivait.

— Mais, c'est toi qui as les clés de la barrière, lui a crié Evan.

Whitethorn Woods était protégé par des barrières et complètement entouré d'une haute clôture. Il n'y avait qu'un moyen d'y entrer — ou d'en sortir — et il consistait à remonter une allée de gravier qui croisait un des étangs, puis de franchir la barrière. Nous étions supposés verrouiller la barrière en partant, puis remettre les clés à l'université en rentrant.

— Cinq minutes ! a hurlé Barry, en sortant sa tête par le toit ouvrant de son véhicule. Je vais attendre cinq minutes. Si vous n'êtes pas là dans cinq minutes, je verrouille cet endroit et je fous le camp très, très loin d'ici.

Puis, faisant voler les gravillons sous ses pneus, Barry a remonté l'allée jusqu'à la barrière.

Le martèlement se poursuivait. L'air était lourd, et les oiseaux continuaient à tomber du ciel, pour venir se poser toujours plus près de nous et nous fixer en silence de leurs yeux noirs et luisants. L'atmosphère était étouffante ; on avait l'impression que quelque chose était sur le point de traverser notre réalité, mais il n'y avait que des oiseaux, toujours plus d'oiseaux, et ce sentiment oppressant que la chose approchait... approchait...

Si j'écrivais un ouvrage de fiction, je vous dirais que l'instant d'après, pendant que je restais clouée là, bouche bée, une chose horrifiante a surgi de la forêt. Armée du poids de son être, la chose repoussait les arbres sur le côté, mais elle était si grotesque, si immense, que j'étais incapable de comprendre de quoi il s'agissait. Une créature massive, en dehors de l'espace et du temps, parée de reflets qu'aucun œil humain ne pouvait percevoir, était sortie des ténèbres entre rêve et réalité, et avait poussé un hurlement à fendre l'air.

Mais, la réalité est rarement aussi nette et prévisible qu'une œuvre de fiction, qui doit toujours avoir un commencement, un dénouement et une fin. Tandis que je me tenais là, et qu'une vive anticipation fouettait l'air autour de nous, je m'attendais à ce qu'une horrible chose surgisse de la forêt. Et pourtant, tout ce que je voyais, à mesure que les minutes passaient, c'était encore plus d'oiseaux noirs. Il y avait l'interminable crescendo de leurs cris, et il me semblait qu'il n'aurait jamais de fin. Le sentiment qu'un événement surnaturel se préparait allait grandissant, et pourtant, cela non plus n'a pas paru avoir de dénouement.

Je suppose que j'aurais pu attendre là jusqu'à ce que les oiseaux noirs se rapprochent de moi au point de me recouvrir — ou peut-être, dans un soudain accès de frénésie, comme les oiseaux de malheur dans un vieux film d'Alfred Hitchcock, qu'ils se mettent à me piquer de leur bec et à me déchiqueter jusqu'à ce que mort s'ensuive. Mais malgré ma curiosité, mes amis ne m'auraient jamais laissée tenter le destin en restant plantée là. Je voulais vraiment voir — j'en éprouvais le besoin, désespérément, car il fallait que cette expérience soit davantage qu'une nuée d'oiseaux fous descendant du ciel en escadrons insensés, pour s'immobiliser en silence et nous regarder d'en bas.

Je n'ai pas pu assister à la conclusion de cette soudaine manifestation. Barry s'était déjà éloigné dans son Geo Tracker, et il ne nous restait plus qu'à espérer qu'il reste près de la barrière d'entrée, avec les clés, le moteur éteint, en attendant que les derniers réfugiés épouvantés ne s'échappent de Whitethorn Woods.

Je suis montée dans ma voiture et j'ai pris la route. Jetant un œil par le rétroviseur, au moment où je traversais le pont étroit surmontant les étangs, j'ai vu que les oiseaux continuaient d'arriver, tombant du ciel et remplissant les espaces sur la pelouse où nous étions encore quelques minutes plus tôt. Je n'ai jamais compris pourquoi, et je n'ai plus jamais eu la chance de retourner à Whitethorn Woods. Et c'est ce qui distingue cette histoire, qui se passe dans la vraie vie, d'une œuvre de fiction. Il n'y a pas de fin satisfaisante, pas de revirement de situation dans les dernières lignes, qui lui donneraient un certain sens, soudain et sinistre. Qu'est-ce qui a fait que les oiseaux se sont comportés de la sorte ? Y avait-il un sens caché derrière leur descente silencieuse et leur façon de se tenir là, à nous regarder imperturbablement de leurs yeux perçants ? Encore aujourd'hui, je me dis : « Si seulement j'étais restée un peu plus longtemps… »

Mais alors, serais-je toujours ici pour vous raconter cette histoire ? C'est ce que je ne saurai jamais.

Une maille dans le temps

Au début des années 1990, avec d'autres amis de mon université, je faisais partie d'un groupe appelé Sacrosanct. Celui qui tenait ce groupe à bout de bras, c'était Dominic St Charles, un personnage que vous avez déjà rencontré à quelques reprises au fil de ces pages. Comme la plupart des gens, après avoir obtenu mon diplôme, j'ai été très occupée à faire d'autres trucs, et le groupe est passé au second plan. J'étais très occupée par ma carrière d'écrivain, et pendant des années, j'ai mis mon talent musical en sourdine. C'était avant que Dominic ne me contacte, vers la fin de 2002, afin de se renseigner sur les droits d'une chanson.

Depuis nos années d'université, Dominic avait déménagé à Chicago et bossait dur avec une nouvelle image du groupe, alors connu sous le nom de URN. Sacrosanct était un groupe de rock gothique, alors qu'URN avait adopté un son métal très différent. Malgré tout, Dominic croyait que sa nouvelle formation pourrait revisiter une ou deux chansons de Sacrosanct, et il voulait obtenir ma permission pour utiliser certaines compositions que nous avions écrites ensemble.

Cela fait toujours plaisir d'avoir des nouvelles d'un vieil ami, en particulier lorsque vous sentez que vous avez perdu le contact pour une raison aussi stupide que l'inertie, purement et simplement. Parce que le temps file et que les gens déménagent, il est si facile d'être trop occupés pour prendre le temps de se voir, même entre vieux amis. Pendant qu'il me parlait de son nouveau groupe, la fierté et l'excitation dans sa voix me rappelaient le bonheur que nous avions eu à faire de la musique ensemble. Avant la fin de notre conversation, en plus de lui avoir donné mon accord, afin qu'il se serve de la musique que nous avions coécrite, j'avais offert à Dominic de les accompagner dans leur prochaine tournée, à titre de chanteuse invitée.

Voyager avec un groupe est une des expériences les plus exigeantes et les plus exaltantes que l'on puisse faire. À moins de faire partie d'un groupe qui jouit d'une réputation nationale, les tournées sont beaucoup moins prestigieuses que la plupart des gens ne se l'imaginent. Si tu as de la chance, ton groupe possède une fourgonnette pouvant contenir tous ses membres et tout le matériel, et si tu as plus de chance encore, les concerts rapportent suffisamment pour que chacun puisse se payer une chambre d'hôtel. Mais, le plus souvent, les groupes se font offrir un « endroit où crécher » pour conclure l'entente. Ça, c'est lorsque le promoteur s'organise pour trouver un endroit où passer la nuit, sans oublier personne. Parfois, cet endroit est un hôtel, mais le plus souvent, c'est la maison de quelqu'un qui a un rapport avec le concert ou le promoteur, ou simplement l'ami de quelqu'un qui aime suffisamment la musique pour accueillir le groupe jusqu'au lendemain.

Inutile d'ajouter que vous pouvez vivre des situations fort intéressantes, quand vous dormez sur le canapé d'un parfait étranger. C'est parfois intéressant dans le sens chinois[1], c'est-à-dire une vraie calamité. Pour commencer, les musiciens de rock sont d'étranges pensionnaires ; ensuite, les individus qui sont prêts à accueillir de parfaits inconnus chez eux ont généralement des intérieurs plutôt *colorés*, pour utiliser un euphémisme.

---

1. N.d.T. : On traduit un proverbe chinois par « Puissiez-vous vivre une époque intéressante » (c'est-à-dire remplie de bouleversements). Cela est considéré comme une malédiction.

Soucieux de diminuer le stress de l'hébergement, durant une tournée suffisamment stressante en soi, Dominic prenait des arrangements avec des parents éloignés ou des amis très proches, afin d'offrir à son groupe un lieu sûr où passer la nuit. Le confort et la sécurité étaient tellement importants, qu'il nous arrivait d'organiser les tournées pour qu'elles correspondent à ces arrêts familiers, nous arrêtant, entre deux concerts dans des boîtes de nuit enfumées, chez un oncle ou une tante, pour y prendre un repas chaud et profiter d'un bon lit frais et propre, dans des coins oubliés de nos grandes cités.

C'est dans un des endroits où nous avions fait une halte, que j'ai rencontré Vera. Vera était la grand-mère de Dominic ; elle était morte quelques années plus tôt.

Dominic savait que sa grand-maman hantait toujours son ancienne maison, située dans une petite ville pittoresque du Maryland, mais il n'avait pas cru utile de nous en informer. Tandis que notre camionnette de tournée avançait le long des chemins en zigzag, au pied de la chaîne des Appalaches, c'est la claviériste — dont le nom d'artiste était Sophia — qui, la première, a parlé du fantôme.

— Michelle va coucher dans la chambre de Vera, c'est bien ça ? a-t-elle demandé. Parce qu'il n'est pas question que je dorme là, une seule nuit de plus.

— Euh, bien sûr, a répondu Dominic, en jetant un œil dans le rétroviseur pour voir ce que je pensais de cette proposition.

— Tant qu'il y a un lit, ça ne me dérange pas vraiment, ai-je répondu en soupirant.

— Bon, parce que je ne dormirai pas dans cette chambre, a répété Sophia. Tu sais qu'elle ne m'aime pas.

Dominic avait les mains crispées sur le volant. Cela lui mettait vraiment les nerfs à vif, de conduire la camionnette surchargée et sa remorque sur des routes de campagne étroites, mais je devinais bien que ce n'était pas seulement les routes qui le rendaient nerveux. Depuis nos années d'université, Dominic a toujours entretenu une relation étrange avec le paranormal. Fervent catholique, il est ouvert à l'idée que certains individus possèdent des dons psychiques, mais il n'y croit pas vraiment en ce qui le concerne. Ce qui ne l'empêche pas d'être systématiquement attiré par des personnes et des situations qui ont quelque chose d'étrange, dont le plus bel exemple est notre incroyable aventure à Whitethorn Woods. Dominic lui-même prétend avoir la même sensibilité psychique qu'une meule de fromage, et ce qui ajoute à son scepticisme, c'est son incapacité à percevoir ce que décèlent ses amis pourvus de sensorialité.

— Bon, qu'est-ce qui ne va pas avec cette chambre ? ai-je demandé.

— Sophia dit que feu ma grand-mère est toujours dans la maison, a répondu Dominic en se tortillant sur son siège.

— Et elle ne m'aime pas, a ajouté la claviériste à l'esprit vif. Je suis trop excentrique pour elle. Elle veut que Dominic fréquente une charmante jeune fille, tout ce qu'il y a de plus normal. Je suis une rockeuse et une sorcière pratiquante. Vera n'approuve pas.

Dominic a lâché un soupir, mais je n'aurais pu dire s'il était exaspéré à l'idée des fantômes, ou plutôt à l'idée que même morte et enterrée, sa grand-mère essayait toujours de contrôler sa vie.

— Hank l'a vue aussi, a-t-il admis.

Hank était le grand-père par alliance de Dominic ; il vivait seul dans la maison.

Comme il nous restait quinze minutes de route avant d'arriver à destination, Dominic et Sophia en ont profité pour me raconter l'histoire de Vera.

Il y avait de cela plusieurs années, Vera était tombée très malade et avait été hospitalisée. Elle était rentrée chez elle, lorsqu'il était devenu évident que les médecins ne pouvaient plus rien faire pour elle. Mettant sa vie de côté pendant un moment, Dominic était allé vivre chez sa grand-maman afin d'en prendre soin. Il s'était alors lié d'amitié avec Hank qui, même s'il n'avait aucun lien de parenté, le voyait un peu comme son propre petit-fils. Ensemble, les deux hommes avaient fait tout ce qui était en leur pouvoir pour prendre soin de Vera qui, à ce que j'ai pu comprendre, n'était pas toujours la plus agréable des patientes.

Vieille dame austère et vieux jeu, Vera ne se gênait pas pour rabrouer les gens, en particulier sur des sujets comme l'amour de son petit-fils pour le rock and roll. Cela était assez ironique, si l'on songe que Vera était en partie responsable de l'amour que Dominic avait pour la musique. Elle était organiste, et l'un des souvenirs les plus chers à Dominic, c'était d'entendre sa grand-mère jouer de l'orgue. Et cet instrument était toujours à sa place, dans la maison de Hank.

La maladie avait fini par emporter Vera, qui était morte chez elle. Hank était atterré. Même s'il était entouré d'objets qui lui rappelaient sa compagne, il était bien déterminé à rester dans la maison qu'ils avaient habitée ensemble. Il voyait partout la touche de Vera : dans les meubles, les photos de famille, les décorations et plus particulièrement dans l'orgue toujours à la même place dans la véranda. Quand nous lui parlions de Vera, une étincelle s'allumait dans son regard las, et l'orgue de sa compagne était la première chose qu'il nous montrait.

Veuf âgé, Hank était un type pragmatique et terre-à-terre, dont les gens disaient souvent qu'il était « le sel de la Terre ». Il essayait donc de continuer à vivre normalement. Lorsque vous partagiez un repas avec lui dans sa grande maison, cela crevait les yeux que Vera lui manquait toujours, mais il essayait de ne pas se laisser ronger par le chagrin. C'était difficile, car il avait souvent l'impression que Vera était encore présente. Au début, il avait mis cela sur le fait que des tas d'objets ayant appartenu à sa femme étaient toujours là pour lui rappeler leur vie ensemble. Comme il avait toujours le sentiment de sa présence, d'autant que ce sentiment allait s'accentuant, il avait commencé à se demander si son chagrin ne lui avait pas fait perdre la tête. Parfois, il aurait juré avoir entendu sa voix, et à plus d'une occasion, il l'avait entendue toucher l'orgue et jouer ses airs favoris.

Hank ne parlait pas ouvertement de ces expériences. C'était un vieux bonhomme qui avait passé sa vie entière dans ce patelin, et il n'aurait tout simplement pas pu se permettre d'affirmer que le fantôme de sa femme lui apparaissait. Bien que Hank n'était pas le genre de personne que l'on aurait pu qualifier de croyant, ses expériences ne l'effrayaient pas le moins du monde. En fait, il les aurait trouvées réconfortantes, n'eût été que, plus d'une fois, cela l'avait obligé à se poser des questions sur sa santé mentale. Un jour que Dominic avait amené Sophia en visite chez son cher beau-grand-papa, Hank s'était senti extrêmement soulagé, quand la jeune femme lui avait fait remarquer que Vera errait toujours dans la maison. Sophia avait senti la présence de Vera, dans la chambre où elle était décédée, mais le sentiment de la présence de la vieille dame était encore plus puissant lorsqu'elle s'asseyait à son orgue favori. En fait, le lien qui attachait Vera à l'orgue était si fort, que Sophia se sentait presque écrasée par la vieille femme.

— Lorsque je touche son orgue, c'est comme si elle essayait de me posséder, expliquait Sophia pendant que le groupe s'installait pour l'après-midi. Je sens qu'elle essaie de diriger mes mains, de manière à pouvoir jouer en même temps.

Sophia sentait qu'elle réagissait plus fortement à la présence de Vera, parce qu'elle était naturellement sensible aux esprits.

— En tant que sorcière, je travaille énormément avec les esprits ; j'ai donc l'habitude de les voir et de communiquer avec eux.

Nous nous étions rassemblés autour du vieil instrument pour mieux l'admirer. Il y avait certes quelque chose de nostalgique dans les touches ivoire de l'orgue, et pendant que Sophia jouait, j'ai bien cru pouvoir humer un parfum sucré et poudré. Plus tard, en me préparant pour la nuit, l'atmosphère dans l'ancienne chambre de Vera m'a paru plus lourde, et je ne pouvais chasser l'impression que quelqu'un se tenait au-dessus de moi, m'observant de haut avec un certain mépris. Vera n'était certainement pas un esprit malicieux, mais elle était toujours attachée à ses vieilles choses. Il m'apparaissait clair, étant donné la tension qui régnait dans la pièce, qu'elle m'avait jugée à mes cheveux courts et à mes vêtements gothiques, et qu'elle n'approuvait pas du tout.

Le lendemain était jour de congé pour tous les membres du groupe. La maison de Hank était située sur une colline qui surplombait d'immenses champs cultivés. Afin de profiter de ce magnifique panorama, certains étaient partis se promener sur la propriété. C'était l'automne, l'air était frais, et nous étions très loin de toutes les distractions, voire de la pression en lien avec nos prestations publiques. Évidemment, aucun groupe de musiciens ne va jamais très loin en restant assis sur ses lauriers, ce qui fait que le soir venu, la plupart ont voulu revoir leurs partitions ou s'assurer une fois de plus que leurs instruments étaient en bon état. Comme j'étais là pour chanter, j'étais celle qui transportait le moins de bagages. Mon instrument, c'était moi, donc je n'avais ni fils, ni cordes susceptibles de se briser pendant le transport. Par contre, j'avais apporté quelques costumes de scène pour nos différents concerts. Notre prochaine prestation devait avoir lieu dans la ville de New York, et cela promettait d'être mémorable. Les habitués de ce club de Gotham s'habillaient normalement à la mode victorienne. J'avais donc emporté ma chemise de poète à jabot exprès pour l'occasion. Mais, en examinant mes affaires, j'avais remarqué une énorme déchirure à une des épaules. Il y avait plusieurs années que je la portais, et une des coutures avait fini par s'user.

La seule activité un peu féminine que je sais faire, c'est la cuisine, j'étais donc désespérée, parce que je ne savais pas faire les retouches. Je n'étais même pas certaine de pouvoir me procurer du fil et une aiguille. Je suis allée voir Sophia, qui, d'après moi, avait suffisamment de talents domestiques pour être en mesure de me dépanner. Je lui ai montré la couture déchirée, mais elle a secoué la tête d'un air désolé.

— Sais-tu si je peux trouver une aiguille et du fil par ici ? lui ai-je demandé.

— L'ensemble de couture de ma grand-mère est probablement encore quelque part dans la maison, a répondu Dominic. Hank n'a encore rien jeté. Allons voir.

Hank nous a montré où se trouvait le nécessaire de couture, un truc plutôt élaboré. J'ai fouillé dans la collection de bobines de fil, de dés à coudre et de rubans, et j'ai fini par trouver un bout de fil correspondant à la couleur ivoire de ma chemise. J'avais étalé mon matériel sur la table de la cuisine. Dominic, Sophia et Hank étaient assis autour de moi, occupés à boire leur café ou leur thé.

— Si ma femme était ici, elle vous arrangerait ça en un rien de temps, a dit Hank, en pointant du doigt ma chemise déchirée. Elle était tout le temps en train de recoudre des boutons et des pièces sur mes chemises.

Pendant que je me battais pour passer le fil dans l'aiguille, une pensée tout ce qu'il y a de moins conventionnel m'a traversé l'esprit.

— Sophia. Tu as dit que Vera t'était apparue pendant que tu touchais l'orgue ?

Sophia a fait signe que oui.

— Pas exactement. Chaque fois que j'en joue, je sens qu'elle regarde par-dessus mon épaule, et j'ai chaque fois l'impression qu'elle tente de me posséder. C'est sans doute que je ne joue pas comme elle aimerait que j'en joue, alors elle prend le relais et c'est elle qui fait bouger mes mains.

— Je me demande…, ai-je dit, puis je me suis levée en me dirigeant vers la véranda.

— Tu vas où comme ça ? a demandé Sophia.

— C'est mieux éclairé ici, dans la cuisine, a lancé Hank derrière mon dos.

— Ça va, ai-je répondu. Laissez-moi quelques minutes seule sur la véranda. Je veux essayer quelque chose.

Il faisait froid dans la véranda, qui n'était pas aussi bien isolée que le reste de la maison. Elle était plutôt sombre, car il y avait déjà presque une heure que la nuit était tombée. J'ai allumé une des lampes, puis je me suis assise dans un fauteuil près de l'orgue.

— Je sais que vous ne m'aimez pas, ai-je commencé, en m'adressant à l'air qui m'entourait. Dominic m'a dit que vous étiez très vieux jeu, et que vous pensiez que les femmes devraient se comporter en dames ; qu'il y a des tâches que les femmes doivent être en mesure d'accomplir.

Autour de moi, la pièce était silencieuse. De l'autre côté de la porte fermée, j'entendais, en sourdine, les joyeuses conversations de mes amis dans la cuisine.

— On ne m'a jamais vraiment enseigné ces choses. Et je n'ai pas de réel talent pour ce genre de travaux. Mais si vous le pouviez, j'aimerais que vous m'enseigniez à coudre. Il faut que je répare cette couture, et je ne sais vraiment pas comment m'y prendre.

J'ai senti la présence de Vera se rapprocher de moi, comme si elle était restée à l'autre bout de la pièce et que maintenant, elle daignait s'avancer. Je sentais toujours sa désapprobation, mais une autre émotion prenait le dessus. Je ne peux réduire cela à une simple phrase. C'était un sentiment proche de l'ennui qu'éprouve un parent devant un enfant qui refuse de faire quelque chose pour lui. Il y avait de l'irritation dans son attitude, mais le vrai fondement de son émotion, c'était le souci et l'inquiétude que je lui causais.

Sentant enfin que Vera se tenait derrière moi et regardait par-dessus mon épaule, j'ai enfilé le fil dans le chas de l'aiguille, sans ressentir le besoin d'un autre éclairage que la faible lumière de la lampe. J'ai fait quelques points maladroits avec l'aiguille, puis j'ai essayé de refermer la couture à une extrémité. Je pouvais quasiment entendre Vera faire claquer sa langue, et le sentiment de sa présence se faisait de plus en plus fort. Je sentais presque ses mains entourer les miennes, tout doucement, pour mieux me guider. Je la sentais communiquer avec moi ; un genre de question et réponse, d'une rapidité qui dépassait celle de la pensée. Ensuite, il m'a semblé savoir quoi faire.

Quinze minutes plus tard, ma chemise était réparée. Je l'ai levée devant la lumière pour l'examiner. Il était presque impossible de distinguer la retouche de la couture originale. Elle était solide, parfaite et bien droite. Comme couturière, j'ai l'habitude de m'enfoncer l'aiguille dans les doigts, plus souvent que je ne la pique dans le tissu. Mais le travail que je venais d'accomplir témoignait de talents que je ne possédais pas.

Est-ce la nécessité qui, tout simplement, m'a inspiré de saisir l'occasion et d'accomplir la tâche — théoriquement simple — consistant à refaire une couture ? Ou est-ce Vera qui, au-delà de la tombe, m'a bel et bien prodigué ses conseils de couturière ?

J'ai porté cette chemise à New York, et dans de nombreux autres événements pendant toute la durée de cette tournée. C'est un de mes accessoires favoris, et elle a subi beaucoup de contrecoups, au fil des ans. Encore aujourd'hui, il m'arrive de la porter dans des occasions spéciales. Parfaite et bien droite, la couture tient bon. Pour ce qui est de moi, je ne pourrais toujours pas coudre un bouton, même si ma vie en dépendait.

Marcher sur la ligne mince

J'ai travaillé dans l'industrie hôtelière pendant de nombreuses années, tenant les livres au bureau de la réception, pendant le quart de nuit. Nombreux sont ceux qui n'aiment pas le quart de nuit, car ce sont des heures très solitaires. À moins de travailler dans un hôtel cinq étoiles situé dans une grande ville, il y a fort à parier que vous serez le seul employé à la réception, sinon l'unique dans tout l'hôtel. Tous les clients sont endormis, et dans le silence, l'hôtel semble animé d'une vie qui lui est propre. Même sans la présence d'esprits, et sans les échos des émotions qui continuent de hanter les chambres, un hôtel la nuit peut s'avérer un endroit troublant. Les bruits provenant des machines à glaçons et des ascenseurs, le léger bourdonnement d'insecte que font les néons, le ronflement des ordinateurs derrière le comptoir de la réception, le moindre petit bruit devient incroyablement fort et étrange. En règle générale, les personnes qui se laissent facilement perturber par l'inconnu ne supportent pas d'occuper ce poste très longtemps.

J'aimais vraiment travailler dans les hôtels, en particulier durant le troisième quart de travail. L'un de ces établissements avait la réputation d'être hanté. La police locale avait même reconnu qu'il y avait des fantômes dans ce lieu, et une des policières venait souvent faire son tour lorsqu'elle était en service, soi-disant pour s'assurer que l'endroit était sans danger, mais c'était surtout pour discuter avec moi des phénomènes paranormaux. Elle-même avait ce genre de sensibilité, mais ce qui l'étonnait, c'était que je m'arrangeais toujours pour faire le quart de nuit dans cet hôtel très singulier. Il m'a fallu longtemps avant de la convaincre que j'aimais vraiment cela. Il était très rare que les fantômes me dérangent, et lorsqu'ils devenaient trop exubérants, je me contentais de leur dire de se tenir tranquilles.

Je pourrais remplir un autre livre uniquement avec les histoires des employés de cet hôtel. Normalement, les chaînes hôtelières aiment garder le secret sur les phénomènes surnaturels qui surviennent entre leurs murs. Le personnel est prié de ne jamais raconter aux clients leurs étranges expériences. Bien que certains gîtes se soient bâti une réputation grâce aux histoires de fantômes, la majorité des hôtels ordinaires pensent plutôt que les chambres hantées sont mauvaises pour les affaires. La politique de cet hôtel-là, en ce qui concernait les clients, était du genre « ne leur posez pas de questions et n'en parlez pas ». Tant qu'ils demeuraient discrets et que les clients ne risquaient pas de les entendre, les employés étaient libres de parler de ces phénomènes entre eux. Tous ceux qui travaillaient dans l'hôtel finissaient par vivre une expérience du genre. Le seul qui refusait de croire à ces histoires, c'était le propriétaire, et je persiste à croire qu'il n'y a jamais passé suffisamment de temps pour connaître les fantômes qui vivaient sous son toit.

L'hôtel abritait une importante population de spectres. Dans la salle à manger, nous avions une vieille dame qui sentait le parfum White Diamonds. Il lui arrivait de longer les murs, mais le plus souvent elle se tenait proche de la nourriture. J'avais appris, de la bouche du policier qui s'occupait des cas psychiques, qu'une femme d'une obésité exceptionnelle était morte à l'hôtel. Si des causes naturelles avaient eu raison de son corps, il semble bien que son amour de la nourriture avait eu raison de son âme. Il y avait un homme d'affaires qui s'était pendu à la porte de sa salle de bains, le jour où sa liaison avait pris une mauvaise tournure. Le lendemain, quand les responsables de l'entretien ménager avaient voulu entrer dans la salle de bains, ils n'avaient pas pu, parce que son corps était appuyé contre la porte. Ce qui donne froid dans le dos, c'est que par la suite, les occupants de cette chambre se plaignaient presque tous de la même chose : la porte de la salle de bains restait coincée, et ils avaient l'impression qu'un objet lourd, à l'intérieur, l'empêchait de s'ouvrir. Nous n'avons jamais dit à ces clients qu'en tentant d'ouvrir la porte, ils luttaient contre le poids du corps d'un suicidé qui n'avait jamais quitté l'hôtel.

En plus des esprits des gens dont nous avions la preuve qu'ils étaient morts à l'hôtel, il y en avait d'autres dont personne n'a jamais pu justifier la présence. Il y avait une fillette vêtue d'une robe blanche qui, de temps en temps, traversait le corridor en courant. Le gérant de la réception l'avait aperçue, à quelques reprises. D'après la description qu'il en faisait, ses vêtements semblaient un peu démodés ; il est donc possible qu'elle ait eu un lien avec un immeuble qui était sur ce site avant la construction de l'hôtel. Le couple en habits de soirée était tout aussi mystérieux que la petite fille. Deux clients et un employé avaient rencontré le couple en question. Lorsque ces trois personnes vivantes avaient voulu s'approcher d'eux pour les complimenter sur leur élégance, le couple s'était évaporé. De tous les esprits qui hantaient l'hôtel, aucun ne semblait malfaisant, à l'exception d'une chose qui errait dans la cuisine. Ce qui se trouvait là ne donnait pas l'impression d'être humain, et cela avait la fâcheuse habitude de gratter les casseroles. C'était une présence ténébreuse, et une des rares choses que j'ai envie de qualifier de « démoniaque ». La chose ne s'est jamais aventurée en dehors de la cuisine, ce qui faisait mon affaire.

Si je racontais toutes les histoires associées à cet hôtel, je pourrais remplir un autre livre de deux cents pages. J'ai travaillé là pendant trois ans, et il se passait rarement une semaine sans que l'on me rapporte quelque phénomène surnaturel. J'en ai moi-même été témoin d'un bon nombre, mais un des cas les plus édifiants impliquait une femme plus âgée, à l'air névrosé, qui avait réservé une chambre pour une semaine. Afin de respecter l'anonymat de la dame, je l'appellerai Gertrude.

Gertrude était un petit bout de femme à l'ossature délicate, à qui j'aurais donné la cinquantaine. Elle était bien mise et ses cheveux grisonnants étaient bien coiffés. La première fois que je l'ai vue, elle était venue à la réception pour demander plus de café. À ce moment-là, elle m'avait semblé agréable, bien qu'un peu sèche et exceptionnellement singulière. Tout en attendant, derrière le comptoir d'accueil, que je finisse de noter une réservation, elle avait entrepris de remettre en ordre tous les bouts de papier qui étaient à sa portée, allant des dépliants publicitaires de la chaîne hôtelière, aux formulaires d'enregistrement que nous mettions à la disposition des clients. Elle avait ramassé tous les crayons et les avait disposés à un bout du comptoir, en rangée bien droite et, comme il ne restait plus rien à réorganiser, elle s'était mise à tirer sur les cuticules de ses ongles. Sur le moment, rien ne m'avait semblé étrange dans son comportement. Elle m'était simplement apparue comme une autre de ces maniaques de l'ordre.

Je lui ai donné son café, et après m'avoir remerciée chaudement mais poliment, elle est retournée à sa chambre. Quelques heures plus tard, j'ai reçu un appel :

— Je ne voudrais pas vous déranger, a dit la personne au bout du fil. (J'avais reconnu le ton tranchant et formel de Gertrude.) Mais je crois qu'il y a quelque chose dans ma chambre.

— Quelque chose ? ai-je répondu.

Le téléphone indiquait de quelle chambre venait l'appel, mais j'ai vérifié le numéro de la chambre, une seconde fois. Gertrude occupait la chambre de l'homme d'affaires. Il arrivait souvent que des gens quittent cette chambre sans explication. Ils prenaient parfois la peine d'appeler la réception pour nous demander de réparer la porte de la salle de bains ; elle restait collée, disaient-ils, un peu comme si quelqu'un, à l'intérieur, poussait sur la porte pour l'empêcher de s'ouvrir. Une seule fois, un des clients avait laissé entendre que la chambre était hantée. Si j'avais été en poste, je lui aurais répondu qu'il avait raison, même si je n'étais pas censée le faire. Je sais ce que c'est de sentir quelque chose et d'avoir l'impression d'être folle. Je me disais donc que le moins que je pouvais faire, c'était de confirmer ses soupçons, étant donné qu'on lui avait refilé une chambre hantée.

— Quelque chose, a répété Gertrude prudemment, ou quelqu'un. J'ai le sentiment qu'il y a une présence ici. Qui m'observe. Y a-t-il un client dans la chambre à côté ?

J'ai consulté le registre.

— Non, lui ai-je répondu. Il n'y a personne, ni d'un côté de votre chambre ni de l'autre.

— En êtes-vous bien certaine?

— Il n'y a à peu près personne dans tout le corridor.

— Et au-dessus de moi?

— Madame, l'hôtel a seulement deux étages. Vous êtes au second. Il n'y a personne au-dessus de vous.

— Eh bien, il y a quelque chose dans la salle de bains, a-t-elle repris, en baissant la voix. En ce moment même, il y a un homme dans la salle de bains, et il me regarde.

— Préféreriez-vous que je vous donne une autre chambre?

— Êtes-vous certaine qu'il n'y a personne au-dessus de moi? J'entends des bruits provenant du plafond! a dit Gertrude, effrayée, en continuant de chuchoter.

— Voulez-vous que j'envoie quelqu'un pour voir ce qui se passe?

— Non! a-t-elle répliqué aussitôt.

Puis, elle a raccroché le téléphone.

Tout cela était un peu étrange, surtout si l'on songe à la peur de Gertrude, combinée à sa répugnance à quitter cette chambre. À l'époque, je me disais qu'elle était sensible aux phénomènes spectraux. Après tout, elle était dans une chambre où la salle de bains était hantée par un fantôme, si bien que son sentiment qu'un homme l'observait n'était pas totalement faux. Mais, à part la transférer dans une autre chambre, je ne pouvais pas faire grand-chose.

J'ai pris note de sa plainte, sachant exactement ce que mon directeur en penserait en voyant le numéro de la chambre. Puis, je me suis concentrée sur mon travail, ce qui, à l'heure qu'il était, se résumait à pas grand-chose. Heureusement, personne ne s'opposait à ce que je lise au travail. Un peu plus tard, le téléphone a sonné de nouveau. C'était Gertrude.

— Est-ce qu'il y a des rats dans cet hôtel? a-t-elle demandé.

Elle chuchotait de sa petite voix aiguë, comme si elle essayait de parler tout bas, la bouche collée sur le combiné.

— Des rats? ai-je répété. Non, madame. On n'en a jamais vu dans cet hôtel.

— Il y a des rats ici. Je les entends, a-t-elle insisté. Dans le plafond. Si, comme vous me l'avez affirmé, il n'y a personne au-dessus de moi, il faut que ce soit des rats !

La vieille dame paraissait terrifiée. À ce moment, j'ai fait appel à mon jugement et j'ai décidé de faire un tout petit accroc à notre politique. À l'évidence, elle entendait et sentait des choses. Aussi ai-je pensé que je pourrais peut-être l'aider à se calmer en lui expliquant la situation.

— Madame, ai-je dit, j'ai l'impression que vous êtes une de ces personnes qui sont sensibles aux choses. Vous arrive-t-il de sentir des choses, lorsque vous entrez dans une pièce ? Par exemple, si des gens se sont disputés, mais qu'ils ne le font plus, pouvez-vous encore sentir leur querelle dans l'air ambiant ?

— Oui, a-t-elle répondu. Oui, j'en suis capable. Qui vous l'a dit ?

— Eh bien, cette présence que vous sentez dans la chambre, ce n'est pas seulement le fruit de votre imagination. Il y a quelque chose. Je peux vous garantir que cela ne peut pas vous faire de mal. Si vous le désirez, je peux vous transférer dans une autre chambre, mais si vous restez là, la présence n'en sortira pas. C'est seulement une chose que certaines personnes peuvent sentir, lorsqu'elles possèdent ce genre de sensibilité.

— Oh, c'est tout ? a dit Gertrude, comme si on venait de lui fournir une réponse à la plus grande énigme de l'univers. Bien, je vous remercie. Vous avez été très gentille et compréhensive.

Puis, elle a raccroché. Hélas, ce n'était pas la dernière fois que j'entendais la voix de Gertrude, cette nuit-là.

Pour certaines personnes, la ligne est très mince entre psychique et psychotique. Dans notre culture moderne, on incite fortement la majorité de ceux qui possèdent des dons extrasensoriels à se poser des questions sur leur santé mentale. En dépit des nombreuses expérimentations s'intéressant à des questions telles la télépathie, la télékinésie et les projections astrales, ni la science, ni la psychologie, ne sont d'une grande utilité en matière paranormale. Les dons psychiques n'étant pas vraiment acceptés par la majorité, la plupart des gens qui possèdent ce genre d'habiletés passent au moins une partie de leur temps à lutter contre le spectre de la maladie mentale. Lorsqu'elles vivent une expérience, elles craignent toujours que, cette fois-ci, ce ne soit rien de plus que du délire. Et le fait que certaines personnes peuvent être à la fois très psychiques et très dérangées, rend l'acceptation de la légitimité des talents psychiques encore plus difficile. J'ai très vite compris que Gertrude se tenait sur cette dangereuse ligne mince.

Le téléphone a sonné de nouveau.

— Jeune fille, a-t-elle dit. Je suis désolée de vous déranger encore une fois, mais vous me semblez très au courant. J'ai une autre question à vous poser.

— D'accord, ai-je dit.

— Les appareils électriques dans cet hôtel sont-ils pourvus de mises à la terre ?

Ce n'était pas la question à laquelle je m'attendais.

— Hum… oui, ai-je fini par répondre, après réflexion.

— En êtes-vous certaine ?

— Le système électrique fonctionne parfaitement. Pourquoi posez-vous cette question ? Avez-vous des problèmes avec un de nos appareils ?

Gertrude n'a pas répondu tout de suite.

— Eh bien, je crois qu'il y en a un qui a une fuite, a-t-elle repris.

Et c'est là que ma conversation avec Gertrude a pris une tournure irréelle.

— Une fuite ? ai-je répété prudemment.

— En fait, je crois que quelqu'un dans une autre chambre veut m'électrocuter. Vous savez, on veut le faire à distance, a-t-elle chuchoté. Je sens de minuscules décharges électriques tout le long de mes jambes. Je crois que quelqu'un se sert des appareils électriques pour m'électrocuter.

— Donc, vous avez des picotements dans les jambes, ai-je vérifié. Un peu comme si vous étiez restée assise dans une mauvaise position jusqu'à l'engourdissement ? Vous savez, cette sensation que des aiguilles vous transpercent ?

— Oh oui, dit-elle, elles me piquent. Mais c'est parce que quelqu'un ici veut m'électrocuter.

Durant les quelques minutes qui ont suivi, j'ai tenté de calmer les craintes de Gertrude, en ce qui concerne cette électrocution à distance. Je ne suis pas ingénieur électricien, mais j'en connais suffisamment pour savoir que cela ne pouvait pas fonctionner de cette manière. Néanmoins, cette impression de décharge électrique au niveau des jambes m'était familière. Ma circulation sanguine est mauvaise, depuis que j'ai eu un malaise cardiaque, et il m'arrive d'avoir cette sensation de décharge électrique dans les jambes si je reste assise dans la même position trop longtemps. Je savais également que les nerfs pincés peuvent causer une sensation proche de celle qu'elle me décrivait. J'ai lui ai donc donné le bénéfice du doute, en me disant qu'elle ne comprenait tout simplement pas cette sensation dans ses jambes. À la place, elle tentait vainement d'attribuer ce phénomène à quelque chose qui lui semblait être une explication logique. Puis, elle a recommencé à me parler des rats.

Après ses nombreux appels nocturnes, je ne pouvais plus nier que les sensations qu'éprouvait Gertrude étaient symptomatiques d'une maladie mentale. À l'adolescence, j'avais fait du bénévolat avec ma grand-tante, dans un hôpital psychiatrique, et j'étais à peu près certaine que Gertrude souffrait de schizophrénie. Pour moi, le pire dans cette histoire, c'était le fait que cet épisode particulier avait commencé avec l'impression très nette d'un phénomène paranormal connu, rattaché à la chambre qu'elle occupait. D'un côté, Gertrude m'avait semblé authentiquement sensible. De l'autre, elle m'avait aussi semblé complètement délirante. Plus je parlais avec elle, plus j'avais l'impression que ces deux choses étaient liées l'une à l'autre dans sa maladie mentale. Elle savait des choses concernant les esprits qui erraient dans l'hôtel, des choses qu'elle aurait pu savoir seulement si elle les avait elle-même vécues. Ses descriptions des fantômes occupants, jusqu'à la vieille dame parfumée qui hantait la salle à manger, correspondaient en tous points aux descriptions que j'avais entendues, à maintes reprises, dans la bouche de clients parfaitement sains d'esprit. Mais ensuite, Gertrude y allait d'une autre tirade à propos des rats géants qui infestaient le plafond et qui voulaient s'attaquer à elle, ou à propos de l'homme dans l'autre chambre, qui utilisait un appareil inconnu pour que l'électricité coure le long des fils enfouis dans les murs, pour aller l'électrocuter. C'était alarmant de constater à quel point le réel et l'irréel étaient inextricablement liés dans sa tête. C'était particulièrement alarmant, car je savais que la plupart des professionnels de la santé mentale insisteraient pour dire que *tout* ce qu'elle rapportait tenait du délire. Pour la plupart des gens, même les fantômes étaient des hallucinations.

À la fin, Gertrude et son délire perturbaient la paix de l'hôtel au point que nous avons dû lui demander de quitter les lieux. Elle affirmait n'avoir nulle part où aller, mais au terme de longues discussions, elle nous a donné le numéro de téléphone de sa fille. Nous avons appris, de la voix même de sa fille désespérée, que Gertrude venait tout juste de sortir d'un hôpital psychiatrique. Lorsque je lui ai demandé pour quel problème Gertrude avait été traitée, elle a confirmé mes soupçons : Gertrude avait été reconnue schizophrène.

D'après sa fille, Gertrude recevait régulièrement son congé de ce genre d'hôpital, pour y revenir peu de temps après, en bonne partie parce que, aussitôt sortie, elle refusait de prendre ses médicaments. Sa fille ne voulait rien savoir de la pauvre vieille dame. En fait, elle ne voulait pas que sa mère aille vivre chez elle, de peur qu'elle ne devienne violente. Néanmoins, la jeune femme à l'air épuisé a emmené Gertrude dans un autre hôtel, où elle lui a réservé une chambre pour une autre semaine. Notre hôtel entretenait d'excellentes relations avec les autres hôtels de la région, et nous avons fini par apprendre que Gertrude avait fait exactement la même chose dans l'autre hôtel. Comme chez nous, la direction lui avait demandé de partir. Où elle s'est retrouvée ensuite, cela reste un mystère.

J'ai téléphoné à la réceptionniste de nuit de l'hôtel où Gertrude avait passé la semaine suivante. Je voulais savoir quelle était la somme de ses impressions qui n'étaient que pur délire. J'ai demandé au responsable de l'accueil s'il se souvenait de Gertrude. Il s'en souvenait — elle lui avait fait grande impression, comme à moi. Je lui ai demandé de quoi elle s'était plainte, et il m'a parlé des rats et de l'électrocution à distance.

— A-t-elle dit autre chose ? ai-je demandé. Par exemple, au sujet d'une présence dans la chambre ?

— Rien de tel, a-t-il répondu. Mais bon sang, la vieille chipie était parfaitement convaincue que quelqu'un essayait de l'électrocuter à travers les murs. Plus folle que ça…

— Folle, en effet, ai-je répliqué.

Tout de même, aussi folle qu'elle pût être, Gertrude avait bel et bien senti les esprits dans mon hôtel. Était-elle si folle que ça ?

Hanter le peuple de l'ombre

Dans les enquêtes paranormales, il y a autant de classifications d'entités différentes qu'il y a d'enquêteurs pour les classifier. Les fantômes humains ne sont que le commencement, la partie visible de l'iceberg du monde paranormal. La vaste majorité des enquêteurs reconnaît une grande diversité d'esprits qui n'ont jamais été humains. Une des classes les plus menaçantes d'esprits non humains sont ces êtres que l'on surnomme le peuple de l'ombre.

Voici ce qu'est le peuple de l'ombre : des formes humanoïdes qui semblent complètement faites d'ombre. Leurs visages sont dépourvus de traits, même si certains rapports leur attribuent des yeux rouges et brillants. Parfois tridimensionnels, quelquefois seulement bidimensionnels, on rapporte que la grande majorité des êtres de l'ombre apparaissent à la lisière de la vision. Lorsque le témoin regarde directement la personne de l'ombre, celle-ci disparaît. Il arrive parfois que les êtres de l'ombre se sauvent, en passant à travers les murs, mais parfois aussi, ils semblent simplement s'évaporer, retournant aux ténèbres d'où ils sont venus.

À peu près tous les chasseurs de fantômes et enquêteurs du paranormal ont leurs propres théories quant à l'origine de ces différentes entités. Certains enquêteurs affirment que le peuple de l'ombre est constitué d'êtres d'une autre dimension, des créatures humanoïdes dont l'univers croise parfois le nôtre. D'autres, favorisant la théorie d'une autre dimension, suggèrent que le peuple de l'ombre est formé de voyageurs intentionnels, de scouts, voire d'envahisseurs, dont la présence dans notre réalité serait accidentelle. Ceux qui adoptent un point de vue plus religieux des phénomènes paranormaux prétendent que le peuple de l'ombre est par nature démoniaque, et que leur présence est un signe incontestable que le mal nous guette. D'autres enquêteurs assimilent les êtres de l'ombre aux élémentaux ou aux égrégores, des esprits qui ont été créés, intentionnellement ou non, par une grande concentration d'énergie. Selon cette école de pensée, si une région a une histoire de violence, un traumatisme, une colère ou une douleur peut s'intensifier au point de se solidifier pour former une entité qui développera son propre type d'intelligence et d'indépendance. Cette entité est ce que d'autres perçoivent comme un être de l'ombre.

Dans de nombreux cas, l'être de l'ombre correspond au croque-mitaine des phénomènes paranormaux. Il peut arriver, quoique cela soit très rare, que quelqu'un affirme que ces êtres sont en fait des anges gardiens, mais la grande majorité des enquêteurs étudient avec effroi ces ombres vivantes. La nature fugace et sans visage de ces êtres donne systématiquement lieu à des histoires d'horreur, et à cause de cela, j'ai toujours été un peu sceptique face aux récits impliquant des êtres de l'ombre. Ces derniers personnifient non seulement la peur primale que l'inconnu inspire aux humains, mais aussi leur manie d'apparaître à la lisière de la vision évoque une explication beaucoup plus naturelle de ces visions.

Comme nos yeux, le cerveau humain est conçu pour reconnaître les motifs. Lorsque nous regardons des motifs aléatoires, comme ceux qui apparaissent dans les nuages, nous associons automatiquement les suites de formes et de textures, d'ombre et de lumière, à des motifs reconnaissables, à un visage par exemple. Quand nous observons les nuages, nous faisons cela intentionnellement, c'est comme un jeu. Toutefois, lorsque la visibilité est mauvaise, comme dans une chambre plongée dans la pénombre ou sur une route obscurcie par la pluie, nous le faisons tout à fait inconsciemment. Cela peut mener à un état connu sous le nom de pareidolie, où le cerveau interprète les motifs de manière erronée, de sorte que l'on croit voir des objets ou des gens qui ne sont pas vraiment là. Au volant de sa voiture, une personne peut donner un brusque coup de roue, afin d'éviter un objet au milieu de la route, pour ensuite se rendre compte qu'en fait, le prétendu objet n'était rien de plus qu'une rafale de pluie particulièrement dense. En entrant dans une pièce sombre, une personne peut sursauter, parce qu'elle a cru voir une silhouette tapie dans le coin. Aussitôt la lumière allumée, la silhouette se dissipe d'elle-même, et l'on s'aperçoit que ce n'était rien de plus que les formes réunies d'un fauteuil et d'une lampe.

Dans une certaine mesure, la pareidolie résulterait autant de notre peur de l'inconnu, que des créatures qu'il nous arrive d'inventer pour régner sur des endroits plongés dans la pénombre. Pour notre cerveau, le meilleur moyen de chasser nos peurs, c'est de donner à l'inconnu une multitude de formes : des choses que nous pouvons reconnaître et nommer. Néanmoins, la pareidolie démontre aussi que l'on ne peut pas toujours définir l'inconnu avec exactitude. Il arrive que nos monstres ne soient rien de plus que des illusions, mais il reste de rares occasions où quand nous allumons, la silhouette menaçante est toujours là.

Ma relation avec les êtres de l'ombre commence en 1996. C'est cette année-là que j'ai commencée à donner des conférences devant des groupes d'étudiants universitaires. Ma toute première apparition du genre s'est passée à la Case Western Reserve University, à Cleveland. L'université comptait une association d'étudiants pan-spirituelle appelée CWRUPA, et à l'automne de 1996, des membres de ce groupe m'avaient invitée à donner une conférence sur l'histoire de l'occultisme. J'avais eu beaucoup de plaisir à leur parler des intérêts pour l'occultisme de personnages historiques traditionnels, et ils m'avaient invitée à une autre réunion qu'ils tenaient le mois suivant. J'ai fini par connaître personnellement quelques-uns des étudiants organisateurs du groupe, et ils se sont mis à me consulter pour recevoir mon avis sur des phénomènes psychiques et paranormaux. Un des incidents les plus étranges pour lequel on m'a demandé mon opinion concernait un étudiant du nom de Paul Trimble.

Paul était dans sa chambre de la résidence universitaire en compagnie de sa petite amie, quand ils ont tous les deux perçu une présence. Ils se sont sentis très troublés par cette dernière. Ils m'ont rapporté qu'elle leur avait semblé agressive. Beth, la copine de Paul, avait perçu cette entité comme une forme humanoïde, mais complètement faite d'ombre. Paul ne l'a pas vraiment vue, mais il en a fait l'expérience d'une manière beaucoup plus personnelle. Il m'a rapporté avoir senti que l'entité s'approchait de lui et s'insinuait dans sa tête. Durant les instants qui ont suivi, il a eu l'impression que l'entité farfouillait dans ses souvenirs, à la recherche de quelque chose. Sa petite amie avait vu l'être surgir au-dessus de lui, et elle était de plus en plus effrayée par cette vision. Incapable d'empêcher la chose d'envahir son esprit, Paul avait dû subir son attention, encore un moment. Beth était sur le point d'aller chercher du secours, quand l'être de l'ombre s'était retiré, disparaissant de façon aussi mystérieuse qu'il était venu. Mis à part un affreux mal de tête qui a duré plusieurs heures après cette apparition, cette curieuse agression ne semblait pas avoir blessé Paul. Il avait trouvé l'expérience particulièrement remarquable, car il n'avait pas l'habitude de sentir les esprits ; il avait pourtant eu le sentiment très net que cette créature était dans sa tête.

Je ne savais pas trop quoi en penser. À l'époque, je ne savais pas grand-chose des êtres de l'ombre. La description que Beth avait faite de cette entité —une forme humanoïde indistincte et dépourvue de traits — semblait correspondre avec ce que j'avais lu sur ces créatures mystérieuses. Je n'avais cependant jamais lu, dans la documentation, aucune description d'une agression semblable à celle que Paul avait vécue. Même après que cette singulière entité lui ait fait du mal, Paul insistait pour dire qu'il n'avait pas le sentiment que la chose était malfaisante. Il avait plutôt l'impression qu'elle était simplement curieuse de le connaître. Incapable de lui fournir une explication rationnelle du phénomène, je lui ai enseigné quelques techniques d'autodéfense psychique, en lui disant de me contacter aussitôt qu'il subirait une autre attaque.

Cela n'a pas été long avant que j'entende parler d'une autre curieuse personne de l'ombre. Toutefois, ce récit n'est pas venu de Paul, ni même d'un des étudiants attachés à la Case Western Reserve University, comme j'aurais pu m'y attendre. Ce récit est plutôt venu de Dave, un ami qui fréquentait l'université à l'autre bout de la ville. Je l'avais connu par le biais d'un autre groupe d'amis. Même si je savais qu'il avait eu un intérêt éphémère pour le paranormal, ce qui nous liait, à l'époque, c'étaient surtout le jeu et le théâtre. Nous faisions partie de la même production, présentée par son université. Après les répétitions, toute l'équipe allait prendre un verre dans un bar, au bout de la rue. Un soir, j'ai surpris Dave assis tout seul au bar, en train de griffonner dans son cahier de notes. J'ai jeté un œil par-dessus son épaule et lui ai aussitôt demandé ce qu'il faisait : sur une feuille de papier ligné, il avait dessiné un être de l'ombre avec des yeux brillants, tapi dans une chambre plongée dans le noir.

— Qu'est-ce que c'est ? ai-je demandé en commandant un autre coca.

Au début, il avait hésité à m'expliquer son dessin. La plupart des gens que Dave fréquentait ne s'intéressaient pas du tout au paranormal, ce qui expliquait qu'il préférait ne pas aborder le sujet. Mais plus que quiconque, il se souciait sans cesse de ce que les autres pourraient penser de lui. Il travaillait sans doute sous l'effet de son second Long Island, car il a fini par se confier à moi.

— C'est une chose que j'ai vue récemment, dans ma chambre. Est-ce que ça te dit quelque chose ?

— Je n'en suis pas certaine, ai-je répondu.

— Je ne sais pas quoi en penser non plus. Cette chose apparaît dans ma chambre le soir et elle reste plantée là à me regarder. Ça n'a pas de visage, c'est seulement une ombre, avec de grands yeux brillants de monstre de bande dessinée. Complètement fou, non ?

— As-tu l'impression qu'elle te menace ?

— Elle se contente de me regarder.

Une fois de plus, j'étais déconcertée. Je pouvais m'occuper des fantômes ; ils étaient devenus un phénomène familier. Mais les êtres de l'ombre étaient une espèce inconnue. Aux dires de Paul, et maintenant de Dave, ils semblaient étrangers. Je n'avais pas la moindre idée d'où ils pouvaient venir, de ce qu'ils voulaient ou de ce qu'ils pourraient faire le cas échéant. Comme je l'avais fait pour Paul, j'ai enseigné à Dave quelques techniques d'autodéfense, puis je lui ai demandé de me tenir au courant de ses expériences. Ce qui m'intéressait surtout, c'était de savoir si le comportement de l'entité pouvait soudainement changer.

À cinquante kilomètres de là, une autre amie faisait l'expérience du même genre de visites. Mindy était une blonde minuscule que j'avais connue dans une autre université. Elle vivait dans une caravane qu'elle partageait avec son copain et plusieurs animaux. Durant l'automne et l'hiver de cette année-là, Mindy avait rapporté avoir vu une obscure silhouette, le soir, chez elle. Elle disait que l'entité était de sexe masculin, très mince et grand. Il se tenait sur le seuil de la porte de sa chambre et la regardait. Elle ne s'était pas sentie menacée par cette créature. Au contraire, un peu comme Paul et Dave, elle avait senti que la chose était curieuse. Mindy n'avait aucun contact avec l'un ou l'autre des groupes des deux premières universités, et personne ne lui avait raconté les expériences de Paul ou de Dave.

Cette année-là, deux autres amis, un qui connaissait Dave et un autre qui n'avait jamais été exposé à aucune des deux expériences, avaient rapporté des rencontres avec d'obscures et mystérieuses silhouettes. Dans les deux cas, on m'avait décrit l'entité comme étant de forme humanoïde, mais dépourvue de traits, comme si la chose entière était totalement faite d'ombre. Comme l'être qui était apparu à Dave, les êtres de l'ombre avaient des yeux brillants, mais ils étaient plutôt jaunes, alors que Dave avait décrit les yeux de son entité comme étant d'un rouge orangé très distinct. Comme dans tous les récits que j'avais recueillis jusque-là, les entités avaient chaque fois été perçues comme étant curieuses et non malveillantes, bien que dans au moins un cas, la personne avait soupçonné que la curiosité allait bientôt déboucher sur un comportement menaçant. Ce qui est fascinant, c'est qu'à l'époque, ce dernier cas s'est produit chez moi, devant de nombreux témoins. Je n'y étais pas, mais trois personnes m'ont raconté avoir vu apparaître l'entité qui s'est ensuite approchée de quelqu'un. L'homme en question s'était senti analysé par l'entité ; il avait eu peur que la chose ne se jette sur lui s'il faisait un geste brusque. Au-delà du fait qu'il y avait de nombreux témoins, un des détails les plus étonnants de cet incident, c'est que l'apparition s'est manifestée, dans une pièce où au moins une lampe était allumée. On m'a rapporté que l'entité, avant de disparaître, s'était précipitée dans les coins sombres qui menaient au sous-sol plongé dans l'obscurité.

Pendant quelque temps, j'ai cru que c'étaient les seuls individus qui avaient été témoins de ces visites d'un mystérieux être de l'ombre. Pourtant, lorsque j'ai raconté ces histoires un an plus tard, une autre de mes amis a quasiment sauté au plafond, tant elle était excitée d'entendre cela.

— Tu veux dire que je ne suis pas la seule à qui c'est arrivé? a-t-elle demandé.

Kate, une médium spirite qui m'a été présentée durant ma première année d'université, avait soi-disant vu ces mêmes êtres de l'ombre en 1996. Elle m'a même montré, dans son journal, des notes confirmant les dates des événements. Kate était quelqu'un avec qui je reprenais contact de manière épisodique. Nous nous perdions de vue pendant quelques années, pour nous retrouver un jour, par pur hasard, dans un club ou dans une librairie. Kate n'avait jamais été directement exposée aux autres expériences dont j'avais entendu parler, même si, par un curieux tour du destin, le petit ami de Mindy avait fréquenté Kate, juste avant d'être avec elle. Mindy et Kate ne s'étaient jamais rencontrées. La description que faisait Kate de l'expérience correspondait à celle des autres. À plusieurs reprises, le soir venu, elle avait vu une forme humanoïde, debout, en train de l'observer. L'entité se tenait dans le noir et semblait être elle-même faite d'obscurité. Son visage était dépourvu de traits, à l'exception de deux yeux brillants couleur d'ambre, et elle avait senti qu'elle voulait quelque chose, mais elle ne lui avait jamais fait savoir ce que cela pouvait être. L'être avait effrayé Kate, surtout parce qu'il refusait de répondre à toute tentative de communication, mais il ne s'en était jamais directement pris à elle. Cela correspondait à peu près à tous les autres comptes rendus.

Pour certains témoins, ces visions se sont poursuivies de l'automne jusqu'à l'hiver de 1996. Pour d'autres, comme Paul, l'entité est apparue une seule fois. Ces observateurs des ténèbres n'entraient jamais directement en contact avec personne, à l'exception de Paul. Leur but, même dans le cas de Paul, semblait motivé par un besoin d'observer et d'apprendre. Ce qui les animait et les secrets qu'ils désiraient apprendre, cela demeurait un mystère. Personnellement, je n'ai jamais été témoin d'une de ces apparitions; je n'ai donc jamais cru que je pourrais être un juge fiable de leur vraie nature. Le moment de leur apparition et les descriptions des entités laissent à penser que toutes ces expériences sont liées ; néanmoins, je n'ai pas non plus réussi à déterminer ce que tous les témoins avaient en commun — mis à part le fait qu'ils avaient tous un lien avec moi.

Au printemps de 1997, les apparitions avaient cessé aussi mystérieusement qu'elles avaient commencé. Nous n'avions rien appris de plus de ces ombres énigmatiques. Certaines des personnes qui les avaient aperçues avaient dû faire un effort de concentration pour communiquer avec elles, lorsque ces choses leur apparaissaient. Plusieurs avaient normalement la capacité d'entrer en contact avec les esprits, et ils avaient eu l'impression que les ombres se taisaient délibérément. Paul était celui qui s'était rapproché le plus d'un semblant de communication, et même alors, il n'avait pas senti que l'entité avait essayé de parler avec lui. Elle avait plutôt farfouillé *en lui* à la recherche de quelque chose, en omettant complètement tous les canaux de communication réguliers, pour aller tout droit dans son inconscient.

Après les deux premiers comptes rendus concernant ces êtres de l'ombre, j'ai commencé à tenir un journal dans lequel je documentais les événements. Il m'arrive encore, de temps à autre, de le sortir et de relire les descriptions que mes amis m'en ont faites, ainsi que les possibles théories que j'ai mises sur papier, pour tenter d'expliquer le phénomène. Je suis forcée d'admettre que plus d'une décennie plus tard, ces incidents me laissent toujours aussi perplexe et déconcertée. Non seulement je n'ai aucune vraie réponse pour expliquer pourquoi ces choses sont apparues à quelques-uns de mes amis, mais je suis toujours aussi embarrassée, car j'ignore encore ce que ces ombres pouvaient être. J'ai lu des descriptions des êtres de l'ombre en ligne. J'ai entendu de prétendus experts discuter du phénomène dans des émissions telles *Coast to Coast*. J'ai entendu les théories avancées par les chasseurs de fantômes professionnels comme Jason Hawes et Grant Wilson de TAPS, ainsi que par de savants experts tels Rosemary Ellen Guiley. Chacun a sa théorie, mais ils ne semblent pas s'accorder pour dire ce que sont ces êtres, d'où ils viennent, ou ce qui les motive. Et nul n'a pu suggérer comment nous pourrions le découvrir.

Lorsque j'examine toutes ces informations, associées aux détails que je garde dans mes dossiers, j'ai la nette impression de regarder une collection d'ombres et de textures que mon cerveau ***souhaite*** organiser en motif, et pourtant, je me demande si ce motif existe ? Il est si tentant d'essayer de réduire les dates et les descriptions, les heures et les lieux, à quelque chose qui aurait du sens. Après tout, en tant qu'être humain, nous sommes conçus pour reconnaître des motifs. Mais parfois, les formes dans les ténèbres ne sont pas identifiables. Au lieu de cela, ils se fondent dans une forme qui nous est si étrangère, que la tête refuse simplement de saisir. Ma rencontre avec les êtres de l'ombre m'a permis de réaliser que toutes les enquêtes paranormales ne s'expliquent pas facilement, pas plus qu'elles ne revêtent une signification simple et nette en fin de compte. Tout doit avoir une raison, mais il n'y a aucune garantie que cette raison nous apparaîtra clairement.

Un fantôme en boîte

Lorsqu'ils apprennent que vous pouvez parler aux morts, les gens vous présentent des requêtes pour les moins étranges. Ils veulent parfois vous donner des objets qu'ils croient hantés, afin que vous puissiez vérifier qu'un esprit est bel et bien lié à cet objet. Mais le plus souvent, ils souhaitent que vous leur rendiez leur objet hanté. De temps en temps il arrive que les personnes soient effrayées par l'idée de posséder un esprit attaché à une petite statue ou à une montre antique. Dans ces cas-là, on me demande normalement de conserver l'article en lieu sûr, ou tout au moins de tenter d'en détacher l'esprit. C'est ainsi que je me suis occupée d'une boîte à bijoux hantée, et qu'une voisine m'a demandé d'examiner un cadre de lit qu'elle et son mari avaient déniché dans un marché aux puces. Depuis qu'ils avaient commencé à coucher dans leur nouveau lit, ils voyaient un esprit dans leur chambre. Ces objets sont relativement banals, et on n'a aucun mal à imaginer comment la majorité d'entre eux sont devenus hantés. Mais rien, dans toutes mes expériences, ne m'avait préparée à l'arrivée, par le biais du service postal des États-Unis, d'un objet qu'un ami très spécial avait eu en sa possession.

Il y a longtemps, j'ai fait la connaissance d'un homme qui se faisait appeler Wraith[2]. Il travaille énormément avec les esprits. Comme moi, il les sent, mais il a poussé sa sensibilité à des limites que très peu de gens ont le courage d'explorer. Pour dire les choses simplement, Wraith s'identifie à un nécromancien. Il peut non seulement percevoir les esprits, mais il affirme être aussi capable de les invoquer, de les attraper et de les attacher.

Je n'ai jamais caché, dans les pages de ce livre, que je suis une grande sceptique. À cause de cet état d'esprit, je me suis heurtée à mes propres talents avec les esprits, pendant de nombreuses années. J'ai toujours été tentée d'en apprendre davantage sur l'aspect surnaturel de l'existence, mais les gens y vont parfois d'affirmations qui défient ma capacité de garder l'esprit ouvert. Le fait que Wraith se revendiquait de la nécromancie me rendait doublement sceptique. Un médium peut sentir l'énergie d'un autre médium, c'est du moins l'expérience que j'en ai, et je n'avais aucun mal à croire qu'il était sensible aux esprits. J'avais toutefois du mal à accepter qu'il possède le pouvoir de les attacher.

Mais comme nos chemins ne se croisent pas très souvent, cela n'avait jamais posé de problème. Les gens croient ce qu'ils veulent. Certaines de ces croyances sont vérifiables. D'autres semblent plutôt douteuses, mais si quelqu'un est convaincu de la réalité de ses croyances, qui suis-je pour en juger ?

À la fin, je ne me préoccupais pas trop du fait que Wraith se disait nécromancien. Puis, un jour, il m'a envoyé un message. Il possédait apparemment un objet qu'il se sentait obligé de me confier. L'objet en question était hanté. En fait, Wraith avait lui-même enfermé l'esprit dans cet objet. L'histoire de cet objet singulier était fort alambiquée, car le fantôme était une femme qui avait été très méchante durant sa vie, et dont les dispositions n'avaient pas tellement changé, après sa mort. Wraith avait remarqué qu'elle était très attachée à la Terre, et il avait décidé que son esprit représentait un réel danger si on le laissait errer librement. Il l'avait donc attachée à cet objet en guise de punition. Tout cela était pour le

2. N.d.T. : En français, Wraith se traduit par le mot « spectre ».

moins bizarre, mais tout cela est devenu beaucoup plus effrayant lorsque Wraith m'a expliqué que l'objet auquel il avait attaché cet esprit était en fait les restes incinérés, les cendres de l'esprit lui-même. Et il voulait que je lui donne mon adresse, car il avait l'intention de jeter ce cadeau douteux dans ma boîte aux lettres !

Je n'ai pas l'habitude de recevoir les restes mortels d'esprits errants, que ce soit par la poste ou par UPS, et je ne savais pas trop quoi penser de cette proposition. Je n'étais même pas certaine de la légalité d'envoyer des restes humains par la poste. Mais, pour être franche, je ne croyais pas vraiment que Wraith possédait un tel objet. J'aimais bien ce type, c'était un ami intéressant, mais je n'arrivais pas à me faire à l'idée de ces cendres hantées. En fin de compte, c'est un peu par défi que je lui ai envoyé mes coordonnées postales. Je ne croyais vraiment pas que cette chose arriverait par ce moyen. Trop de scepticisme peut parfois donner lieu à de très étranges expériences.

Deux semaines se sont écoulées. Comme Wraith vivait à deux heures à peine de chez moi, je commençais à croire que j'avais eu raison de penser que ses restes humains hantés n'étaient qu'une histoire inventée de toutes pièces. Puis, j'ai reçu un accusé de réception du service postal. Un colis m'attendait au bureau de poste. Étant donné que je vérifiais toujours ma boîte postale après les heures d'ouverture, il a fallu que j'y retourne le lendemain, afin de satisfaire ma curiosité.

Imaginez ma surprise, lorsque j'ai présenté mon papier au commis du bureau de poste et qu'il m'a remis une simple boîte carrée, emballée dans du papier kraft. L'adresse de Wraith avait été écrite d'une main indisciplinée, dans le coin supérieur gauche de ce qui devait être le haut de cet objet parfaitement cubique, avec une étiquette plus claire, sur laquelle était inscrite l'adresse de ma boîte postale. J'ai failli demander au commis s'il était légal d'envoyer des restes humains par la poste, mais j'ai décidé qu'il valait mieux me taire. Aussi étrange que cela puisse paraître, j'ai appris beaucoup plus tard que les cendres humaines sont une des seules choses de cette nature, que l'on peut expédier par la poste en toute légalité.

En sortant du bureau de poste, j'ai dû résister à l'envie de secouer la boîte. Avec quelques précautions, je l'ai déposée dans ma voiture, étiquette vers le haut, sur le siège du passager, et j'ai repris la route. À l'époque, je vivais à quelques pâtés de maisons seulement de cet endroit, mais il y avait des feux de circulation à chaque intersection. J'avais dû me laisser distraire par l'idée de ce curieux objet, car j'étais si occupée à fixer la boîte à l'approche du feu rouge que j'ai levé les yeux juste à temps pour voir des lumières de frein devant moi et pour enfoncer les miens à mon tour. Ma voiture s'est immobilisée brusquement, et la boîte emballée dans du vulgaire papier kraft s'est retrouvée sur le plancher, devant le siège du passager.

Avant de poursuivre, j'ai une confidence à vous faire. Je me parle. Je fais cela tout le temps. Je parle à mes chats. Je parle à mon ordinateur. Je parle aux objets qui sont parfaitement inanimés et absolument incapables de me répondre. Je mets cela sur le fait que je passe beaucoup de temps toute seule lorsque j'écris. Je ne m'attends évidemment jamais à obtenir des réponses de la part des objets inanimés auxquels je m'adresse sans arrêt. Heureusement, ma santé mentale n'est pas dégradée au point d'avoir entendu ces objets me répondre. Sachant cela, vous comprendrez ma surprise devant ce qui s'est produit par la suite.

La boîte était tombée sur le plancher. J'étais légèrement embarrassée d'avoir failli brûler le feu rouge. Et j'ai demandé pardon à la boîte. Plus précisément, j'ai demandé pardon à son contenu. La première fois qu'il m'avait contactée au sujet de ce cadeau singulier, Wraith avait mentionné le nom de l'esprit, et avec une certaine désinvolture, j'avais essayé de m'en souvenir.

— Désolée, Joan, ai-je dit, en étirant le bras pour remettre la boîte à sa place sur le siège du passager.

Dans ma tête, presque immédiatement, une voix colérique a rugi :

— *Jeanne !*

Je ne l'ai pas entendue avec mes oreilles. Lorsque vous communiquez avec les esprits, vous avez l'impression que quelqu'un vous parle, mais vous l'entendez avec une oreille qui se trouve pour ainsi dire dans votre tête. C'est difficile à expliquer à ceux qui n'en ont jamais fait l'expérience, et ce qui est encore plus difficile à expliquer, c'est comment une personne peut dire que la voix de l'esprit est séparée et distincte d'une « voix intérieure » naturelle. Mais en règle générale, lorsque cela vous arrive, la chose est parfaitement claire.

J'ai cligné des yeux et j'ai regardé la boîte. Je ne recevais pas d'autres impressions psychiques. Par contre, j'avais dû fixer la boîte trop longtemps, car derrière moi, un motard irrité s'était mis à klaxonner. J'ai accéléré trop vite en essayant de traverser avant que le feu ne tourne au rouge. Mais c'était peine perdue, et, étant donné la vitesse de mon accélération, j'ai été forcée, une fois de plus, de freiner. En temps normal, je ne suis pas une si mauvaise conductrice, mais jouer les chauffeurs pour les restes incinérés d'une pauvre femme, ce n'est pas une chose que l'on peut qualifier de normale, même dans ma vie bizarre.

Bien sûr, en enfonçant si brusquement les freins de ma petite voiture, la boîte s'est retrouvée sur le plancher, une fois de plus. Maintenant, je dois aussi vous avouer que je n'ai pas une très bonne mémoire des noms. En fait, ma mémoire est terriblement, atrocement mauvaise, au point que c'en est embarrassant. J'ai donc dû me pencher de nouveau pour ramasser la boîte et la remettre à sa place sur le siège du passager. En lui donnant des petites tapes affectueuses, j'ai dit :

— Désolée, Jane.

— *Jeanne!* a répété la voix, et elle n'était pas du tout contente.

Comme l'indiquaient mes deux erreurs successives, je ne me rappelais pas clairement le nom que Wraith m'avait donné pour cette revenante singulière. Mais j'ai réussi à prendre sur moi et à nous ramener toutes les deux à bon port, sans autre incident. Aussitôt arrivée à la maison, j'ai couru à mon ordinateur et j'ai relu le commentaire de Wraith. J'ai ensuite examiné sous toutes les coutures le paquet déballé que je tenais sur mes genoux. Mon cerveau s'efforçait de trouver une explication « logique ». L'inconscient est complexe. Il arrive souvent qu'on se souvienne de choses, sans même s'en rendre compte. Je me disais donc que je m'étais peut-être rappelé son nom inconsciemment, même si ma conscience avait fait une erreur.

Évidemment, le nom que Wraith m'avait donné était Jeanne.

— Donc, tu es Jeanne, hein? ai-je demandé en tapotant la boîte.

Je n'ai entendu aucun commentaire spirituel, mais à ce moment précis, j'ai perçu un sentiment de satisfaction provenant du contenu de la boîte.

Je suis restée assise et j'ai relu notre conversation en ligne, en consignant les détails de la vie de Jeanne dans ma mémoire. Wraith affirmait qu'elle avait assassiné sa famille et qu'elle avait purgé quelques sentences à vie.

Elle était octogénaire, lorsqu'elle était morte en prison. Je n'avais pas bien compris comment Wraith avait pu hériter des cendres de la vieille dame, et je n'étais pas certaine de vouloir comprendre. En ouvrant le colis, j'ai trouvé un certificat qui semblait prouver que tout était bien en règle. Il y avait son nom, ses dates de naissance et de décès, ainsi que l'heure et l'endroit où elle avait été incinérée. La plupart de ces renseignements étaient répétés sur une affreuse étiquette verte apposée sur le dessus de la boîte. Cette dernière était d'un brun indéfinissable qui n'était pas sans rappeler le papier dans lequel Wraith l'avait emballée. À l'intérieur, il y avait ce qui ressemblait à s'y méprendre à une boîte de conserve de café de couleur bronze. Son couvercle était parfaitement fermé, et je n'ai pas eu le courage de l'ouvrir et de jeter un œil à l'intérieur.

J'ai déposé Jeanne sur une étagère. Durant les jours qui ont suivi, j'ai essayé de vérifier son histoire telle qu'elle m'avait été relatée par Wraith. Même avec son nom et son prénom, sa date de naissance, la date de sa mort, je n'ai pu retrouver aucune information sûre concernant Jeanne ; en tout cas, pas par le biais d'Internet. Je doutais toujours qu'elle ait été une meurtrière, mais dès le début, j'étais allée jusqu'à douter qu'elle ait pu exister. C'était déjà assez incroyable de garder la petite boîte de cendres de Wraith sur mon étagère, sans mentionner que je devais essayer de m'enfoncer dans la tête qu'un esprit était bel et bien attaché à ces cendres. Cela était tellement contraire à tout que je croyais savoir sur les esprits. Combien de médiums oseront affirmer que les morts ne se tiennent pas à proximité de leur corps ou de leur tombe ? Les fantômes sont censés êtres enclins à hanter les endroits qu'ils chérissaient durant leur vie, ou à errer à proximité d'êtres chers.

Pourtant, Jeanne était là, sur mon étagère, et elle rendait mes chats nerveux.

C'était une autre conséquence de la hantise. Katya, ma chatte, qui avait déjà démontré qu'elle était sensible aux esprits, n'aimait pas Jeanne et cela la rendait agressive. Je ne trouvais pas d'explication logique à son attitude, sinon la possibilité qu'elle puisse sentir les cendres à travers la boîte. Mais, dès l'instant où Jeanne était entrée chez moi, Katya s'était mise à faire des caprices et à se comporter étrangement, surtout dans le salon, où la boîte était posée en haut d'une étagère.

Finalement, il a fallu que je l'examine. J'ai bien cru sentir un esprit attaché aux cendres, mais c'était là une attente que Wraith m'avait lui-même soufflée. Pour en avoir le cœur net, il fallait que je fasse appel à une amie qui était aussi sensible aux esprits, mais qui ignorait absolument tout de Jeanne. Si je retournais la boîte à l'envers, elle ne ressemblait à rien de particulier, si bien que personne ne pourrait soupçonner sa vraie nature. Si mes impressions étaient justes, et qu'une vieille femme très en colère était effectivement attachée à ses restes incinérés, celui ou celle à qui je présenterais cette boîte risquait d'avoir une surprise de taille. Mais grosse surprise ou pas, je serais enfin fixée. J'avais donc décidé de tenter l'expérience.

Avant que sa carrière ne la conduise en dehors de l'Ohio, Sarah Valade, médium, avait l'habitude de faire des tournées dans le comté de Wayne. Nombreux sont ceux qui considèrent Wayne County comme l'un des endroits les plus hantés de l'Ohio, et Sarah avait un réel don pour communiquer avec les esprits. Et de toute façon, Sarah devait me rendre visite ; j'avais donc décidé qu'elle serait mon cobaye psychique. Je dois dire que je n'ai pas été très subtile ; Sarah est venue chez moi, et je lui ai tendu la boîte. Je l'avais mise à l'envers, pour cacher l'étiquette.

— Dis-moi l'impression que te fait cette boîte, ai-je demandé.

Je le jure, j'ai essayé de ne pas sourire.

Avec, imprimée sur son visage, une légère expression de curiosité, Sarah s'est avancée et a pris la boîte. Cela faisait à peine quelques secondes qu'elle tenait les cendres de Jeanne, quand son visage s'est crispé et qu'elle a pratiquement lancé la boîte sur le plancher.

— Bou ! Qu'est-ce qu'il y a là-dedans ?

Tremblant comme une feuille, Sarah fixait maintenant la boîte sur le sol.

— D'accord, tu peux me maudire de t'avoir jetée, a-t-elle lancé en faisant la moue à la boîte. Sérieusement, Michelle. Où as-tu pris ça ? C'est une sale bonne femme !

J'essayais de prendre l'air innocent. Mais je ne suis pas très douée pour cela.

— Ooh…, a dit Sarah, agacée et essayant à présent de se calmer.

Elle essayait de chasser sa première impression, mais quand vous aviez établi le contact, Jeanne ne vous lâchait plus. Sarah m'a fait une grimace.

— Tu savais que cela arriverait, non ? Tu sais, tu aurais pu me mettre en garde !

Je me suis penchée pour récupérer la boîte de Jeanne. Je la tenais, étiquette sur le dessus, et je l'ai secouée légèrement. On pouvait entendre les cendres gratter l'intérieur de l'urne en forme de boîte de conserve à café. Sarah a plissé les yeux et a éclaté de rire, très fière d'elle.

— Elle déteste ça, a-t-elle dit en se moquant. Ça te montrera, a-t-elle ajouté sur un ton tranchant, à l'adresse de Jeanne.

— Eh bien, quelqu'un m'a envoyé ces cendres, ai-je ajouté, en remettant Jeanne sur l'étagère du haut. Et il m'a affirmé y avoir attaché cet esprit très méchant.

— Et tu me les as mises entre les mains ? a demandé Sarah, incrédule.

J'ai haussé les épaules.

— Il fallait que je sache.

Pendant un court instant, je ne savais pas trop si Sarah allait me pardonner de lui avoir imposé Jeanne de manière aussi cavalière. Puis, elle a semblé plutôt contente de déverser sa colère sur l'esprit lui-même. Mais depuis ce jour, chaque fois que Sarah s'arrête chez moi, elle se fait un devoir de se moquer de Jeanne et de faire des trucs qu'elle sent que l'esprit n'apprécie pas.

Je n'ai toujours pas pu trouver de preuve solide de l'histoire de Wraith, en ce qui concerne l'identité meurtrière de Jeanne. J'ai néanmoins trouvé une utilité à ce cadeau singulier. Jeanne est un esprit passablement enjoué, et elle a une personnalité bien documentée auprès des gens qui l'ont perçue. Que son histoire soit vraie ou fausse, *elle* semble y croire, ce qui fait qu'elle finira par raconter les circonstances de ses meurtres à celui qui sera assez habile pour lui poser la question. Étant donné que son histoire reste cohérente, j'ai pris l'habitude de me servir d'elle pour enseigner aux gens comment communiquer avec les esprits. La personnalité pour le moins inamicale de Jeanne est quelque chose qui peut choquer au premier abord, mais cet aspect de son caractère m'aide à vérifier les impressions des gens. Lorsque vous prenez une boîte indéfinissable et que vous entendez une femme furieuse hurler dans votre tête, il est assez difficile de nier qu'il se passe quelque chose de bizarre.

Je ne sais toujours pas vraiment comment Wraith a pu attacher Jeanne à ses propres restes incinérés. Mais je sais désormais que mon ami, aux prises avec les esprits, ne méritait pas autant de scepticisme de ma part. Cela fait maintenant plusieurs années que je me creuse les méninges pour comprendre sa technique, et j'ai simplement dû accepter qu'il y a des choses que je dois croire, même si je ne dois jamais les comprendre. Je suppose que le monde est plus intéressant avec un brin de mystère.

Un peu de vaudou

Il y a des endroits où le tissu de la réalité semble s'être aminci, si tant est qu'il fût étroit au départ. Dans ce genre d'endroits, le voile qui sépare le monde des vivants de celui des morts a été abîmé et usé par des forces que nous commençons tout juste à comprendre. Le soir, voire en plein jour, vous pouvez marcher dans les rues et avoir des visions du temps passé, des apparitions qui ont la clarté d'êtres qui vivent et qui respirent. Le quartier français de La Nouvelle-Orléans est un de ces endroits où il flotte quelque chose de magique dans l'air. Sans doute cela est-il dû au mélange de tant d'histoire et de cultures différentes ; ou alors à quelque chose de primal qui s'est infiltré dans la terre depuis les bayous. Quelle que soit la source de cette puissante magie, les choses sont différentes dans le Vieux Carré, et les règles, auxquelles la majorité a l'habitude de se soumettre, ne s'appliquent pas toujours systématiquement.

Ma première visite du quartier français de La Nouvelle-Orléans a coïncidé, comme par hasard, au week-end de l'Halloween. J'étais venue là pour une séance de signature et un bal des vampires. J'étais arrivée quelques jours à l'avance, car je voulais en profiter pour faire une visite touristique de la ville. Habituellement, lorsque je voyage pour affaire, j'ai à peine le temps de descendre de l'avion et d'aller me rafraîchir à mon hôtel, avant de repartir vers obligations, mais cette fois-ci, j'avais une longue journée devant moi avant d'être de nouveau happée par ma vie trépidante. J'avais donc décidé de satisfaire ma touriste intérieure et de simplement explorer les sites historiques que la ville avait à offrir.

En montant dans le tramway qui m'a emmenée de mon hôtel à la rue Canal, j'ai tout de suite senti que je venais de mettre le pied dans un autre monde. Pour commencer, rien ne peut préparer une étrangère à la chaleur et à l'humidité étouffante du sud de la Louisiane. L'humidité ambiante vous frappe, à la minute où vous descendez de l'avion ; elle vous enveloppe comme une chape de velours mouillée, et ce, pour toute la durée de votre séjour. Durant les premiers jours, j'ai eu l'impression d'avaler de l'eau chaque fois que je prenais une respiration.

Mais ce climat exotique (pour une nordiste) n'était pas la seule chose qui faisait que la Louisiane m'apparaissait comme un tout autre univers. Étant venue au monde et ayant grandi dans une petite ville tranquille de l'Ohio, je n'avais jamais été exposée à une telle diversité culturelle. Dans ma ville, la diversité se résumait à certaines familles de la région originaires d'Irlande, alors que d'autres étaient venues d'Allemagne, de Pologne et peut-être d'Italie. J'ai passé la majeure partie de mes vingt premières années entourée de gens dont la couleur de la peau variait des tons de crème aux tons de pêche, avec peut-être une pointe d'olive ici et là. Mais à La Nouvelle-Orléans, j'ai eu droit à une tout autre palette de couleurs. L'éventail et la diversité étaient si grands, que je devais faire un effort pour ne pas regarder, au cas où les gens réagiraient mal. Mais la diversité ne s'arrêtait pas à cette incroyable gamme de couleurs. J'entendais les intonations mélodieuses du français, des conversations précipitées en espagnol, et un anglais parlé avec un accent si riche, que j'avais l'impression que ceux qui le parlaient en faisaient tout un plat, roulant chaque syllabe pour la savourer au bout de leur langue.

J'avais l'impression d'être une droguée, mais j'adorais ça. Je m'étais tellement laissée imprégner par des images et des accents entendus dans le tramway, que j'avais failli rater mon arrêt. Puis, je me suis retrouvée dans la foule de la rue Canal. Bien que facilement reconnaissable comme partie intégrante de La Nouvelle-Orléans, la rue Canal aurait quand même pu être transplantée dans à peu près n'importe quelle grande ville d'Amérique. Elle était surchargée de piétons et de voitures, et l'architecture des édifices, qui projetaient leurs ombres sur les passants, était assez banale. Les boutiques qu'abritaient ces immeubles étaient elles aussi relativement les mêmes que partout ailleurs. J'ai vu une ou deux chaînes qui devaient être uniques au Sud ; sinon, j'ai surtout vu des Payless, des Walgreens, des Subway et, bien sûr, des McDonald.

Mon sens de l'orientation n'a jamais été exemplaire, c'est pourquoi je m'étais armée d'une petite carte de la ville fournie par l'hôtel, et d'une montre pouvant également servir de boussole. J'avais eu l'impression que je n'aurais aucun mal à me repérer dans le Vieux Carré. La carte avait été tracée suivant une grille très simple, le fleuve enserrant tout le quartier. À partir de la rue Canal, j'avais choisi une rue où s'alignaient les premières boutiques de touristes, et j'avais pris la direction du Vieux Carré.

J'ai longé deux pâtés de maisons, où j'étais entourée des mêmes immeubles lourdauds qui s'alignaient, maussades, de chaque côté de la rue Canal. Puis, juste après un petit détour, j'ai soudain eu l'impression d'avoir mis les pieds directement dans le passé. Je ne suis pas certaine de trouver les mots justes, car la première fois, la transformation m'a vraiment semblé magique. J'étais là, avançant sur un trottoir inégal, profitant du semblant d'ombre que faisaient les immeubles, accablée par la chaleur ambiante. Puis, j'ai levé les yeux et j'ai vu ces magnifiques vérandas en fer forgé. Elles étaient peintes d'un beau blanc éclatant, et quelque part entre ces immeubles et moi, les grandes structures disparaissaient, de sorte que le soleil d'après-midi se reflétait sur chaque forme, faisant tout reluire, même si je restais à l'ombre. Il y avait du fer forgé partout, entouré d'une luxuriante vigne verte qui faisait un peu penser aux philodendrons. Le mot « bougainvillée » m'est revenu à l'esprit, même si j'avais seulement entendu parler de ces fleurs au fil de mes lectures.

Je me suis arrêtée et j'ai regardé, clignant des yeux sous la lumière soudaine du soleil. L'architecture des immeubles qui s'étendaient devant mes yeux était complètement différente de tout ce que j'avais vu jusque-là à La Nouvelle-Orléans. Pas une de ces structures ne comptait plus de deux étages, et cela ajoutait à mon impression de me promener dans un passé encore vivant. Même si j'avais déjà vu ce genre d'architecture dans les livres, je n'avais jamais rien vu de tel de mes propres yeux.

Le Vieux Carré, comme je l'apprendrais plus tard, est un des plus anciens vestiges du passé américain. Il a très peu changé, depuis l'époque où la Louisiane était une colonie française, et quelques-unes de ses constructions d'origine sont encore là. La disposition des rues — ces étroits passages pavés qui portent des noms comme Bourbon, Toulouse et Dumaine — n'a pas changé depuis le temps où les habitants se promenaient à cheval plutôt qu'en automobile. Et les rues résistent toujours au changement. Il y a très peu de voitures dans le Vieux Carré. Durant les jours d'achalandage, les véhicules moteurs sont tout simplement interdits ; mais même lorsqu'aucun règlement ne s'applique, les rues sont si étroites et remplies de passants, qu'il est simplement plus facile d'aller à pied.

J'étais passée des ombres des immeubles modernes pour me retrouver, semblait-il, plongée dans l'histoire. En faisant cela, j'ai eu le sentiment que l'aura de magie de la ville m'enveloppait. Comme la suite allait le démontrer, ce sentiment n'était pas complètement faux.

Je ne me rappelle pas exactement la première fois que je l'ai vu. Au moment où j'écris ceci, je me demande encore s'il n'était pas là, dans le tramway, dès le début. Il y avait un homme avec une voix profonde et forte qui s'exprimait dans un riche patois français roulant. Il avait la peau d'une somptueuse couleur chocolat ; et, ne portait-il pas un pardessus noir, malgré la chaleur ? Je l'avais remarqué à ce moment-là, mais ce n'était peut-être pas lui.

Ce dont je me rappelle, c'est d'avoir remarqué une senteur de rhum et de cigares. Étant donné l'océan de parfums qui flottaient dans l'air, dès mon arrivée dans le Vieux Carré, je n'y ai pas réfléchi plus que ça au début. Il y avait tant de restaurants, et à la façon dont les immeubles à deux étages étaient construits, la plupart avaient des parties qui ouvraient sur la rue. Des arômes de nourriture mijotant dans de riches épices cajuns et créoles imprégnaient toute chose. Puis il y avait les bars, et leurs cocktails nouveau genre, brillants avec les mêmes couleurs bonbons. Tout cela ajoutait une douceur sensuelle à l'air déjà lourd. Des senteurs comme celle du citron, de la lime et de l'ananas, prédominaient. Il y avait aussi les cafés avec leurs authentiques beignets français. Ils ajoutaient un parfum encore plus sucré, fait d'érable et de cannelle, de praline, de mélasse, et la mousse tiède des lattés.

Pourtant, même dans cette mer d'arômes qui vous mettaient l'eau à la bouche, j'avais commencé à le remarquer, à cause de sa présence récurrente. Je tournais un coin, et la brise me le ramenait sans cesse : le riche parfum d'un cigare coûteux avec la touche sucrée du rhum. Je ne fume pas, mais contrairement à une majorité de non-fumeurs, je ne trouve pas l'odeur des cigares systématiquement déplaisante. Certains relents me paraissent même agréables, une riche gâterie qui vous parle de luxe et de tranquillité. J'avais vu des gens fumer la cigarette, mais je n'avais vu personne fumer le cigare. Ce détail me laissait vaguement perplexe, mais je me disais que ce parfum devait s'échapper de l'une des parties à aires ouvertes des bars. J'avais déjà traversé une bonne partie du quartier, mais si je continuais à sentir le même parfum, c'était sans doute parce qu'il s'agissait d'une marque populaire. Enfin, ne trouvant pas de meilleure explication, je me contentais de celle-là.

Cela faisait quelques heures que j'arpentais le Vieux Carré, humant par intermittence le parfum de rhum et de cigare, lorsque je l'ai aperçu pour la première fois. Je m'étais retournée, une fois de plus, pour voir si quelqu'un fumait le cigare autour de moi, et il était là, debout, au coin de la rue opposé à celui où je me trouvais. Curieusement, il ne tenait pas de cigare, et pourtant, je l'ai automatiquement associé à cette odeur. C'était un gros homme noir ; sa peau était si sombre qu'on aurait dit du pétrole. Il était tellement noir que le soleil laissait des ombres violettes sur son front et sur ses joues. Je ne me souviens pas très bien de sa coiffure, et je ne sais pas s'il était rasé de frais ou s'il avait une barbe de quelques jours. Ce dont je me souviens, c'est de ses lunettes de soleil en miroir. Elles m'ont aussitôt rappelé les lunettes que portent les policiers, comme dans *CHiPs*, cette vieille émission de télé. Je ne pouvais pas voir ses yeux, mais lorsqu'il souriait, ses dents blanches brillaient comme des étoiles sur le noir profond de sa peau. Il avait les dents longues et fortes, mais son sourire n'était pas inamical.

Je ne l'ai pas vu longtemps. Je lui ai rendu son sourire, mais ensuite, j'ai été bousculée par une bande de gais bruyants, torses nus et colliers de perles au cou. Le soleil n'était pas encore couché, mais ils étaient déjà bien partis pour s'enivrer joyeusement.

Lorsque j'ai relevé la tête pour voir l'homme qui m'avait souri, il était parti. Cela ne m'a pas paru étrange, à ce moment-là. Bien sûr, le vaudou n'avait jamais été un sujet auquel j'avais consacré beaucoup de temps ; je ne pouvais donc pas connaître la signification de ce parfum singulier, pas plus que les curieuses associations liées à un personnage portant des lunettes en miroir.

J'ai passé le reste de la journée à m'extasier devant les ananas en fer forgé qui décoraient tant de clôtures, et à regarder, sans me lasser, les amuseurs de rues. Chaque coin de rue semblait posséder sa propre statue vivante ; des gens peints de la tête aux pieds, en blanc ou en argent. Ils se tenaient là, sur leurs caisses, totalement immobiles, jusqu'à ce que quelqu'un lance une pièce dans leur chapeau ou dans un gobelet posé sur le trottoir. Ils s'animaient soudain, comme par magie — certains plus habiles que d'autres —, et y allaient de quelques prouesses étonnantes du haut de leur caisse. Comme des mécanismes d'horlogerie usés dont les ressorts s'épuisent rapidement, leur activité ne durait que quelques secondes. Ils reprenaient aussitôt leur position immobile, en attendant qu'un autre passant généreux leur lance quelques pièces. Je suppose que si vous habitez dans une ville où ce genre d'amuseurs de rues fait son numéro jour après jour, vous finissez par les trouver aussi omniprésents et irritants que n'importe quel mendiant rencontré ailleurs. Mais dans le Vieux Carré, ils étaient magiques, tout du moins pour moi.

Finalement, mes déambulations m'ont conduite jusqu'au square Jackson. Je voulais visiter la cathédrale Saint-Louis. Même s'il y avait déjà un bon moment que j'avais pris mes distances de mes racines catholiques, je conservais toujours un amour profond pour les vieux vitraux et l'architecture gothique. Mais la cathédrale était fermée pour la journée, et je me suis rappelé que j'avais une course à faire au square Jackson.

Autour du parc central et de sa majestueuse statue équestre, le square Jackson est un repaire de voyants et de liseurs de tarot, qui semblent s'y donner rendez-vous, à toute heure du jour. Comme les statues vivantes des rues, à chaque jour que Dieu fait, ces gens se dégotent simplement un petit coin où ils tiennent boutique. Officiellement, ils ne demandent rien pour leurs services, même si la majorité d'entre eux ont une liste de prix bien établie. La première fois qu'un ami m'a parlé des liseurs de tarot du square Jackson, je me suis demandé combien d'entre eux étaient d'authentiques voyants. Étant donné que n'importe qui possédant un jeu de cartes et désireux d'empocher quelques dollars peut monter sa propre table, je doutais qu'il puisse y avoir là un semblant de contrôle de qualité. Mon ami m'avait bien dit que la ville elle-même y veillait, mais à l'époque, je ne voyais pas bien ce que cela pouvait vouloir dire. Avec un sourire indulgent face à mon scepticisme, il avait insisté pour que je cherche son ami Raven, qui lisait souvent dans les cartes, au square Jackson.

Bien sûr, il ne m'avait pas donné le nom de famille de son ami, ni la moindre description. Il m'avait seulement dit que Raven était gai, que d'habitude il avait les cheveux rouges, et que je le reconnaîtrais en le voyant. J'ai donc fait le tour du square deux ou trois fois, observant les divers diseurs de bonne aventure, et essayant de voir si l'un d'eux me disait quelque chose. Plusieurs avaient les cheveux rouges, et il y en avait encore plus qui affichaient une homosexualité flamboyante. J'ai quand même trouvé le courage de m'approcher de l'un d'eux, un jeune homme adorable qui, vraisemblablement, s'habillait souvent en femme, et qui, s'il ne portait pas de perruque ou d'autre accoutrement ce jour-là, avait tout de même pris la peine de se maquiller. Son jean coupé était ostensiblement court, et ses longues jambes minces étaient rasées de près et en train de bronzer au soleil.

— Hum, allô, ai-je commencé, me sentant à la fois embarrassée et maladroite. Je cherche un liseur de tarot qui s'appelle Raven. Pouvez-vous m'aider ?

Il a levé les yeux du roman de Dean Koontz dans lequel il était plongé, et m'a regardée curieusement.

— Ma chérie, il va falloir faire un petit effort, a-t-il répondu d'une voix traînante. Il y a au moins cinq Raven qui travaillent ici aujourd'hui.

— Eh bien, ai-je ajouté, mon ami m'a dit que Raven est gai et qu'il a les cheveux rouges.

Mon beau travesti sans costume a haussé les épaules.

— Bon, ça réduit le nombre à trois. Chérie, tu peux m'en dire un peu plus ?

En désespoir de cause, j'ai fait le tour du square des yeux. Au bout d'un moment, j'ai haussé les épaules.

— Je te garantis que je lis les cartes aussi bien que ton Raven. Pourquoi ne t'assieds-tu pas ?

J'ai décliné l'invitation poliment.

— Ce n'est pas pour une lecture. Mon ami m'a demandé de chercher son copain Raven.

En fait, je n'ai pas dit mon ami, j'ai dit son nom, un drôle de surnom qu'il porte depuis que je le connais. Le lecteur de tarot a semblé réagir, en entendant ce nom. À l'évidence, mon ami n'exagérait pas lorsqu'il disait qu'à peu près tous les liseurs de tarot du Square Jackson le connaissaient, depuis le temps où il vivait à La Nouvelle-Orléans.

— Tu es son amie ? Il fallait le dire plus tôt ! Je connais le Raven dont tu parles, mais il ne sera pas là avant deux bonnes heures. D'ici là, si tu veux, je peux te présenter aux autres ?

C'est ainsi que soudainement, avec un surnom comme talisman, je n'étais plus une simple touriste se tenant sur le seuil du petit monde du square Jackson. Priscilla a quitté sa place pour me conduire vers un banc où tous les autres liseurs s'étaient rassemblés pour faire une pause. Il m'a présenté tout le monde, et j'ai eu la chance d'entendre raconter toutes sortes de souvenirs, au sujet de l'ami qui m'avait envoyée à la recherche de Raven. Puis, quand je leur ai dit le titre du livre qui m'avait amenée en ville pour une séance de signatures, leur enthousiasme a décuplé. En l'espace d'une demi-heure, j'avais appris tous les lieux secrets qu'il fallait connaître dans le Vieux Carré : les boutiques à éviter, les magasins qui vendaient d'authentiques articles de magie, les meilleurs restaurants, les bars les moins chers. Puis, ils m'ont parlé de la magie de la ville : où se tenir lorsqu'il pleuvait, de manière à entendre le Requiem des fantômes ; où entendre l'écho des cris et hurlements qui résonnaient depuis des siècles, depuis l'époque où le Vieux Carré avait été pratiquement rasé par un incendie ; quelles tombes aller voir dans le cimetière, si l'envie me prenait de pratiquer le vaudou ou son cousin du pays, le haudou.

C'était comme d'être initiée à un univers secret, tissé dans la matière de ce monde déjà magique.

Après une discussion animée, je les ai tous remerciés et leur ai demandé de dire à Raven que je le cherchais. Maintenant qu'ils me connaissaient de vue, ils me promirent de lui indiquer ma présence la prochaine fois que je viendrai dans le square Jackson. Puis, je leur ai dit au revoir et je suis partie explorer quelques-uns des endroits fascinants dont ils m'avaient parlé.

Tandis que je m'éloignais, une des liseuses de tarot a couru pour me rattraper. Elle était un mélange des différentes races qui avaient peuplé La Nouvelle-Orléans. Sa peau était couleur caramel, avec des taches de rousseur plus foncées sur ses pommettes saillantes. Ses cheveux, couleur de miel brut, étaient attachés en petites tresses très serrées qui lui tombaient à mi-dos. Je me rappelais avoir admiré cette coiffure pendant que je parlais aux autres liseurs, mais je me rappelais aussi qu'elle était restée très silencieuse durant notre conversation, et qu'elle m'avait paru préoccupée. À présent, elle me regardait de ses grands yeux verts — tout en continuant de regarder nerveusement par-dessus mon épaule. Elle regardait si souvent dans cette direction que j'étais tentée de tourner la tête pour voir quelle menace se tenait dans mon dos.

— Attends une minute. Je t'en prie, j'ai quelque chose à te dire, a-t-elle lancé.

— D'accord, ai-je répondu hardiment.

Mais brusquement, elle s'est tue. Après quelques tentatives avortées, elle a fini par me parler d'un esprit appelé Papa Ghede, un gros homme noir qui portait souvent des lunettes de soleil en miroir. Apparemment, elle l'avait vu me suivre.

— Je commençais à me poser des questions sur cet homme, ai-je dit, soulagée. Je l'ai vaguement aperçu depuis que je suis dans le Vieux Carré. Je n'ai plus l'habitude de voir des fantômes comme s'il s'agissait de personnes vivantes. Ce doit être un esprit très fort.

Elle regardait de nouveau par-dessus mon épaule, dans la même direction. À voir son air anxieux, j'ai bien cru qu'elle essayait de deviner si je l'avais offensé. C'est possible, car elle n'a pas tardé à m'expliquer la différence entre Papa Ghede et « vos fantômes ordinaires ». Vous voyez,

Papa Ghede est un *loa*. Les loas sont personnels au vaudou. Ce sont les esprits des ancêtres, si vous voulez, avec une attitude. Ils ont des passions humaines, voire des faiblesses humaines, mais ils ont tous les pouvoirs des demi-dieux. Ce qui s'en rapproche le plus dans un contexte chrétien, ce sont les saints. D'ailleurs, chaque loa est associé à un saint catholique particulier. Pourtant, la majorité des catholiques seraient étonnés et choqués, si un de leurs saints daignait descendre du ciel, afin d'apparaître, voire parfois posséder un de leurs fidèles. Avec les loas, c'est dans l'ordre des choses.

Comme je ne m'étais jamais intéressée aux pratiques du vaudou, je ne savais rien de tout cela, à l'époque. Comme bien des gens ayant grandi dans la culture occidentale, j'avais trop vu de films hollywoodiens où il était question de vaudou. Mes seuls vrais points de référence étaient de mauvais films de série B qui parlaient de mystérieux sortilèges vaudous et, bien sûr, *Le serpent et le rainbow*, un film de Wes Craven, sorti en 1988. Même si on nous l'avait présenté comme étant une histoire vécue, l'empreinte d'Hollywood y était si omniprésente, que j'avais eu beaucoup de mal à y croire.

— Donc, je serais suivie par un esprit vaudou ? ai-je répliqué un peu déconcertée.

— Tu as parlé boutique avec Priscilla et les autres, tu devrais donc savoir que je ne raconte pas d'histoires. Il y a un rituel demain soir, en l'honneur de Papa Ghede. Tu devrais y aller. Il veut te parler.

Elle m'a donné l'heure et l'endroit. Malheureusement, le rituel avait lieu à la même heure que les événements auxquels je m'étais engagée à participer. Ce que je lui ai dit. Elle s'est pris la tête à deux mains et a regardé une fois de plus par-dessus mon épaule. Pendant quelques secondes, j'ai vu que ses yeux avaient perdu leur point focal, et j'ai eu l'impression très nette qu'elle regardait dans un autre monde.

— Si tu ne peux pas assister au rituel, fais au moins ceci. Trouve un peu de rhum et un bon cigare. Rends-toi dans un cimetière, si tu le peux, mais sois prudente si tu y vas la nuit. Il y a des voyous qui traînent par là, et tu pourrais te faire tabasser. Essaie tout de même de te rendre dans un cimetière et de déposer le rhum et le cigare sur une pierre tombale. N'importe laquelle. Dis seulement à papa Ghede que c'est pour lui.

— Du rhum et des cigares, ai-je murmuré. Bien sûr, j'avais senti leur parfum toute la journée.

— Tu fais cela, ok? a-t-elle insisté. Promets-le-moi.

Elle regardait toujours par-dessus mon épaule, croisant le regard de quelqu'un que je pourrais voir ou ne pas voir, advenant que je me retourne.

J'ai promis et j'ai noté mentalement qu'il fallait que j'aille acheter le nécessaire pour mon offrande, avant la fin de la journée. Le lendemain, mon horaire serait infernal.

En quittant les lieux, pour une seconde fois, et en prenant un raccourci par la ruelle Pirate, je me suis dit que je venais de vivre une scène qui aurait fort bien pu sortir de quelque film à suspense rempli de clichés vaudous. J'ai aussi pensé que les seules choses que je savais alors à propos du vaudou étaient tout aussi convenues. En dépit de mes diverses lectures avides de tous les aspects du monde de l'occulte et des religions, j'avais omis de m'intéresser au vaudou et à ses traditions. Pour être honnête, j'avais eu du mal à prendre le vaudou très au sérieux, précisément parce qu'il avait fait l'objet de beaucoup trop de films de série B complètement délirants. Pendant un court instant, j'ai envisagé la possibilité que la jeune liseuse de tarot créole avait voulu me taquiner et se moquer de la Nordique inculte que j'étais. Mais alors, peut-être pour la quinzième fois ce jour-là, une odeur de rhum et de cigares est venue me chatouiller les narines.

Cliché ou pas, j'allais trouver un cimetière, avant la fin de ma visite, et y déposer quelques objets pour Papa Ghede. Retrouvant mes anciennes attitudes envers tout ce qui est psychique ou tout au moins étrange, je me disais qu'une telle offrande ne pouvait certainement pas faire de mal, et que cela pourrait même aider s'il se passait vraiment quelque chose. Même si ma tête aimait toujours tout remettre en question, mon instinct avait définitivement bien d'autres choses à dire.

Le reste de mon voyage a donné lieu à de nombreuses aventures très différentes (dont certaines ont fait l'objet d'une fiction, dans le roman d'un ami intitulé *Pedestrian Wolves*). J'avais très vite perdu la notion du temps. Finalement, c'était ma dernière nuit à La Nouvelle-Orléans, et je n'avais pas trouvé le temps d'apaiser Papa Ghede. Entre-temps, je l'avais aperçu à quelques reprises. Je savais donc qu'il désirait encore me parler — ou ce qu'un loa vaudou pouvait attendre d'une Yankee blanche qui s'était aventurée dans le Vieux Carré.

La première fois que la jeune femme (qui s'était présentée sous le nom de Carmel) m'avait suggéré de trouver un cimetière, j'avais aussitôt pensé aux tombes du cimetière de Métairie. Je souhaitais visiter ce cimetière depuis que j'avais vu des photographies du mausolée qui s'y trouve. Mais comme je n'avais pas de voiture et que je disposais de très peu de temps, Métairie était hors de question. J'avais entendu dire qu'il y avait un cimetière à quelques pas du Carré, mais tous les indigènes à qui je m'étais adressée pour demander ma direction m'avaient conseillé de ne pas y aller à cause du danger que représentait ce quartier. Après la troisième mise en garde, j'avais décidé que ce n'était pas une bonne idée. Je restais plantée là, avec mon rhum et mes cigares. J'avais à peine quelques heures devant moi, et il n'y avait aucun cimetière à l'horizon.

Je suis de ceux qui ne lisent jamais les manuels d'instruction. J'ai toujours préféré trouver par moi-même. Cela peut me prendre un peu plus de temps d'assembler une étagère, mais à la fin, je comprends au moins comment cela fonctionne. Je privilégie la méthode essais et erreurs. Je n'apprends pas grand-chose, en suivant aveuglément et pas à pas un plan que quelqu'un d'autre a conçu pour moi. Comme l'attestent plusieurs des histoires que je raconte dans ce livre, chez moi, cette attitude ne se limite pas aux projets de construction ; elle s'étend à tout ce qui est psychique et magique. J'ai vécu la plupart de mes expériences les plus convaincantes en faisant ce qu'il me semblait bien de faire à tel moment, et en subissant les conséquences de mes choix, plutôt que de me contenter d'adhérer à une formule dont les autres affirmaient qu'elle donnait de bons résultats.

J'ai donc commencé à me poser des questions sur la formule que Carmel m'avait suggérée. J'avais le rhum et les cigares, bien sûr, parce que dans ce cas précis, leur parfum insistant semblait confirmer qu'ils étaient nécessaires. Mais le cimetière était-il vraiment indispensable ? Je me disais qu'une pierre tombale n'est rien de plus qu'un mémorial. Évidemment, il y a normalement un corps sous la pierre, mais les os ne sont pas toujours importants. C'est davantage l'esprit de la chose qui importe. Les mausolées ou les balises qui honorent les sépultures en pleine mer, se connectent à un esprit à distance, mais ils servent toujours de point focal que les vivants peuvent utiliser pour entrer en contact avec la personne décédée.

N'ayant pas trouvé de cimetière, j'ai décidé que n'importe quel mémorial érigé à la mémoire des morts ferait l'affaire. Heureusement, il y avait deux de ces monuments bien en évidence dans le Vieux Carré. L'un d'eux était la statue du square Jackson. C'est là que je suis allée en premier, mais le petit parc à l'intérieur du square est entouré d'une clôture de fer qui était verrouillée, ce soir-là. Je suis certaine que des individus plus aventureux que moi ont réussi à sauter cette clôture et à se faufiler dans le petit parc, après les heures d'ouverture, mais les policiers ont l'habitude d'appeler cela « entrée non autorisée ». Pour ma part, je n'ai jamais aimé provoquer les autorités. Il me restait donc le mémorial que j'avais admiré plus tôt durant mon séjour.

Mes pas m'ont menée au bord du fleuve. J'ai déjà mentionné que mon sens de l'orientation n'est pas très bon. Cela est vrai dans toutes les villes que j'ai visitées dans ma vie, à l'exception du quartier français de La Nouvelle-Orléans. C'est peut-être à cause de la disposition quadrillée des rues, peut-être à cause de la taille relative des lieux. Et cela a peut-être à voir avec Papa Ghede, qui guidait mes pas en me suivant sur les talons. Je n'en ai pas la moindre idée, mais ce que je sais, c'est que pour une fois dans ma vie, je n'ai pas eu peur de me perdre ou de tourner en rond. J'ai trouvé ce que je cherchais sans grand problème, et étant donné l'heure, j'ai pu profiter d'une relative solitude.

Il y a une statue le long du trottoir qui borde le fleuve, au beau milieu d'une promenade de drapeaux. Je n'arrive pas à me rappeler ce qu'elle commémore, et je n'ai pas été dans le Vieux Carré depuis bien avant le passage de l'ouragan Katrina, ce qui fait que je ne suis pas retournée à la statue récemment. Mais il y avait une plaque indiquant qu'elle avait été érigée en l'honneur de quelque chose, et étant donné les circonstances, cela me convenait.

Je suis allée du côté de la statue qui faisait face aux parties les plus occupées de la promenade. Étant donné toutes les choses étranges et folles dont j'avais été témoin en marchant dans le Vieux Carré, ce week-end là, je n'avais pas pensé que quelqu'un pourrait s'arrêter pour me demander ce que je faisais là. Mais déjà, l'idée d'avoir à m'expliquer ne me souriait guère. Je m'étais donc accroupie dans l'ombre, j'avais ouvert la petite bouteille de rhum (une de ces petites bouteilles que l'on trouve dans les avions ou les minibars des hôtels), et j'en ai versé le contenu sur le sol en guise de libation. Ensuite, j'ai déballé le cigare et je l'ai déposé aux pieds de la statue. Je me suis remémoré l'image de l'homme aux lunettes miroirs, et j'ai prononcé le nom qui me paraissait si étrange : Papa Ghede. J'ai fermé les yeux en silence pendant un moment, espérant que Papa Ghede partageait mon opinion selon laquelle, dans la magie comme dans la prière, l'important est moins ce que vous faites que l'intention que vous y mettez.

Le vent s'est levé sur le fleuve, emportant avec lui une brise fraîche et humide. Je n'ai pas attribué ce vent à quelque phénomène surnaturel, mais la brise était agréable, en cette nuit chaude et collante.

Après le coup de vent, rien ne s'est produit. Je suis restée accroupie un moment, en restant mentalement ouverte aux communications paranormales. J'ai cru sentir une présence, mais elle est venue et repartie si vite que je n'en étais pas sûre du tout. Il est si facile de confondre la communication avec les esprits avec sa propre imagination, surtout lorsque vous vous attendez à ce qu'il se passe quelque chose. Ce soir-là, accroupie devant le mémorial près du fleuve, je ne savais pas à quoi m'attendre, mais étant donné la persévérance de mes récentes expériences, je m'attendais à quelque chose.

Au bout d'un moment, je me suis relevée et j'ai amorcé la longue marche vers mon hôtel, de l'autre côté de la rue Canal. J'ai laissé le cigare trempé du rhum que j'avais versé. Après toutes les choses que j'avais vues éparpillées sur les pavés de la rue Bourbon, j'étais à peu près certaine que personne ne pourrait remarquer un cigare isolé. Aucun spectre affublé de lunettes de soleil n'est apparu pour hanter mes pas, tandis que je rentrais à mon hôtel en longeant les rues désertes. Les seules personnes que j'ai croisées sur mon chemin étaient des voyageurs fatigués comme moi, suivant la berceuse des sirènes après les soirées interminables du week-end de l'Halloween.

L'absence de contact, après tant d'expériences répétées, me semblait bizarre. Carmel m'avait paru très convaincue que Papa Ghede voulait communiquer avec moi. Avais-je omis la mauvaise partie du rituel en décidant d'utiliser un mémorial général plutôt qu'une pierre tombale du cimetière ? Cela m'apparaissait possible. Mais peut-être que je ne savais tout simplement pas quoi chercher, ou même comment écouter. La question vaudou était un mystère pour moi, et à ce moment précis, le plus grand mystère était sans doute de savoir pourquoi un loa vaudou aurait voulu me contacter.

En rentrant chez moi, je me posais toujours les mêmes questions quant à mon expérience, alors je me suis plongée dans mes livres. Je voulais en apprendre davantage sur le mystérieux Papa Ghede et ce qu'il pouvait signifier pour moi. J'ai eu des frissons, la première fois que j'ai lu un article à son sujet. Voyez-vous, Papa Ghede est le Seigneur des morts dans le vaudou. Il est aussi connu comme le Baron Cimetière — le Seigneur du cimetière — ou Baron Samedi. Si Carmel avait mentionné ce nom, je l'aurais reconnu, bien qu'à travers le médium discutable d'un personnage dans un jeu de rôles.

Dans le Vaudou, le Baron apparaît souvent avec un chapeau haut de forme noir, une redingote noire et des verres en miroir. Au moins une des sources que j'ai consultées faisait remarquer qu'il manque normalement une des lentilles à ses lunettes de soleil, signe qu'il regarde dans les deux mondes, celui des vivants et celui des morts. En dépit de ses associations avec la mort, il est connu comme un être jovial qui aime s'amuser. À cet égard, il est un réel esprit à la croisée des chemins, parce qu'il regarde la sexualité et la fertilité tout en s'occupant de la mort et des personnes décédées. C'est pour cette raison que le Baron des cimetières est associé à saint Gérard, le saint catholique de la naissance. Pour lui, la vie et la mort font partie de la même porte tournante entre le monde des esprits et celui de la chair.

S'il se trouvait qu'un loa s'intéresse à moi, il était tout naturel que ce loa soit le Baron Samedi.

Depuis, mes voyages m'ont ramenée dans le Vieux Carré à plusieurs reprises. Chaque fois, pendant les premières heures où j'ai déambulé dans le quartier, je suis sollicitée par ce parfum de rhum et de cigare. Si je lève les yeux, il y a des chances que j'aperçoive cet homme souriant à la peau noire comme le pétrole, toujours affublé de ses lunettes en miroir. Il ne m'adresse jamais la parole, il se contente d'errer à l'orée de ma vision. J'ai fini par accepter que, malgré les impressions de Carmel, il ne désirait pas me parler. Il voulait seulement que je prenne conscience de sa présence. Je dois avouer que je n'ai jamais trouvé le courage d'assister à une cérémonie vaudou tenue dans le Vieux Carré durant l'Halloween. J'aurais l'impression d'être une étrangère essayant d'usurper la culture de quelqu'un d'autre. Le vaudou n'est tout simplement pas une culture qui m'appartient. Mais le Baron lui-même semble daltonien, alors peut-être que j'explorerai la chose un de ces jours. D'ici là, chaque fois que mes déplacements me ramènent à La Nouvelle-Orléans, à la veille de l'Halloween, je me fais un devoir de laisser une offrande de rhum et de cigare, afin de saluer la présence de Papa Ghede.

Départ tardif

Le problème, lorsque vous prenez des vacances, c'est que la pile de choses à faire ne disparaît pas parce que vous n'êtes pas là. À la minute où vous rentrez au travail, il y a toujours quelque chose qui vous attend. Je me rappelle avoir pris un congé de trois jours, au début de ma carrière d'auteur. J'avais quitté la ville pour une promotion ou autre chose. Mais une fois le week-end terminé, il m'avait fallu reprendre mon rythme quotidien. Comme l'écriture ne me permettait pas encore de vivre de ma plume, je faisais encore le quart de nuit dans un hôtel du quartier.

J'aimais ce travail, parce qu'il ne me causait aucun stress et qu'il me laissait le temps de me concentrer sur autre chose. Comme j'occupais un poste sans grandes responsabilités, les surprises qui m'attendaient après quelques jours de congé n'étaient jamais assez grosses pour me submerger. Habituellement, tout ce que j'avais, c'était une liste de chambres à tarif réduit à cause de problèmes d'entretien, et peut-être une note concernant l'arrivée d'un groupe de touristes de dernière minute (les groupes de touristes étaient le pain et le beurre de notre hôtel). Sinon, les urgences étaient plutôt rares.

J'adorais mon travail à l'hôtel, et cela me manque encore certains jours. Les gens me fascinaient, et un hôtel est le lieu idéal pour observer les gens. Vous finissez par voir des petits détails de leur vie, souvent sans leurs masques habituels, car le trajet les a fatigués et qu'ils ne cherchent pas à sauver les apparences, mais seulement à dormir un peu. J'ai vu des moments qui étaient charmants à fendre l'âme, comme ce jeune couple qui avait réussi à s'échapper pour la première fois, afin de vivre un moment en tête-à-tête. Ils n'étaient pas comme les adolescents qui viennent habituellement pour tenter de louer une chambre. Ils étaient tous deux en âge, mais ils étaient simplement et horriblement mal à l'aise avec ce qu'ils s'apprêtaient à faire. Le garçon voulait tellement s'assurer que tout serait parfait, et on pouvait lire dans les yeux de la jeune femme qu'ils auraient pu louer un taudis, pourvu qu'il fût avec elle, elle se serait crue dans un palais.

Mais toutes les bribes d'humanité qu'il m'a été donné de voir de derrière le comptoir n'étaient pas aussi flatteuses pour la race humaine. Tout comme il arrive souvent que les gens s'engouffrent dans une chambre d'hôtel pour une nuit d'amour torride, loin des commérages familiaux, il arrive qu'un genre plus brutal se serve de la solitude et de l'intimité relatives d'une chambre d'hôtel, pour d'autres choses. Durant mon quart de travail, j'ai eu l'occasion de connaître le service de police du quartier, parce que plus d'un fugitif avait décidé de se réfugier dans notre hôtel. Situé près d'une grande autoroute, l'hôtel était un emplacement de choix pour un individu en fuite.

Cette situation donnait lieu à un autre problème qui se présentait parfois à notre hôtel. Croyez-moi quand je vous dis que mon hôtel n'était pas le seul établissement où certaines personnes venaient dans le but de s'enlever la vie. La même situation, aux abords de l'autoroute, qui faisait de l'hôtel une bonne cachette pour quelqu'un qui fuyait la loi, en faisait également l'endroit idéal pour quelqu'un qui voulait fuir la vie. Après tout, le suicide est une fuite en soi. C'est la méthode ultime pour échapper à une situation. Très souvent, celui ou celle qui songe sérieusement à faire ce pas fatal va sauter dans sa voiture pour une longue randonnée. C'est en partie pour s'éloigner de la source de son malheur, qui est presque toujours un problème familial. Mais c'est aussi en partie pour se donner le temps de réfléchir à la suite des gestes qu'il posera ensuite.

Ces promenades nocturnes mouillées de larmes se terminent souvent par un retour à la maison, avec les idées plus claires et une nouvelle capacité de faire face aux problèmes de la vie. Mais parfois, la promenade n'a pas suffi, et ils lèvent les yeux pour se retrouver aux abords d'un hôtel abordable. Ils sortent de l'autoroute et prennent une chambre, en se disant que ce sera plus facile de penser s'ils sont seuls. Ce type d'individus s'enregistrent, parce qu'ils ne sont pas encore sûrs qu'ils veulent franchir ce dernier pas pour échapper à leurs problèmes. Ils se disent qu'une bonne nuit de sommeil pourrait les aider à remettre les choses en perspective. D'autres le font parce que leur décision est déjà prise, et qu'ils ne veulent pas être interrompus. J'ai entendu dire par une ou deux personnes qui ont failli opter pour cette solution, qu'ils s'étaient retrouvés à l'hôtel, car ils ne pouvaient pas s'imaginer mettre les gens qu'ils aimaient dans la situation de les retrouver une fois que tout était fini. Ils préféraient qu'un étranger soit chargé de nettoyer les lieux, plutôt que d'obliger leurs enfants, leur conjoint ou un autre parent à laver les taches de sang sur le tapis ou de rincer la baignoire. D'une manière ou d'une autre, ce genre de personnes prennent une chambre à l'hôtel, afin de s'éloigner des gens qu'ils connaissent, et parfois, le matin venu, ils repartent et retournent vers leurs proches. De temps à autre, quelqu'un comme moi va téléphoner à leur chambre pour leur demander s'ils désirent reporter l'heure du départ.

On finit toujours par les trouver. Et après le coroner et la police, après l'équipe de nettoyage et les services très coûteux qui existent pour s'occuper du genre de dégâts que la mort peut laisser derrière elle, après tout cela, il fallait louer la chambre à d'autres clients et ne jamais parler de l'incident. Cette loi du silence est maintenue pour préserver l'intimité de l'individu et de la famille, autant que pour ne pas nuire aux affaires de l'hôtel. Si vous saviez que quelqu'un avait mis fin à ses jours par désespoir, dans le lit où vous dormez, seriez-vous capable de rester dans cette chambre ? Ou de vous allonger dans la baignoire, en sachant que le sang de quelqu'un s'était écoulé lentement par le tuyau d'écoulement ?

L'ignorance est une bénédiction, et l'industrie hôtelière compte là-dessus.

Il y avait eu trois décès à mon hôtel. Tous avaient eu lieu durant les années qui avaient précédé mon entrée en fonction. L'un des trois était à n'en pas douter un suicide. Un autre était dû à une cause naturelle, et apparemment, l'autre faisait encore l'objet d'une enquête, car nous n'avions même pas la permission d'en discuter entre nous, les employés de l'hôtel. Au moins deux personnes en lien avec ces morts hantaient l'hôtel. Avec les années, j'avais fini par les connaître ; je m'étais même attachée à eux. C'étaient des esprits sans malice. La plupart des fantômes qui erraient dans les corridors ou qui hantaient les chambres de cet endroit étaient sans malveillance, et il était très facile de s'habituer à leur présence nocturne. Ils sortaient rarement pour faire des bêtises, et la seule entité qui causait effectivement des problèmes restait toujours sur son territoire, qui était la cuisine. Elle frappait parfois les pots et les casseroles, et elle rendait cette pièce de l'hôtel froide à glacer les os, mais la plupart du temps, elle restait dans son coin.

Pour dire vrai, j'avais fini par voir les esprits de l'hôtel comme des compagnons et des amis. Quelques-uns se promenaient parfois près du comptoir de la réception, au petit matin, comme s'ils voulaient me faire un petit salut en passant. Je sais que d'autres employés trouvaient cette attitude effrayante, et c'était une des raisons pour lesquelles la direction de l'hôtel avait du mal à garder ses employés, en particulier dans la position que j'occupais. Durant la journée, il était parfois possible d'oublier à quel point l'hôtel était spirituellement actif. Durant le troisième quart de travail, quand tous les clients s'étaient retirés pour la nuit, c'était beaucoup plus difficile de nier la présence des fantômes.

La sincère familiarité des esprits de l'hôtel est une des raisons qui a fait que, en rentrant de vacances cette semaine-là, j'ai tout de suite su que quelque chose n'allait pas. Au début, je n'y ai pas fait trop attention, car je me disais que mon malaise avait rapport avec le fait d'avoir à laisser derrière moi le glamour de la grosse cité pour retrouver mon poste secondaire au comptoir de la réception. À l'époque, je vivais dans deux mondes à la fois, ce qui n'était pas toujours de tout repos ; il y avait Michelle, la teneuse de livres du quart de nuit, effacée et efficace, et Michelle, la charismatique auteure de livres sur les vampires. Après avoir passé beaucoup de temps dans un rôle, j'avais parfois du mal à endosser l'autre rôle.

Je n'avais donc pas trop réfléchi à l'impression étrange que j'avais ressentie en rentrant à l'hôtel, ce soir-là. J'avais mis cela sur le dos d'une difficile transition. La personne qui avait assuré le deuxième quart de travail m'a informée sur l'occupation des chambres et tout le reste, mais il était toujours pressé de rentrer et de quitter le travail. Il s'est sauvé sans perdre une minute, et très vite, je me suis retrouvée toute seule. C'était un lundi soir, un soir de grande solitude. Les affaires de l'hôtel avaient décliné, depuis le 11 septembre, mais même avant les événements, les lundis n'avaient jamais été des jours très occupés.

Sans me laisser décourager par le manque de compagnie, j'ai sorti mon ordinateur portable et j'ai commencé à travailler à un article pour mon site Internet. J'ai beaucoup écrit à cet hôtel, et si vous possédez un de mes tout premiers livres, il y a de bonnes chances que vous ayez un livre qui, au moins en partie, a été écrit derrière le comptoir de la réception.

Lorsque j'écris, je me laisse complètement emporter par l'écriture. Il m'est arrivé très souvent qu'un client se présente à la réception sans que je remarque sa présence, jusqu'à ce qu'il fasse du bruit pour attirer mon attention. Les clients réguliers qui me connaissaient ne s'en offusquaient jamais, et la plupart des nouveaux clients devaient se dire que, puisque je travaillais de façon si concentrée à l'ordinateur, cela faisait certainement partie de ma tâche à l'hôtel. Tout de même, ce n'était pas comme si je faisais cela pour déplaire. Mais je pouvais facilement me laisser distraire par mon travail.

J'avais déjà écrit la moitié de mon article, quand un bruit m'a fait sursauter. J'ai entendu quelqu'un se racler la gorge. Ce n'était pas exactement le bruit que font les clients, mais j'ai levé la tête pour accueillir la personne et commencer la procédure d'enregistrement.

Il n'y avait personne.

Il faut que je vous dise qu'un des autres fantômes de l'hôtel avait l'habitude de se pointer à la réception le soir. Par contre, il annonçait toujours sa présence par un ensemble d'actions qui ressemblait fort à un rituel. Le rebord du comptoir couinait, lorsque vous vous y appuyiez, et il se penchait en avant, faisant grincer le comptoir sous son poids inexistant, puis il cognait sur le bois avec ses jointures. Il était quasiment invisible pendant tout ce temps, mais vous pouviez sentir sa présence, lorsqu'il se penchait au-dessus du comptoir. Le bruit que j'avais entendu n'avait rien à voir avec ce rituel, et la présence que j'ai ressentie de l'autre côté du comptoir n'était pas la sienne. Notre capricieux voyageur d'affaires pouvait parfois se montrer mélancolique, mais la plupart du temps, c'était un fantôme amical et passif. À présent, celui que je sentais de l'autre côté du comptoir n'avait rien d'amical. Il bouillait de colère et d'impatience. J'étais là, submergée par des vagues de furie et d'accusation inexplicables, complètement déroutée par la présence que je sentais. Ce n'était pas un de nos fantômes habituels. Et, qui que ce soit, il avait passé une très mauvaise journée.

Je ne suis pas toujours à l'aise à l'idée de m'adresser à haute voix aux esprits, tout au moins pas lorsqu'il y a d'autres personnes à proximité. J'ai toujours peur de passer pour une de ces personnes déséquilibrées qui parlent allègrement à des choses qui ne sont pas là. Mais, seule à l'hôtel, lorsqu'il n'y a personne pour assister à la scène, il m'était plus facile de parler à haute voix pour communiquer. Je me sentais toujours un peu bizarre, mais c'est une des manières les plus faciles de rentrer en contact avec les esprits.

Les esprits eux-mêmes n'ont pas vraiment besoin d'entendre nos paroles. Leur méthode de communication s'apparente davantage à de la télépathie. Mais je trouve que c'est plus facile de clarifier mes propres intentions en parlant, au lieu de simplement projeter ma pensée en direction de l'esprit. Je trouve également qu'ainsi, la communication paraît un peu plus normale, en tout cas, tant que personne n'entre dans la pièce et n'est témoin de ma conversation avec l'air.

— Je ne sais pas qui vous êtes, ai-je commencé prudemment. Et je ne sais pas ce que vous voulez. Mais vous feriez mieux de vous calmer. Je comprends que quelque chose vous contrarie, mais si vous ne vous calmez pas, je ne vous parlerai pas.

Ce qui s'en est suivi, c'est un barrage de sensations que j'ai mises un moment à décrypter. La communication avec les esprits peut être difficile à décrire. À la minute où je l'exprime en mots, cela devient soudain plus net et clair que ce ne l'est vraiment au moment où ça se produit. Je reçois des messages des esprits, et si je veux partager ces messages avec les autres, il faut que je les traduise en mots. Je fais de mon mieux pour conserver le ton et l'impression qui est unique à l'esprit, mais les mots restent les miens. De la part de l'esprit, la communication est souvent un éclair d'une fraction de seconde de données, qui ont tant de couches superposées de sens et d'émotions, qu'il faut plus de temps pour le comprendre que pour le recevoir. À de très rares occasions, il m'arrive de rencontrer un esprit qui peut communiquer de telle manière que j'ai l'impression que j'entends vraiment quelqu'un parler à mon oreille. Mais ce genre d'échange est rare, et je crois que cela dépend davantage des capacités de l'esprit que de celles du récepteur. Le plus souvent, la communication spirituelle se résume à ce barrage d'images et de sensations, et c'est à moi de faire le tri et de remettre en ordre ce qui ne l'était pas au départ.

Cet esprit, avec son bagage d'émotions extrêmes, était plus incohérent que la majorité. J'ai eu l'impression que mon visiteur était une femme. Je n'ai pas senti qu'elle était âgée, mais je n'ai pas eu non plus l'impression qu'elle était très jeune. J'ai cependant perçu un sentiment de fatigue qui m'a fait déduire qu'elle pouvait se situer vers la fin de la trentaine, à une époque de sa vie où elle sentait que son bel idéalisme et les promesses de sa jeunesse étaient révolus. Pas une seule fois, je ne l'ai vue, mais j'ai tout de même capté une impression de son apparence. Pas très grande, peut-être un mètre soixante-cinq, soixante-dix tout au plus. Cheveux blonds, teints. J'ai eu l'impression que sa peau était soit foncée ou très bronzée. Et, étrangement, j'ai eu l'impression d'un certain accent, comme si elle était de Virginie-Occidentale ou de quelque part dans le sud des États-Unis.

Je savais d'expérience que ces détails concernant son apparence avaient beaucoup à voir avec l'image qu'elle se faisait d'elle-même. Les fantômes ne sont pas physiques. Tout ce qu'ils possèdent, c'est le souvenir de leur corps. Le plus souvent, ces souvenirs sont idéalisés, parfois enjolivés pour être plus beaux qu'ils n'étaient, parfois déformés pour être plus laids. Certains esprits sont tellement déconnectés de ce qu'ils ont été, que l'image qu'ils projettent se résume à de grosses tâches imprécises ressemblant vaguement à la forme qui fut un jour la leur. D'autres sont si totalement attachés à la vie qu'ils ont menée, qu'ils nous paraissent presque aussi solides qu'une personne vivante. Pour une bonne part, cela dépend vraiment de leur état émotionnel, de la manière dont il se sente par rapport à leur vie passée. Et puis, les apparences peuvent changer, en fonction de l'état émotif de l'esprit, de sorte qu'une chose qui, à l'origine, pouvait paraître laide et inhumaine, pourrait, lorsqu'il fait la paix avec sa vie, se transformer en une chose qui brille d'une lumière dorée.

Avec des détails comme une peau trop bronzée et des cheveux blonds, peroxydés et cassants, je savais que l'esprit à qui j'avais affaire était encore très attaché à la vie qu'il venait de quitter. Et elle ne se voyait pas sous la lumière la plus favorable. Sa colère, sa frustration et sa déception étaient si fortes, qu'il était difficile d'en trouver la source, mais tout cela se résumait dans la sensation d'une question urgente :

« Pourquoi ? Pourquoi suis-je toujours ici ? »

Je n'ai pas entendu les mots, mais après avoir été écrasée par ce flot d'émotions, j'avais fini par comprendre leur signification. Un peu de logique mélangée à un brin de déduction, et j'ai cru avoir une bonne idée de ce qui se passait. La femme qui était devant moi s'était suicidée. Je présumais qu'elle était venue à mon hôtel, pour se retrouver très loin des émotions non résolues qui l'avaient troublée. Elle était venue ici pour fuir les soucis et la douleur, et maintenant, elle était là, coincée exactement dans l'instant de ces sensations qui l'avaient conduite à chercher l'oubli. Rien n'avait été résolu. Elle n'avait pas pu fuir. Et maintenant, elle voulait savoir pourquoi.

Le suicide, lorsqu'on l'aborde avec tout le sérieux qu'il mérite, tient normalement à l'idée qu'il n'y a rien après la vie. Un suicidé se fait prendre au jeu de l'oubli. Il veut fuir sa souffrance, ses responsabilités, les conséquences de ses mauvais choix. Malheureusement, les quelques suicidés que j'ai rencontrés en esprit ont tous perdu leur pari. Ils ont trouvé la force de faire ce saut ultime et terrible, et la plus grande part de leur courage résultait uniquement de la certitude que ce serait la fin. Et alors, une fois la poussière retombée sur leur vie mortelle, ils se sont réveillés pour s'apercevoir que la mort ne signifiait pas que tout était terminé. La mort voulait seulement dire qu'à présent, ils n'avaient d'autre choix que de ruminer la souffrance et l'agitation qui les avaient poussés à poser ce geste fatal. C'est l'enfer dans ce qu'il y a de mieux. Cette femme, en particulier, s'était sentie trahie par la réalité. Où était l'oubli tant souhaité ? Où était son sentiment de délivrance ? Pourquoi se sentait-elle comme la même personne, écrasée sous le poids des mêmes fardeaux ?

Elle se tenait dans le hall de l'hôtel, et me criait métaphoriquement ces questions. Pour un observateur extérieur, il se passait bien peu de choses, et même à mon sens, il n'y avait que l'impression de sa tempête émotionnelle, comme un écho lointain de cris et de pleurs. Et néanmoins, cela était très réel et tenace. Et elle refusait de s'en aller.

De mon côté, j'essayais de lui expliquer les choses. J'avais fini par cesser de me sentir ridicule à parler au vide, et je lui ai simplement donné ce dont elle avait besoin : un conseil. Comme vous avez pu le lire dans les paragraphes précédents, je ne suis pas vraiment d'accord avec le suicide comme moyen d'échapper à ses problèmes terrestres, mais je peux comprendre l'impulsion qui le sous-tend, ce besoin irrésistible de fuir. Alors je lui ai parlé, et je lui ai expliqué que maintenant elle disposerait de beaucoup de temps pour réfléchir à ses problèmes, et qu'elle devrait faire la paix avec eux si elle voulait continuer d'avancer.

Elle ne voulait rien entendre. Peu importe ce qui avait pu la conduire à cette issue, tout cela était trop soudain, trop crue pour qu'elle puisse même envisager de commencer à lâcher prise. Plus j'essayais de la calmer, plus sa colère grandissait. Au début, j'ai eu l'impression de l'avoir vexée. Un moment elle était là, puis sa présence s'estompait et laissait ce subtil espace vide dans la réalité. J'ai haussé les épaules et j'ai repris l'écriture de mon article, en me disant que je demanderais au gérant s'il avait vu une petite femme aux cheveux teints en blond. Il semblait bien que son suicide ait eu lieu récemment, mais le commis du deuxième quart de travail n'avait rien dit à ce sujet. Si cela s'était produit dans notre hôtel, durant le week-end, il y aurait certainement une note dans le grand livre, n'est-ce pas ?

Je n'ai pas vraiment eu le temps d'y penser, car elle est revenue à la réception avec la force et la fureur d'un ouragan. Tout la mettait en colère, et à présent, elle passait la majeure partie de sa colère sur moi, apparemment parce que je lui avais dit des choses qu'elle ne voulait pas vraiment entendre. Elle s'est mise à donner des coups, essayant de casser des objets. Au début, son énergie était trop chaotique pour la diriger, de sorte que mis à part un sentiment de mouvement, elle n'était pas vraiment capable de frapper quoi que ce soit ou de décrocher les cadres accrochés au mur. Elle n'arrivait même pas à faire bouger un crayon, et cela, je crois, la rendait encore plus furieuse.

Les lumières ont clignoté. Il y en a même une, directement au-dessus de l'endroit où elle se « tenait », qui a brûlé. Cela leur demande un immense effort de mettre en œuvre la force cinétique nécessaire pour déplacer des objets. Il semble toutefois que les déplacements d'énergie — changements de température, interférence électrique — soient beaucoup plus simples à accomplir. J'ai pu l'observer à l'œuvre.

Et elle est allée tout droit à l'ordinateur de l'hôtel.

L'alarme d'urgence s'est déclenchée, et sa lumière rouge s'est mise à clignoter, puis s'est éteinte. Au même moment, les images des deux écrans en face de moi ont émis des rais de lumière, avant de disparaître complètement.

Rien ne se compare au fait de lutter contre quelque chose qui est là sans y être vraiment, que vous pouvez voir sans vraiment le voir. Pendant que je me battais pour que les ordinateurs de l'hôtel continuent à fonctionner, une autre lumière de la réception a éclaté avant de s'éteindre. Je me sentais désolée pour elle, mais cela commençait à bien faire.

— Écoutez, madame ! ai-je crié dans la réception de l'hôtel. Je suis désolée si vous pensez avoir hérité du mauvais bout du bâton, mais ce n'est pas une raison pour vous en prendre à moi. Calmez-vous, tout de suite !

Aurais-je dû avoir peur ? Une décennie auparavant, j'aurais sans doute été scindée entre l'excitation et la peur. Mais il y avait, dans l'aspect très humain de sa colère, quelque chose qui me faisait réagir davantage comme si j'avais affaire à un être vivant faisant un caprice, qu'à quelque effrayant esprit frappeur — ce qu'elle risquait de devenir si elle ne se calmait pas tout de suite. En dépit de ce qu'elle avait réussi à faire aux ordinateurs, je n'avais pas peur. Mais je commençais à en avoir assez.

C'était une nuit particulièrement frustrante, pour elle comme pour moi. Je remettais les ordinateurs de l'hôtel en bon état de marche, en convaincant en douceur le système archaïque de se relancer et de se remettre en route. Elle pestait encore un peu, disparaissait (vraisemblablement en retournant dans sa chambre), puis revenait encore plus énervée que la dernière fois. Il y aurait une autre panne de courant, et les ordinateurs de la réception allaient s'éteindre une fois de plus. Cela me mettait vraiment en rage lorsqu'elle faisait cela au milieu du quart de nuit, un processus qui retourne le système qui passe d'une nuit à la suivante. Si le processus est interrompu, il vous faut tout redémarrer depuis le début, ce qui immobilise l'ordinateur, de sorte que vous devez enregistrer à la main les clients qui arrivent ou qui désirent payer la note, durant cet intervalle.

Elle a bousillé les ordinateurs trois fois, au beau milieu du quart de nuit. J'aurais eu envie de la tuer, si elle ne l'avait pas déjà fait elle-même. Nous nous sommes relancé la balle, toute la nuit ou presque. Autour de cinq heures du matin, elle a fini par laisser tomber et par disparaître pour de bon. Je m'empressais de terminer les enregistrements de la nuit, alors que la plupart des clients de l'hôtel venaient payer leur note, si bien que je n'étais pas de très bonne humeur.

Maintenant, je peux parfois me comporter comme un esprit frappeur moi-même. C'est une combinaison de mes talents psychiques et de ma formation de thérapeute énergétique. Les mauvais jours, une migraine peut bousiller les ordinateurs précisément de la même façon qu'elle l'avait fait, ce qui explique en partie pourquoi je n'étais même pas étonnée qu'elle y soit parvenue. Tout au moins, cela veut dire que lorsque je suis contrariée, je projette cette émotion à peu près de la même manière que le fantôme l'avait projetée durant la nuit. Ceux et celles qui y sont sensibles entreront dans la pièce et saisiront aussitôt mon humeur. Au fil des ans, mes colocataires et d'autres amis m'ont dit que cela n'est pas particulièrement agréable, c'est pourquoi je fais un effort pour ne pas perdre mon sang froid. Je ne réussis pas toujours, mais j'essaye.

Hélas, après mon combat nocturne contre ce fantôme colérique, je bouillonnais de rage et de frustration, ce qui n'était pas sans me rappeler l'attitude de mon fantôme. Mon gérant, un adorable homme gai dans la cinquantaine qui pétillait d'exubérance chaque fois que je le voyais, s'affairait derrière le comptoir de la réception pour commencer sa journée. Il était venu me saluer avec le même entrain matinal que d'habitude, mais les mots étaient restés coincés dans sa gorge, lorsqu'il avait croisé mon regard. Pendant un moment, il s'est contenté de bredouiller, puis il m'a regardé d'une drôle de manière. Son regard disait clairement qu'il ne voulait pas vraiment savoir, pas plus qu'il ne voulait rester là pour le découvrir. Il a tourné les talons et est allé s'enfermer dans son bureau, en mettant le volume au maximum pour écouter Cher. (Je sais que c'est cliché, mais il écoutait Cher, chaque matin, en rentrant au bureau.)

Il est resté caché dans son bureau un bon moment ; il ne voulait même pas savoir ce qui n'allait pas. J'ai pris deux ou trois bonnes respirations pour tenter de maîtriser une partie de l'énergie colérique que je sentais bourdonner autour de moi. J'étais d'humeur un peu moins assassine, mais j'étais toujours contrariée. Je voulais des réponses.

Le pauvre Jeff a failli s'étouffer, quand j'ai ouvert la porte de son bureau. Il a levé les yeux d'un air contrit et a essayé de revêtir son masque professionnel.

— Michelle, a-t-il dit. Que puis-je faire pour vous ? Avez-vous eu des problèmes, la nuit dernière ?

J'ai levé les yeux au ciel.

— Disons cela comme ça, ai-je répondu en laissant tomber mes rapports sur son bureau.

Avec autant de nonchalance que j'en étais capable dans les circonstances, j'ai ajouté : « Alors, quand comptiez-vous m'informer qu'une femme s'était ôté la vie ? »

Cette fois, j'ai pu lire la peur dans les yeux de Jeff. Ce n'était pas exactement la crainte de moi, mais cette inquiétude fugace et coupable qu'éprouve un employé lorsqu'il croit que son emploi est menacé. Il a jeté un regard rapide à tous les papiers qui traînaient sur bon bureau, l'air de vérifier si quelque document incriminant aurait été oublié là.

— Qui vous l'a dit, a-t-il demandé. Bon sang ! J'avais demandé à tout le monde de garder le secret. Jesse veut avoir ma peau !

— Personne ne me l'a dit, ai-je répondu. C'est ça le problème. La folle a passé la moitié de la nuit à m'empoisonner la vie. Elle a bousillé les ordinateurs trois fois durant mon quart de travail.

N'ignorant pas que des fantômes hantaient l'hôtel, pas plus que mes capacités de les percevoir, Jeff a pâli en entendant cela.

— Elle était ici, vous l'avez vue ?

— Si elle est petite et blonde et qu'elle parle avec un accent de la Virginie, oui, ai-je dit.

Les mains tremblantes, Jeff fouillait dans un des tiroirs de son bureau et en a sorti une carte d'enregistrement. On pouvait y lire le nom d'une femme et une adresse en Virginie Occidentale. J'ai pris la fiche et l'ai examinée. Ce qui m'embêtait le plus, c'était que cette personne avait loué une chambre pour deux nuits. Les autres suicidés dont j'avais entendu parler étaient tous arrivés et repartis le même soir.

— Elle avait pris le temps de réfléchir à son geste, ai-je dit à haute voix.

Jeff a haussé les épaules.

— Tout ce qu'on sait, c'est qu'elle a appelé la réception samedi pour nous dire qu'elle gardait la chambre encore quelques heures. Personne ne s'est posé de questions. Les gars se rappelaient l'avoir vue au bar, samedi soir. Il paraît que c'était une vraie bombe à retardement.

— À qui le dites-vous, ai-je marmonné.

— C'est Nancy qui l'a trouvée. Elle avait fait cela sur le lit. Un affreux gâchis. Jesse ne voulait pas que cela s'ébruite. Ce genre d'incidents sont très mauvais pour les affaires, a expliqué Jeff.

— Ce qui est mauvais pour les affaires, c'est qu'elle bousille les ordinateurs au point que je ne peux même pas exécuter mes tâches, durant la nuit, me suis-je plainte. J'ai été gentille la nuit dernière, Jeff. J'ai déjà débarrassé les demeures de bien des gens des folles dans son genre, mais de toute évidence, elle était furieuse. Mais si elle revient ce soir et qu'elle me donne autant de fil à retordre, je vous jure que j'utiliserai tous les trucs énergétiques que je connais pour l'expédier sans retour dans l'Au-delà. Normalement, je ne préconise pas la manière forte pour obliger les esprits à poursuivre leur chemin, mais c'était vraiment une enquiquineuse de première.

Jeff a acquiescé. Puis, en remettant la carte d'enregistrement dans son tiroir, il a ajouté :

— J'aimerais beaucoup que vous gardiez cela pour vous. Et si elle cause encore des problèmes à l'hôtel, je vous en prie, faites ce qu'il faut pour nous en débarrasser. Je me réjouis que quelqu'un comme vous soit là pour s'occuper d'incidents de ce genre.

Le silence s'est installé entre nous pendant quelques instants, et Jeff m'a regardée affectueusement. Nous avions une relation étrange, car j'étais une des rares personnes, à l'hôtel, qui était au courant, non seulement de son orientation sexuelle, mais aussi de ses dons psychiques.

— Vous savez Jeff, j'ai parfois l'impression d'être folle, ai-je avoué. J'ai passé la moitié de la nuit à me disputer avec une femme invisible, à la réception. Mais, elle était vraiment petite et blonde, avec un accent du sud ?

Jeff a aquiescé.

— Comment se fait-il, ai-je dit songeuse, que je me sens toujours un peu plus folle lorsque j'apprends que c'était la vérité ?

J'ai laissé Jeff à ses tâches matinales, puis je me suis acquittée de la dernière demi-heure de mon quart de travail. Enfin, le soir suivant, j'ai emporté mon matériel de chasseuse de fantômes, soit une clochette et quelques outils tibétains que j'avais trouvé très utiles pour amplifier mon style de travail énergétique. Mais je n'ai pas eu besoin de m'en servir. La dame n'est plus jamais apparue, en tout cas pas devant moi. J'ignore si mes menaces avaient fini par lui faire peur ou si j'avais réussi à communiquer avec elle. Aucun client, qui a occupé sa chambre, ne m'a jamais rien rapporté d'anormal non plus, ce qui fait que je ne peux qu'espérer qu'après mettre mise en colère, elle avait vu les choses sous un angle différent et avait poursuivi son chemin.

Libérer les ombres

Mes années d'université n'étaient pas délirantes, mais à cause de mes dons psychiques, j'ai dû faire face à des difficultés sociales croissantes. Les phénomènes psychiques ne sont pas très bien acceptés (encore moins dans une université catholique administrée par des Jésuites), et des expériences répétées peuvent faire en sorte qu'une personne se sente marginalisée, aux prises avec un secret qu'elle ne peut révéler qu'à quelques proches, afin de ne pas être la risée de tous et se faire pointer du doigt. Personnellement, cela n'a pas été facile de composer avec mon talent, et durant ce processus, j'ai subi des dommages collatéraux. Ce sont surtout mes relations personnelles avec mes proches qui en ont fait les frais. Comment s'ouvrir aux autres, quand on n'est pas certaine de croire en soi-même ? Ma réponse : impossible. Aussi ne me reste-t-il, de ces temps difficiles et expérimentaux, qu'une petite poignée d'amis. Comme l'indiquent plusieurs des histoires contenues dans ce livre, Dominic St Charles est l'un d'entre eux. Il m'est resté fidèle dans les bons moments comme dans les moments difficiles, en dépit du fait que ma vie prenait parfois une drôle de tournure.

Dominic lui-même est un curieux personnage. J'ai fait sa connaissance alors que je faisais partie du groupe de jeux de rôles de notre université, comme je l'ai mentionné dans « La chose dans le vide sanitaire ». Je connais donc Dominic depuis ma deuxième journée d'université. À l'époque, il était une contradiction ambulante. Amateur de jeux de rôles, il était aussi sportif (c'était remarquable dans un monde où, en règle générale, les adeptes de jeux de rôles et les sportifs ont des personnalités diamétralement opposées). Il admettait que sa mère était une sorcière blanche, mais lui-même était un fervent catholique, bien que très tolérant vis-à-vis des autres religions. Il était fan de l'équipe de hockey des Pinguins de Pittsburgh, non-violent convaincu, mais il aimait quelques-uns des groupes métal les plus sombres que je connaissais. Faisant plus d'un mètre quatre-vingt-quinze, avec ses longs cheveux blonds et d'un tempérament plutôt enjoué, il aimait malgré tout fréquenter les fous du noir, comme moi, qui ont fini par se faire connaître partout sous le nom de Gothiques.

Durant toutes les années où je l'ai fréquenté, ce modèle de contradiction s'est accentué. Voyez-vous, Dominic ne croit pas vraiment aux fantômes ou aux phénomènes paranormaux. Il accepte l'idée que certaines personnes soient capables de sentir ou de voir des choses, mais il continue de proclamer son ignorance du monde de l'invisible. Il ne s'est jamais senti obligé de croire. Malgré cela, j'ai connu un grand nombre de mes expériences surnaturelles les plus étonnantes en sa présence. Dominic était là à Whitethorn Woods, et il lui arrive encore de raconter cette expérience dans les soirées. Il ne niera pas avoir vu des choses dans la forêt hantée du nord-est de l'Ohio, mais ce qu'il y a vu était pour la plupart des phénomènes physiques. Malgré toute la folie qui régnait à Whitethorn, Dominic n'a jamais fait directement l'expérience de ce qu'il aurait pu reconnaître comme une impression psychique. Il garde ainsi un scepticisme prudent en ce qui concerne la vraie nature de l'univers paranormal.

Étant donné l'ambivalence de Dominic face aux fantômes et aux phénomènes de hantise, il m'avait semblé parfaitement normal qu'il habite une des maisons les plus spirituellement actives que j'aie vue de ma vie.

Située dans un quartier relativement tranquille, tout près du district historique Bronzeville de Chicago, à un jet de pierre à peine du vieil enclos de vaches, la maison était un immeuble de trois étages, située sur un coin de l'avenue South Union. Avant que Dominic n'y emménage, la maison avait été divisée en appartements. Le rez-de-chaussée était occupé par un salon de beauté, et les autres étages étaient divisés en deux logements séparés. C'était une vieille bâtisse, mais personne ne connaissait la date exacte de sa construction, bien que Sophia, qui était alors la colocataire de Dominic, avait appris que le salon de beauté avait été un bar, dans les années soixante et soixante-dix.

Comme on pouvait s'y attendre de la part de Domnic, il était lui-même inconscient des occupants fantomatiques dans sa nouvelle résidence, même si Sophia avait immédiatement ressenti les esprits. Ils paraissaient tous inoffensifs, sauf un. Trois escaliers permettaient d'accéder aux appartements, et ces escaliers étaient particulièrement raides. Comme ils devaient monter et descendre ces marches plusieurs fois par jour, je comprenais pourquoi Dominic et Sophia gardaient la forme. L'esprit en question semblait se tenir tout en haut de ce long escalier, attendant avec jubilation l'occasion de pousser quelqu'un en bas des marches — ou tout au moins, de le regarder tomber. L'esprit lui-même ne semblait pas posséder une force physique suffisante pour offrir une solide poussée physique. C'était plutôt comme s'il insinuait dans votre tête l'idée qu'il souhaitait vous voir tomber.

C'est dur, pour les nerfs, de descendre un long escalier, raide et mal éclairé, avec l'impression insistante qu'une chose ratatinée (impossible de dire si la chose était mâle ou femelle) se tient derrière vous, déterminée à vous pousser en bas des marches. Les toutes premières fois, on peut croire que c'est la façon dont elles sont faites qui inspire cette peur de tomber. À certains endroits, le tapis est usé et forme un dangereux arrondi ; les marches elles-mêmes sont très étroites, en plus d'être plus abruptes que d'ordinaire. N'importe qui pourvu d'un soupçon de bon sens serait un peu nerveux en descendant ces marches. Mais l'impression d'une présence malveillante ne vous lâchait pas. Chaque fois que je me tenais en haut des escaliers, j'avais des visions fugitives d'une présence derrière moi et d'une longue chute douloureuse. C'était peut-être seulement l'écho d'un événement passé, mais il recelait une méchanceté omniprésente, que l'on aurait dit à la fois délibérée et parfaitement consciente. En comparant mes notes avec celles des autres, j'ai découvert que je n'étais pas la seule à ressentir cela, ce qui ajoutait foi à l'idée qu'il s'agissait bel et bien d'un fantôme et non d'une anxiété naturelle due à la configuration des marches.

Fidèle à lui-même, Dominic ne sentait pas l'esprit, même s'il acceptait les affirmations des autres qui juraient qu'il existait. Puis un jour, Sophia a invité un de ses amis, un médium spirite très doué. Il a fait le tour de l'appartement et a repéré pas moins de six fantômes différents. Le plus bénin d'entre eux s'est avéré être un hippie mort qui avait un lien avec le bar qui occupait autrefois le rez-de-chaussée. Maintenant, il errait surtout dans la chambre d'amis, où Dominic gardait tout son matériel. De toute évidence, c'était la quantité d'instruments de musique qui l'attirait là. Il paraissait aussi totalement inconscient qu'il était mort. Ayant passé une grande partie de ses jours dans les brumes engourdissantes de la drogue, les limbes où il se retrouvait à présent ne lui semblaient tout simplement pas étranges. Je ne comprends pas du tout comment on peut être mort et toujours drogué, mais ce gars semblait s'en sortir très bien.

Quand je rendais visite à Dominic et Sophia, je dormais souvent dans la chambre d'amis transformée en placard à guitares. J'aurais bien aimé qu'ils me préviennent de la présence du hippie stone. C'était profondément troublant de me réveiller, une nuit, et d'apercevoir une silhouette sombre qui m'observait, debout dans le cadre de la porte. Comme il avait les cheveux longs, je l'avais d'abord pris pour Dominic, mais ensuite, quand la brume a semblé se dissiper, j'ai remarqué sa barbe de quelques jours et ses lunettes rondes à la John Lennon. Une fois parfaitement réveillé, j'ai pu voir à travers ce visiteur nocturne, et comprendre que la plupart des impressions que j'avais de sa forme physique ne me venaient pas de mes yeux. Il paraissait tout aussi surpris de me trouver couchée là, que je l'étais de constater son existence. Mais fidèle aux habitudes des vrais drogués, il s'est éloigné tranquillement, sans doute pour errer sans but dans d'autres parties de l'appartement.

Comme l'endroit était toujours très animé, ce genre de rencontres faisait partie de la routine, et j'avais simplement appris à m'y attendre lorsque je venais voir mes amis. Comme on m'avait invitée à faire partie du chœur dans le groupe de Dominic, et qu'il nous arrivait de collaborer sur des chansons, mes déplacements me ramenaient régulièrement dans cet appartement hanté, avec ses escaliers menaçants. Au bout d'un moment, je m'étais même habituée à la présence de l'âme enragée qui se tenait en haut des marches, lui disant calmement qu'il n'était pas question qu'il me pousse en bas de l'escalier lorsque je devais le descendre. Il n'a jamais semblé totalement calmé, mais il avait fini par accepter, à contrecœur, que j'allais résister quoiqu'il puisse tenter.

Une des choses que j'ai apprises, au fil des années, en ce qui concerne tout particulièrement les maisons hantées, c'est que la familiarité ne produit rien d'autre que de l'apathie. Lorsque le fantôme n'est pas violent, ou si, comme la chose en haut des marches, elle présente une menace qui n'est jamais mise à exécution de manière agressive, même les situations les plus extraordinaires peuvent devenir des lieux communs. Quand chaque jour que Dieu fait, vous vivez avec des portes d'armoires qui s'ouvrent et se referment toutes seules à certaines heures et si, jour après jour, il ne se passe rien de plus troublant, il est possible de penser que ce peut être comme de vivre dans un appartement situé proche d'une voie de chemin de fer. La toute première fois que le train passe, faisant vibrer toutes les vitres et la vaisselle, les nouveaux résidants vont trouver l'expérience troublante, sinon tout à fait alarmante. Mais au bout de la quinzième fois, il se peut qu'ils se soient si bien habitués au bruit qu'ils ne se réveillent même plus la nuit, lorsque le train siffle pour ameuter tout le quartier.

Les fantômes, dans l'appartement de Bronzeville où vivait Dominic, étaient comme le train. Une fois que vous aviez compris qu'ils faisaient simplement partie de la vie quotidienne, ils ne pouvaient pas faire grand-chose pour vous secouer et vous surprendre. Cela dit, c'est si vous n'aviez encore jamais mis les pieds dans cet appartement, et si personne ne vous avait mis en garde par rapport à l'express de minuit.

Et c'est ce qui a mené à l'expérience de mon ami Pete. Cela se passait en mars 2006. Je devais me rendre à Chicago pour jouer avec Dominic et faire une séance de photos avec mon photographe favori qui vivait à Milwaukee. Dominic et Sophia s'étaient également organisé une soirée d'anniversaire conjointe, car leurs deux fêtes tombaient à la fin du mois de mars. J'avais parlé de la tournée à Pete, et lui avais demandé s'il voulait se joindre à nous.

Pete était partant pour une tournée sur la route. Il faut noter qu'il était un de mes rares amis plus ou moins normaux. Il s'adonnait aux jeux de rôles, comme bon nombre de mes amis, mais à part cela, sa vie était passablement banale. Il travaillait de neuf à cinq dans une grande société et s'occupait d'un truc qui avait à voir avec l'informatique, ce qui était très mystique pour moi. Une amie commune nous avait présentés, une année auparavant, en bonne partie parce que Pete se posait des questions sur l'empathie. Il s'était peu à peu rendu compte qu'il possédait un talent inhabituel pour se connecter sur les émotions des autres gens. Comme Pete n'y connaissait rien en ce qui avait trait à l'occulte, il ne savait pas où commencer ses recherches pour trouver des sources fiables susceptibles de l'aider à comprendre et à maîtriser ses talents. Notre amie m'avait recommandée.

En dépit du don que Pete avait pour l'empathie, il ne croyait pas beaucoup au paranormal. À l'époque, il se limitait à sentir les émotions des autres. Étant donné ses antécédents, il n'aurait même pas imaginé que son empathie relevait du paranormal, sinon à cause du fait qu'il avait examiné et épuisé toutes les explications plus rationnelles et terre-à-terre de son talent.

Par conséquent, Pete considérait le reste de mes croyances et de mes expériences personnelles avec tolérance et perplexité. Notre relation se fondait sur le fait qu'il ne tenterait pas de me forcer à accepter son scepticisme, et que pour ma part, je n'essaierais pas de l'obliger à adhérer à aucune des mes étranges croyances. Ironiquement, la relation que j'avais avec Pete était fort semblable à la relation que j'avais avec Dominic, depuis toutes ces années, ce qui était la principale raison qui me faisait penser qu'ils s'entendraient bien tous les deux. Cela, et comme Pete était un grand fan du *Dresden Files* de Jim Butcher, cela ne lui ferait pas de mal de voir en personne certains des lieux de la ville venteuse que Butcher avait utilisée comme décor pour ses séries de fiction.

Pete ne se doutait pas vraiment qu'il allait visiter une partie de Chicago qui avait davantage en commun avec le monde fictif de *Dresden Files* qu'avec le monde plus familier des affaires et du code machine.

Je n'enfonce pas mes croyances dans l'esprit de mes semblables, mais je ne fais rien non plus pour les leur cacher. Durant notre séjour, il était donc inévitable que Pete m'entende parler à Sophia des fantômes qui hantaient l'appartement. Aussitôt sceptique, il a levé un œil en direction de Dominic pour voir ce que le guitariste pensait de tout ce charabia. Pour sa part, Dominic était fidèle à ses positions. Il admettait qu'il n'avait lui-même rien vu d'étrange ou d'inhabituel dans l'immeuble, même durant ces périodes où Sophia et plusieurs de leurs amis étaient convaincus qu'il se passait quelque chose. Cependant, il s'empressait aussitôt d'ajouter qu'il acceptait les croyances de Sophia (et les miennes, par la même occasion). Il était clair, pour lui, qu'il sentait définitivement quelque chose, et que ce n'était pas parce qu'il ne pouvait pas le comprendre qu'il pouvait juger de la véracité des faits?

Pas besoin d'être empathique pour constater que Pete trouvait sa réponse terriblement évasive. Il disait clairement qu'il n'avait jamais rencontré quoi que ce soit qu'il aurait pu qualifier de fantôme. De plus, il se méfiait beaucoup des expériences que les autres avaient pu faire. Il convenait que les gens *voulaient* y croire, et il s'en tenait à cela. J'avais terminé ma discussion avec Sophia, et Dominic avait initié Pete aux merveilles de son tout nouveau jeu de Xbox. Les choses en seraient restées là, mais le téléphone de Pete s'est mis à sonner.

Dans l'appartement de Dominic, même s'il vivait au deuxième étage, le signal pour les téléphones cellulaires était de piètre qualité. Dans certains coins, on pouvait dire deux ou trois phrases en faisant une prière, mais il suffisait de faire un pas pour vous retrouver sans crier gare dans un vide qui avalait le signal au complet. Je n'ai jamais pu déterminer si c'était un défaut de l'appartement ou si c'était dû aux fantômes, ou encore si ce n'était pas l'effet que Dominic fait aux lieux où il s'installe (il a déménagé depuis, et son nouvel appartement présente le même problème). Cela pouvait aussi être simplement causé par la qualité du signal, car il est très mauvais dans de larges pans de Chicago. Quoi que cela puisse être, la solution, comme l'avait découvert Dominic, était de sortir sur le porche et de rester dans cet espace qui donnait sur la rue. Après que Pete eut perdu la communication une ou deux fois, Dominic lui a révélé son paradis secret pour la réception des cellulaires et a suggéré à Pete d'en profiter, d'autant que c'était une soirée inhabituellement douce, pour le mois de mars à Chicago.

Pete est sorti, et Sophia et moi avons regardé Dominic qui continuait à jouer sur sa Xbox. Nous avons bavardé de tout et de rien, si bien que nous avions presque oublié Pete.

C'est alors que Pete est entré à la hâte, l'air ahuri, comme s'il venait de voir un fantôme.

Il était si agité qu'il n'a même pas voulu en parler tout de suite. Tout au moins pas de manière cohérente. Ensuite, un peu comme le font les gens lorsqu'ils viennent de vivre quelque chose qui les a bouleversés, il s'est mis à donner une foule de détails. Il nous a répété son histoire, plusieurs fois de suite, comme si la répétition allait nous la rendre plus facile à croire. Il était évident qu'il tentait de se convaincre lui-même qu'il n'était pas fou, alors nous l'avons laissé babiller à sa guise. Son histoire était fort intéressante, intéressante au point où les convictions de Pete en ce qui avait trait aux fantômes ont changé du tout au tout.

Pete était sorti sur le porche arrière et s'était assis à la table à pique-nique, comme Dominic le lui avait conseillé. La nuit était assez avancée, mais même dans ce quartier résidentiel, il y avait encore des voitures et des piétons dans la rue. Pendant un moment, tout en parlant au téléphone, Pete s'était vaguement intéressé à ce qui se passait dans la rue, deux étages plus bas ; il avait regardé passer les piétons. Puis, comme si Chicago voulait honorer sa réputation de ville des vents, une rafale s'était levée, et il avait eu ses cheveux dans les yeux. Pete avait tourné le dos au vent, c'est-à-dire qu'il regardait maintenant le mur nu de l'appartement. Au bout d'un moment, il avait vu, faisant les cent pas, ce qu'il avait cru être l'ombre de Dominic sur le mur. Un détail avait toutefois laissé Pete songeur ; un détail qui le dérangeait. Comme il était très absorbé par sa conversation téléphonique, il n'y avait pas prêté attention, au début. Mais tandis que Pete continuait de parler, l'ombre avait continué d'aller et venir, et un détail l'avait interpellé.

Il avait perdu contenance, lorsqu'il avait compris que pour dessiner cette ombre, il aurait fallu que Dominic passe au travers du mur de son appartement. Pete avait jeté un œil vers la porte qui menait au porche de l'appartement. Il y avait une fenêtre, mais elle était recouverte de stores vénitiens. Les stores étaient fermés, et recouverts à l'intérieur d'une autre couche d'isolant de plastique. Dominic les avait installés pour couper le froid durant les durs hivers de Chicago. L'eut-on voulu, personne n'aurait pu faire bouger les stores sans d'abord enlever l'épaisseur de plastique.

Le cerveau de Pete a d'ailleurs fini par l'informer qu'il était impossible que Dominic, ou quiconque dans l'appartement, ne projette une ombre à travers la fenêtre de la porte — tout au moins, pas une ombre qui se retrouverait après coup sur le même mur qui supportait la porte. L'impossibilité de son hypothèse initiale et spontanée lui était apparue, alors que Pete continuait de regarder l'ombre passer devant lui.

Peut-être arrivait-elle de dans son dos. Pete s'est retourné pour voir. Derrière lui, dans la rue en bas, il y avait une petite station-service. La station était fermée, ce qui fait que l'enseigne était éteinte, depuis un bon moment déjà, mais il y avait encore des lumières qui éclairaient la chaussée. Il était clair qu'il y avait quelqu'un en bas, dans la rue ou près du terrain de la station-service, allant et venant devant ces lumières et projetant l'ombre sur le mur en face de lui.

Pete a mis fin à sa conversation, et s'est penché sur la rampe pour regarder en bas. Il n'y avait personne sur le terrain de la station-service. Personne ne marchait dans la petite ruelle entre la station et l'immeuble à appartements. En examinant les lumières de plus près, Pete a vu qu'il était impossible — à moins de marcher dans le vide à la hauteur du deuxième étage — que quelqu'un se tenant entre lui et les lumières puisse projeter une ombre dont l'angle aurait produit ce qu'il voyait. Et advenant que ce fut le cas, il aurait fallu que l'ombre de ce mystérieux marcheur passe à travers la rampe, la table à pique-nique, voire à travers Pete lui-même, pour se retrouver à cet endroit précis du mur.

Pourtant, l'ombre était toujours là. Sauf qu'à présent, Pete s'était rendu compte avec une panique qui allait grandissante, que l'ombre semblait consciente de sa présence. Quand il s'est retourné pour la regarder de nouveau, n'a-t-elle pas hésité au point de s'immobiliser pendant un moment ?

Pete avait agité les bras, histoire de s'assurer que ce n'était pas lui qui, par hasard, aurait projeté l'ombre en question. Mais l'ombre avait marché, tandis qu'il était assis à la table à pique-nique, et maintenant, pendant qu'il agitait les bras, elle s'était arrêtée et se tenait droite, comme si elle le regardait. Ses bras ne bougeaient pas. Pete tournait à gauche, puis à droite, afin de bien s'assurer de ce qu'il voyait. Il avait beau essayer de découper sa silhouette sous les lumières de la station-service, son ombre se répandait dans une tout autre direction, en tirant vers la gauche. Ce n'était pas son ombre qu'il voyait sur le mur.

Pete avait reconnu l'ombre d'un homme aux épaules carrées, d'environ un mètre quatre-vingt-quinze. On comprenait facilement pourquoi Pete avait d'abord cru qu'il s'agissait de Dominic. Bien sûr, durant ce temps, Dominic était sur le canapé, en train de tuer des créatures étranges ou menant une bataille épique pour sauver la Terre de ses ennemis.

À ce moment-là, il s'est pratiquement jeté sur la porte arrière et il a fait irruption dans l'appartement.

Pete a fini par se calmer suffisamment pour que tout le monde puisse aller se coucher. Au moins, le reste de la bande a dormi, car nous étions habitués à une certaine mesure d'étrangeté dans cet appartement. Ce n'est pas que l'ombre mystérieuse ait vraiment fait quelque chose qui puisse déranger qui que ce soit. Selon toute vraisemblance, cet homme, nouveau dans le groupe, avait seulement éveillé sa curiosité.

Pete a fait de son mieux pour dormir, mais il avait tout tenté pour faire taire le bruit de ce train proverbial. Il n'était tout simplement pas à l'aise avec l'idée que quelque chose errait là. Il était soudain très conscient du moindre bruit dans l'appartement de Dominic. Le chat de Sophia l'a fait sursauter au moins une fois, et il lui avait servi une opinion très colorée de ses ancêtres félins.

Depuis cette soirée, le scepticisme de Pete s'est fait beaucoup plus discret. Il n'a jamais dit clairement qu'il croyait aux fantômes, mais il n'a jamais été capable de donner une explication rationnelle à ce qu'il avait vu, ce soir-là. Bien sûr, depuis cette nuit-là, Pete ne m'a plus jamais demandé de partir en tournée avec moi. Je le jure, je ne perds plus d'amis « normaux » de cette façon !

Des fantômes et des gadgets

Il y a quelques années, j'ai été invitée par Nick Reiter de l'Avalon Foundation, à l'accompagner dans une tournée spectrale à Cleveland. Je me rappelle avoir été surprise d'apprendre que Cleveland avait une tournée des fantômes. Même si je connaissais de nombreux endroits hantés dans la ville, aucun ne m'était apparu comme étant le genre d'endroit qui permettrait à un groupe muni d'appareils photo de s'y infiltrer, afin d'y prendre des clichés des fantômes occupants. Quand Nick m'a dit que le château historique des Franklin était un des arrêts prévus à cette tournée, j'étais tout simplement sidérée. Le château Franklin est une des demeures les plus notoires dans la région de Cleveland. Il avait été fermé au public pendant des années, et il était aussi difficile d'y accéder que de découvrir le saint Graal, tout au moins parmi les chasseurs de fantômes de la région. À la minute où j'ai entendu parler du château Franklin, j'étais partante. Comme nous allions le constater, la tournée des fantômes n'a pas été tout à fait à la hauteur de la publicité, mais il s'est quand même produit une chose fascinante.

Pour vous permettre d'apprécier à sa juste valeur la signification de l'incident qui s'est produit durant la tournée des fantômes, il faut que je vous parle un peu de Nick. Nick Reiter se présente lui-même comme un savant fou. Il travaille à temps plein pour une société d'énergie alternative dans le nord-ouest de l'Ohio, et enquête sur le paranormal en dilettante. Le côté savant fou est dû au fait qu'il construit souvent bon nombre des gadgets dont il se sert pour mesurer les phénomènes paranormaux. Cela a commencé avec son intérêt pour les OVNIS, mais depuis ses premières explorations, il a également apporté sa vaste connaissance de l'énergie, de l'électronique et des méthodes scientifiques, afin de valider les questions des lieux hantés et d'autres rencontres avec ces fantômes.

J'avais connu Nick par le biais du circuit des conférences sur le paranormal. Au début, je crois qu'il me connaissait uniquement comme l'experte des vampires, puisqu'il s'agissait du sujet dont je parlais le plus souvent au cours de mes conférences. Nick m'a plu dès le moment où je l'ai vu. C'était un fils de famille brillant, drôle et très instruit, qui n'avait pas peur de rire des défaillances du domaine pour lequel il continuait quand même de se passionner. Néanmoins, j'hésitais toujours de parler à Nick de toutes les autres choses dans lesquelles j'étais engagée. D'après mon expérience, il y avait définitivement un fossé entre les gens qui approchaient la question du paranormal selon un angle scientifique et objectif, et ceux qui appréhendaient les événements paranormaux d'une manière psychique, et par conséquent subjective. Les spirites et les scientifiques étaient répartis dans deux camps opposés, et très souvent, les uns formulaient des reproches contre les autres.

Ceux qui adoptaient l'approche scientifique ou sceptique, cherchant à accumuler des preuves mesurables, avaient tendance à trouver les psychiques trop crédules. Au mieux, ils voyaient les psychiques comme des poseurs et des barjos. Au pire, certains experts sceptiques du paranormal que j'avais rencontrés avaient une vraie peur des psychiques, craignant que leurs capacités ne soient de source malsaine. C'était déjà assez difficile de vous demander si quelqu'un pouvait penser que vous étiez fou, parce que vous affirmiez être capable de percevoir les esprits.

Qu'ils décident après cela que vous aviez des accointances avec Satan, c'était encore pire.

Je savais que Nick avait déjà travaillé avec des spirites ; je n'avais donc pas à m'en faire. Mais à l'époque, la plupart des membres de la communauté paranormale me connaissaient davantage comme chercheuse que comme quoi que ce soit d'autre. Je n'affichais pas partout mon engagement dans la résolution des hantises. Presque tous les cas qui m'étaient adressés l'étaient par des amis proches. J'étais plus ouverte parmi la communauté des païens que je ne l'étais chez les tenants du paranormal, en grande partie à cause de ce clivage entre les sceptiques et ceux qui avaient l'expérience. Il va sans dire que j'avais mes propres réticences : j'étais sceptique face à la technologie.

Pour moi, chasser les fantômes à l'aide d'un appareil photo et d'un magnétophone, c'était comme de chasser une tempête de sable à l'aide d'un aspirateur. Bien sûr, vous finiriez bien par aspirer quelque chose, mais vous n'aviez certainement pas le bon outil pour accomplir une telle tâche. D'après mes propres expériences du paranormal, je ne croyais pas que quelqu'un ait pu inventer le bon outil pour ce genre d'entreprise. Lorsque « j'entendais » une voix spirituelle s'adresser à moi, ce n'était pas grâce à mes capacités auditives physiques. Je ne discernais aucune onde sonore. C'était plutôt comme si les sons constituaient le sens avec lequel mon cerveau pouvait traduire l'expérience. C'était la même chose pour les médiums spirites, telle mon amie Sarah, qui pouvait voir les fantômes. Bien que l'image de certains esprits pouvait lui apparaître avec autant de clarté et de détails que celle d'une personne vivante, elle comprenait que c'était simplement la manière que cet esprit utilisait pour manifester sa présence surnaturelle. Prétendre qu'un appareil photo conçu pour photographier le spectre du visible, pourrait en quelque sorte capturer l'image que Sarah percevait, cela me semblait une mauvaise interprétation de la nature de la perception spirituelle à un niveau profond et fondamental. Pourtant, certains enquêteurs insistaient pour utiliser l'approche des preuves technologiques comme un genre de saint Graal, cherchant des orbes comme preuves absolues de l'existence des fantômes.

En dépit de mes opinions personnelles sur les fantômes et la technologie, j'étais quand même intéressée de voir Nick à l'œuvre. Alors que les orbes et les piles épuisées me déconcertaient, Nick possédait quelques outils qui dépassaient de beaucoup mon expertise technologique. Je n'étais pas certaine de croire qu'un détecteur de champ magnétique de très basse fréquence puisse réagir à la présence des esprits, mais je voulais certainement entendre de la bouche de Nick pourquoi il pensait que cela était possible.

Ce voyage organisé nous avait rassemblés dans un petit café de la ville. Ce jour-là, il s'est avéré que deux de mes amis de l'extérieur de la ville étaient venus me voir, et qu'ils s'étaient joints à moi. Les deux étaient païens, et sans être le type moyen des enquêteurs du paranormal, ils trouvaient l'idée plutôt fascinante. Pour la majorité de mes amis païens, la chasse aux fantômes était loin d'être aussi excitante que pour les chercheurs du paranormal. Étant donné que les païens acceptent l'existence des esprits, parce que cela fait partie de leur foi, ils ne ressentent pas la nécessité de trouver des preuves scientifiques, photographiques ou autres. Au contraire, la plupart des enquêteurs du paranormal que j'avais rencontrés semblaient plus fascinés par la réelle ***possibilité*** de l'existence des esprits. Ainsi, ils trouvaient particulièrement excitant de leur faire la chasse, car ils n'avaient pas régulièrement affaire aux esprits par le biais de leurs rituels religieux.

Nick était arrivé armé jusqu'aux dents, avec son attirail de savant fou, dont le détecteur de basse fréquence EMF qui ressemblait au compteur PKE inventé par Egon Spengler dans *S.O.S. Fantômes*. Nick trouvait cette analogie très amusante. Pour rire, il l'appelait son compteur PKE et disait qu'il lui faudrait vérifier sa copie du *Guide Tobin des esprits*, pour une identification précise, s'il arrivait que nous trouvions des fantômes. En réalité, l'appareil était un objet qu'il décrivait comme un compteur Gauss, qu'il avait, à travers sa commande mystique d'un équipement électronique, configuré de telle manière qu'il prenait maintenant des lectures selon une fréquence très précise et raffinée, davantage adapté aux énergies géomagnétiques naturelles qu'aux énergies fournies par les appareils électroniques artificiels. Étant donné le grand raffinement de l'appareil, Nick devait d'abord faire le tour d'un endroit pour y détecter des fils de métal et autres câbles dissimulés dans les murs, afin de pouvoir écarter les interférences provenant de ces sources. En balayant une pièce de cette manière, il ressemblait vraiment à un chasseur de *S.O.S. Fantômes*, et on s'amusait à dire qu'il ne lui manquait qu'un sac à dos pour transporter son appareil, pour compléter le portrait.

Après nous être sustentés au café et avoir échangé quelques propos sans importance, notre guide nous a dit que le temps était venu de remonter dans nos autocars. Le jeu allait commencer !

Je n'avais encore jamais pris part à une visite des fantômes, que ce soit dans la région ou ailleurs, et je ne savais vraiment pas à quoi m'attendre. Mais au bout de la première demi-heure, voyant que la visite ne proposait rien de plus que de passer devant quelques emplacements à Cleveland, tandis que le guide débitait à toute allure un ou deux détails classiques sur les fantômes qui hantaient ces endroits, j'étais déçue. Mes deux amis païens ne se sentaient pas à leur place parmi la bande de curieux nouvel âge et de chercheurs du paranormal qui participaient à la visite, et Nick, l'air découragé, tenait son appareil Gauss sur ses genoux. L'impatience nous gagnait. J'étais sur le point de compter tout l'après-midi comme une perte de temps coûteuse, quand nous nous sommes enfin arrêtés et que nous sommes descendus du bus, pour aller explorer l'usine d'armement hantée de Cleveland Grays.

Cleveland Grays était une milice privée, fondée en 1837, pour la protection de la ville de Cleveland. À l'époque, les milices privées étaient chose courante ; presque toutes les villes importantes possédaient leur propre milice avec ses propres uniformes, son drapeau et ses armes. Les Cleveland Grays ont été la première compagnie de troupes en uniformes à l'ouest des Alleghenies, et ils devaient leur nom à la couleur de leur tenue. En 1893, ils étaient logés dans une imposante structure de pierre connue sous le nom de Grays Armory, sur le chemin Bolivar, à Cleveland. L'Armory, une forteresse de quatre étages de grès usé, était pourvu d'une salle de bal de neuf cent trente mètres carrés, d'une bibliothèque toute en bois et même de sa propre salle de tir au sous-sol, est situé en plein centre-ville, près du cimetière de la rue Erie, un autre lieu hanté bien connu de Cleveland.

Grays est connue pour ses nombreux phénomènes paranormaux, dont la plupart semblent liés à des apparitions de l'époque de la guerre civile. Les visiteurs comme les employés en ont rapporté la présence. D'autres ont senti des coins froids, ont eu des apparitions visuelles et d'étranges odeurs.

L'esprit semble particulièrement attaché à un escalier menant au premier étage de l'immeuble. On a rapporté des activités spectrales en lien avec ce fantôme, et on nous a montré une pièce à l'étage contenant un certain nombre de présentoirs de verre où le fantôme aurait déplacé des objets, brisé des lumières, voire réarrangé de lourdes caisses, durant la nuit.

La visite a commencé dans le bureau principal. Cette pièce spacieuse, nichée au rez-de-chaussée de l'une des tourelles qui confèrent à la bâtisse son apparence de château, était meublée d'un énorme bureau très lourd et d'un lustre recherché. Il y avait juste assez d'espace pour que tous les visiteurs de notre groupe puissent s'y tenir sans problème. Nous étions là, debout devant ce bureau énorme, lorsqu'un travailleur attaché à l'armurerie a pris le relais de notre guide pour raconter les événements paranormaux. Nick, impatient de commencer à jouer avec ses gadgets, avait déjà sorti son compteur Gauss et était prêt à passer à l'action. Il a commencé par faire le tour de la pièce pour voir par où il pourrait commencer, où, à l'intérieur des murs, pouvaient se trouver les fils ou autres câbles qui risquaient d'interférer avec ses lectures. Il se faisait aussi discret que possible, se déplaçant prudemment parmi la foule qui écoutait attentivement l'employé de l'armurerie.

Tandis que j'étais là, dans le bureau, avec mes amis païens, à regarder les visiteurs qui, cramponnés à leur appareil photo, se demandaient si oui ou non ils allaient croquer des orbes dans cette pièce, je commençais sérieusement à douter de la pertinence et de l'efficacité de ce genre de tourisme. Étant donné les plaisanteries que j'avais entendues au café et dans l'autobus, j'avais pu comprendre que de nombreuses personnes s'attendaient à pouvoir apercevoir le fantôme vingt-quatre heures par jour, sept jours sur sept. Même Nick, aussi pondéré qu'il soit, semblait habité par l'idée que, à partir du moment où un endroit était déclaré hanté, un chasseur de fantômes pouvait se présenter à n'importe quelle heure du jour ou de la nuit et s'attendre à recueillir un certain nombre de preuves. Les orbes étaient au centre des discussions, mais quelques personnes avaient de petits magnétophones portables, dans l'intention de capter des voix fantomatiques sous forme de phénomène de voix électronique ou PVE.

Je me disais qu'ils seraient tous terriblement déçus, si les fantômes qui hantaient au moins un des endroits n'apparaissaient pas sur l'un ou l'autre de leurs appareils d'enregistrement. Mais selon mes propres expériences du paranormal, je doutais sérieusement que les esprits acceptent de se prêter à de tels jeux. Il est rare que des phénomènes incessants et soutenus se produisent dans un lieu hanté sur une base quotidienne, sans mentionner les caprices d'une visite guidée. Un fantôme n'est pas une affreuse vieille lampe qui occupe toujours le même coin d'une pièce chaque fois que vous y entrez. Les esprits se déplacent, et je soupçonne que des forces encore plus mystérieuses que leur propre mouvement volontaire, influencent souvent le fait qu'un phénomène spectral soit perceptible de notre côté des choses.

Mais, tant de gens s'étaient joints à cette visite dans l'espoir de vivre quelque chose. Je me sentais un peu mal, plantée là et réfléchissant à la futilité probable de ces désirs. Puis, je me suis mise à observer le lustre.

Au tout début de ce livre, je vous ai parlé de la maison où j'ai grandi. Autour de l'été de mes douze ans, il y a eu un relent d'activité paranormale chez nous, et cela a duré environ deux ans. Une des choses les plus étonnantes à s'être produite avec régularité, c'était le mouvement du lustre. J'avais fini par conclure que certaines des perturbations qui avaient mené le lustre à décrire des cercles lents au-dessus de la table de la salle à manger avaient à voir non pas avec les fantômes, mais avec moi. Et j'avais passé une bonne partie de ma vie adulte à apprendre à museler ma capacité à influencer les énergies invisibles autour de moi. Je n'avais pas l'habitude d'essayer de faire bouger consciemment de gros lustres, mais pendant que je me tenais là, m'ennuyant à mourir et frustrée de cette médiocre visite des lieux hantés, il m'est venu une idée.

Si les gens étaient venus chercher des preuves d'incidents paranormaux, pourquoi n'essaierais-je pas de faire bouger le lustre ?

Le lustre qui était suspendu dans le bureau de Grays Armory était un gros truc lourd et élaboré, beaucoup plus gros que le petit lustre de cristal qui pendait autrefois dans notre modeste salle à manger. J'ignorais si je serais capable de le faire bouger, mais j'avais très envie de tenter le coup. Il y avait longtemps que j'avais cessé d'écouter les divagations interminables de notre guide, et je ne trouvais rien de mieux à faire.

Lorsque je fais un travail énergétique, je me sers beaucoup de mes mains pour concentrer mon énergie. Je visualise d'habitude les vrilles d'énergie qui vont de mes mains jusqu'à ma cible, et bien qu'en temps normal cette cible soit une personne, j'ai fait exactement la même chose avec le lustre. Par souci de discrétion, je gardais mes mains près de mon corps, paumes ouvertes vers le ciel, pour ne pas attirer les regards. Je faisais un mouvement de rotation répété avec mes doigts, en restant concentrée, afin que le lustre se balance.

Mes efforts ont été récompensés. Au bout de quelques minutes, j'avais réussi à faire bouger le lustre juste assez pour que les gens commencent à le remarquer. Un premier chasseur de fantôme avait levé les yeux, puis un autre, et ils ont aussitôt indiqué à leurs amis le léger frémissement des cristaux. Encouragée par leurs réactions, j'essayais de faire se balancer le lustre encore plus fort, mais étant donné le poids de l'objet, ce simple petit tremblement exigeait déjà toute ma concentration. J'étais tellement concentrée par ce travail que je n'avais pas remarqué que Nick Reiter se rapprochait de plus en plus de moi, à la recherche des perturbations électromagnétiques dans la pièce.

Je vais être honnête. Le mouvement du lustre était si léger que je n'étais pas certaine d'en être responsable. Je savais que je faisais des efforts sérieux pour tenter de faire bouger la chose, mais le tremblement qui était visible aurait aussi bien pu être causé par le passage d'un camion, voire d'un avion volant à basse altitude. Ce qui explique que j'essayais vraiment de provoquer une réaction plus spectaculaire, car je pourrais ainsi être sûre que le mouvement résultait bien de ma volonté.

J'ai perdu ma concentration lorsque Nick Reiter, les yeux rivés sur le cadran de son compteur, a failli me rentrer dedans.

— Michelle ! a-t-il lancé, tu es radioactive !

Il m'indiquait l'affichage numérique sur son lecteur, qui, même s'il semblait trouver la chose des plus intéressantes, ne voulait strictement rien dire pour moi. Cependant, je poursuivais toujours mon discret mouvement des doigts, et le regard de Nick était passé de son lecteur à mes mains, puis au lustre, puis encore à mes mains. À l'évidence, il avait remarqué le mouvement du lustre, car il a agité un doigt pour me réprimander.

— Ce sont les fantômes qui sont censés faire ça, a-t-il dit en se moquant.

J'étais si surprise que Nick ait pu me lire avec son appareil, que j'ai gardé mon énergie, durant tout le reste de la visite. Pendant le trajet de retour, j'étais assise et je regardais par la fenêtre, tout en rejouant la scène dans ma tête encore et encore. Avait-il vraiment enregistré une lecture valable ? Cela, bien sûr, en admettant que j'eusse vraiment fait bouger le lustre. Je savais que je *croyais* l'avoir fait. J'avais fait les mouvements des mains, j'avais senti l'effort. Le lustre avait vraiment bougé. Je n'en avais pas la preuve formelle, mais si je me fiais à ce qu'il avait lu sur son gadget, Nick avait semblé relier le mouvement du lustre directement à moi. Il fallait peut-être que je revoie mes notions en ce qui concernait les limites de la technologie.

Je n'ai jamais trouvé le courage de demander à Nick ce que son appareil avait enregistré exactement. Cependant, des années après, on m'a demandé de faire la démonstration de mon travail énergétique devant d'autres enquêteurs du paranormal. C'était dans le cadre d'une série télévisée, et nous essayions de voir si oui ou non certains de ces gadgets réussiraient à enregistrer des preuves de mes capacités de travail avec l'énergie. Nous avons essayé des compteurs de voltage et des détecteurs d'ondes radio, sans résultat. En raison du budget de la série télé, nous avons même eu la chance de jouer avec une caméra FLIR — l'appareil thermographique rendu célèbre par Sci Fi's Ghost Hunters. Même si les preuves obtenues par la caméra FLIR étaient d'un certain intérêt visuel, nous les avons jugées non concluantes à cause des limites de nos tests. Toutefois, l'enquêteur avait installé un compteur TriField Natural EM, réglé pour capter les plus basses fluctuations des fréquences électromagnétiques. Ce gadget qui, en cinq années d'usage, n'avait jamais réagi à l'activité humaine, avait tout de même réagi à ma présence, puisque son aiguille avait fait quelques soubresauts.

Je n'aime toujours pas la technologie, et pas seulement parce qu'elle refuse obstinément de bien se comporter en ma présence. Je crois que de nombreux enquêteurs qui utilisent exclusivement la technologie dans leur quête de preuves du monde surnaturel croient beaucoup trop à l'infaillibilité de leurs gadgets. De plus, je crois que, même lorsque nous arrivons à obtenir une lecture soutenue et irréfutable, nous ne voyons qu'une infime partie de ce qui se passe réellement. Je ne crois pas que l'on ait encore inventé un appareil capable de lire le spectre complet de l'énergie sur laquelle agissent les phénomènes psychiques et paranormaux. Mais après mon expérience avec Nick, et celles que j'ai faites par la suite, je veux bien admettre que la technologie se rapproche peu à peu. Elle offre certainement une route vers la compréhension des expériences paranormales. Si nous faisons en sorte que la technologie travaille main dans la main avec nos méthodes plus organiques de perception, tout en acceptant que les deux méthodes ont leurs forces et leurs limites, il se peut que nous soyons de plus en plus en mesure de comprendre le monde étrange et changeant qui semble exister dans l'Au-delà.

Dans l'ombre des tours

Malgré tous les thèmes et objectifs de ce recueil, ce qui suit n'est pas une histoire de fantômes. C'est, au moins partiellement, un requiem, mais c'est également une histoire relative à un lieu où j'ai pensé qu'il devait y avoir un fantôme — plusieurs fantômes en fait. Pourtant, plutôt que de me retrouver dans un endroit envahi d'âmes errantes, ou même par l'écho de leur souffrance, j'en ai trouvé un recouvert de cet indescriptible mélange de solennité, d'introspection et de calme. Cette quiétude inattendue m'a à la fois surprise et éclairée. Je suppose qu'elle produira le même effet sur vous.

Nous étions en février de l'année 2002. On m'avait demandé de me rendre à New York pour le compte du salon noir The Court of Lazarus. Ce devait être un nouveau rassemblement — mi-club social, mi-événement spirituel, pour une des communautés pour lesquelles j'écrivais à l'époque.

J'hésitais à y aller. C'était si peu de temps après les attaques du 11 septembre, et toutes les histoires que j'avais entendues me disaient que la ville avait encore du mal à se relever. Tout était en ruines autour de Ground

Zero, et j'avais entendu dire qu'à certains endroits, le feu couvait encore dans les décombres. C'était une période tendue et instable dans notre pays, et nos habitudes de déplacement avaient complètement changé. Avais-je vraiment envie de m'envoler pour New York ? Pourrais-je supporter de voir la ville toujours écrasée dans cette douleur ?

Mon éditeur insistait. Il est vrai que j'avais envie de voir mes amis qui vivaient toujours à New York. Peu d'entre eux s'étaient trouvés à proximité des tours, lorsqu'elles s'étaient écroulées, mais il y en avait quelques-uns qui avaient bien failli y rester. À présent, tout le monde connaît ce genre d'histoires. Un ami d'un ami qui travaillait dans une des tours, mais qui s'était porté malade ce jour-là et qui n'avait jamais été aussi heureux d'avoir attrapé la grippe. Un autre qui avait subi un contretemps sur la route, et ce contretemps avait été juste assez long pour lui éviter d'être au mauvais endroit, ce jour-là. Puis, il y avait cette amie qui faisait partie de l'équipe des policiers de New York. Elle avait des histoires d'horreur en racontant à quoi ressemblaient les rues, le 11 septembre, pendant que des lamelles de verre meurtrières tombaient du ciel. Elle m'avait même avoué que les images de personnes sautant de dizaines d'étages étaient parmi les moins dures de cet incident fatidique. Elle m'avait dit que les nouvelles agences avaient omis les images de gens découpés en pièces par les plaques de verre qu'ils rencontraient en tombaient, et personne n'avait même osé parler de la macabre réalité de son travail, qui avait consisté, au bout du compte, à reconnaître des morceaux de cadavres. Ces morceaux parfois réduits à de minuscules parcelles de chair. Mais il fallait que tout soit recueilli, pleuré et manipulé avec respect.

Presque cinq mois s'étaient écoulés, depuis cette journée fatidique ; l'horreur et l'anxiété étaient toujours très présentes dans la mémoire collective du pays. Pour ceux d'entre nous qui vivent à l'extérieur de la grande ville, ces images subsistaient, à cause notamment du battage médiatique entourant l'événement — toutes les prises de position politiques et les levers de boucliers qui avaient commencé bien avant que la poussière des tours elle-même ne soit retombée. Pour les New-Yorkais, c'était frais, parce que le désastre était loin d'être terminé. Seule une petite portion des débris avaient été enlevés, et on poursuivait les efforts pour retrouver les restes de certaines victimes. Les décombres étaient comme une plaie ouverte dans la ville, et tout le monde attendait pour voir si cela allait devenir infect au point d'empoisonner la chair qui était restée indemne.

Avec toutes ces questions qui pesaient si lourd sur tant de consciences, j'étais néanmoins curieuse. Je craignais de voir New York dans un tel état de dévastation, mais je me sentais obligée d'y aller et de mettre mes doigts dans ses plaies encore vives. La télé avait eu beau nous repasser ces images en boucle, des milliers de fois, cela n'avait jamais l'air réel. J'avais avalé trop d'émissions de CGI et trop d'effets spéciaux hollywoodiens. Il fallait que je voie les décombres de mes yeux, pour accepter que cela s'était réellement produit. Que cela faisait désormais partie de notre monde.

J'étais allée à New York, auparavant, et jusqu'à un certain point, la ville était un peu comme une icône pour moi. Adolescente, je regardais religieusement la téléserie *La Belle et la Bête*, et je crois que c'est là qu'avait commencé mon histoire d'amour avec cette ville. Le fait que j'ai eu une tante très élégante qui était allée vivre à New York pour devenir un mannequin célèbre avait certainement contribué à créer cette image idéale. Pour moi, New York était la grande ville par excellence. C'était un bastion des arts et de la culture, de la richesse et de la réussite. Foyer de nombreuses entreprises d'édition pour lesquelles je rêvais d'écrire, New York était pour moi un grand symbole de réussite planétaire. Le fait d'avoir été appelée à m'y rendre, même pour un engagement sans lendemain, me donnait l'impression de prendre part à cette réussite. Quand je déambulais dans ses rues, je traversais la ville de toutes les possibilités, où les barrières de mon existence provinciale s'ouvraient toutes grandes sur une réalité beaucoup plus vaste, sur un univers plus diversifié que tout ce que j'avais pu imaginer étant enfant.

J'avais décidé d'y aller en voiture, et d'emmener un groupe d'amis avec moi. Jason Crutchfield et Paul Trimble étaient deux hommes qui m'avaient accompagnée dans les bons et les pires moments, et peu importait le genre de situation dans laquelle je pouvais me trouver, je me sentais toujours plus en sécurité lorsque l'un d'eux m'accompagnait. Crutchfield, lui, s'intéressait tout particulièrement à la Court of Lazarus, car il était une voix significative dans la communauté que le salon était destiné à servir. Nous avons réservé des chambres dans un hôtel situé juste aux limites de la ville, puis nous nous étions entassés dans la voiture fiable de Paul, et nous avions pris la route.

Nous ne disposions pas de beaucoup de temps pour nous installer à l'hôtel, car nous avions rendez-vous en ville. Nous étions là pour quelques jours, mais nous avions des dîners et des réunions prévus chaque jour. Par conséquent, aussitôt que nous pouvions nous échapper et nous dégourdir les jambes, nous sautions dans la voiture en direction de Lower Manhattan. En entrant dans le tunnel menant à Manhattan, j'avais commencé à sentir un petit malaise. Au début, je l'avais attribué au fait d'être restée trop longtemps sur le siège arrière. Mais la sensation persistait, et je commençais à ressentir des vagues d'étourdissement, un peu comme si le monde continuait à tourner sous mes pieds. En sortant du tunnel pour nous retrouver dans les rues de New York, une sensation encore plus forte m'a submergée. C'était une sensation familière et terriblement désagréable, et j'étais très heureuse que Jay soit venu avec nous.

Il y a de mauvais côtés à être aussi sensible que moi à l'énergie. L'un de ces inconvénients a quelque chose à voir avec les voyages. Pour être plus précise, cela implique l'énergie de l'endroit. Je ne crois pas que j'aurais le même problème si j'étais seulement un médium spirite, uniquement sensible aux esprits et aux fantômes qui errent dans l'Au-delà. Mais mes talents semblent englober toute une gamme d'énergies. Ma sensibilité est plus aiguisée par rapport aux énergies des personnes, mais les gens laissent leur énergie partout. Les impressions émotionnelles laissées sur un bijou favori perçues par un professionnel de la psychométrie, ne sont rien d'autres que des résidus d'énergie provenant de propriétaire précédent. Les « vibrations », que de nombreux spirites peuvent capter la première fois qu'ils mettent les pieds quelque part, sont aussi des énergies résiduelles. Nous vivons pour ainsi dire dans un océan d'énergie ; nous inspirons et expirons cette énergie sans cesse, chaque jour, laissant des courants, des tourbillons et des empreintes de notre passage dans chaque maison, chaque bureau et chaque rue.

Pour une raison ou une autre, je peux percevoir tous ces types d'énergie. Je ne suis pas la seule à posséder ce don. Il y a toute une communauté de gens dans mon genre. Nous n'en parlons pas toujours, hormis entre nous, mais cela fait partie intégrante de notre manière d'appréhender le monde. Il reste que ce peut être difficile d'expliquer à ceux qui n'en ont jamais fait l'expérience.

La plupart du temps, ma perception de toute cette énergie n'est rien de plus qu'une musique de fond jouant tout doucement dans ma tête. Quand je suis habituée à l'énergie qui inonde un endroit, je suis capable de faire le vide autour de moi, sauf pour l'essentiel. Toutefois, dans les endroits où je vais pour la première fois, le rythme et le pouls de la musique changent de manière importante. C'est particulièrement vrai dans les grandes villes, puisqu'il y a beaucoup plus d'individus pour ajouter des couches à cette musique paranormale. Beaucoup plus jeune, mon arrivée soudaine dans une grande ville inconnue me rendait presque malade. C'était une question de surcharge sensorielle. À condition de disposer de quelques jours pour m'ajuster, je pouvais apprendre à faire taire tout ce qui n'était pas important, mais ce n'était pas toujours facile. Lorsque je comprenais à peine pourquoi je me sentais perdue et incapable de me concentrer, les nouvelles villes ne me semblaient pas très amusantes. Par conséquent, je ne quittais presque jamais mon Ohio natal. Mais ma carrière m'obligeait tout le temps à voyager, si bien que j'ai dû apprendre à maîtriser cette hypersensibilité, ou à toujours avoir à donner des explications difficiles. À force d'études et d'autoréflexion, j'ai fini par comprendre ce qui se passait vraiment. Après cela, j'ai appris les méthodes dont j'avais besoin pour affronter ce genre de situation.

La principale méthode consistait à me protéger, ce qui est un exercice très simple qui suppose de bloquer l'énergie et les impressions psychiques qu'elles transportent. Essentiellement, vous vous imaginez entourée par un bulle d'énergie qui vous garde à l'intérieur, tout en empêchant tout le reste d'y pénétrer. Une fois bien en place, vous devez maintenir cette bulle derrière votre tête, sinon elle s'évanouira. Bien sûr, j'avais appris que si je me laissais écraser trop vite, il était pratiquement impossible d'invoquer la clarté mentale nécessaire pour me protéger au premier signe. De plus, si les énergies contre lesquelles je me protégeais étaient massives et persistantes, elles pouvaient miner mes défenses. L'autoprotection dépend beaucoup de votre discipline mentale ; il faut à la fois de la concentration et un soupçon d'énergie personnelle, pour consolider ces murs psychiques.

En sortant du tunnel pour entrer dans la ville de New York, j'ai compris un peu tard que j'aurais dû être mieux préparée à ce que j'allais ressentir. Je prenais conscience que la cité vivait un grand bouleversement. Elle avait subi un souffle de haine, et les échos émotionnels se répercutaient encore dans chaque rue, perpétués par les esprits de la majorité des habitants qui pleuraient leurs morts et se faisaient du souci pour l'avenir. Lors de mes visites précédentes, l'énergie de New York m'avait paru écrasante, même sans l'anxiété provoquée par l'écroulement des tours. J'aurais dû être mieux avisée, mais je m'étais lancée la tête la première dans tout ceci sans trop m'occuper de mes systèmes de défense.

Et voilà où mon ami Jay entre en scène. J'ai déjà mentionné que je me sens en sécurité lorsqu'il est là, et ce n'est pas seulement parce qu'il a un physique intimidant. Ce videur charpenté que l'on pourrait facilement prendre pour un membre des Hells Angels, est aussi un excellent thérapeute énergétique. Il peut capter les mêmes énergies que moi, mais il a aussi une capacité protectrice innée. Jamais je ne l'ai vu accablé par une situation. Vous pouvez le mettre dans le milieu où règne l'énergie la plus débridée, il reste imperturbable. En outre, il est très doué pour aider les autres à se protéger et pour prêter un peu de cette solidité qui est la sienne. Comme il m'avait aidée à garder la tête froide dans plus d'une situation déstabilisante, je savais que je pouvais compter sur lui pour m'aider cette fois-ci.

Aussitôt que nous sommes sortis de la voiture, j'ai dit à Jay que j'avais des problèmes. Nous nous sommes discrètement retirés, à l'abri des regards des autres. Il a mis une main sur mon épaule et s'est concentré sur mon énergie. Lorsqu'il aide une personne hypersensible comme moi à bloquer les sensations écrasantes, il a l'habitude de guider la personne verbalement à travers une visualisation, pour faire en sorte que le processus paraisse plus réel. Il me parlait doucement, et je pouvais sentir le vacarme apparent de la cité diminuer peu à peu. Quand il a terminé, je n'étais plus étourdie, et je pouvais de nouveau me concentrer. Mais l'énergie tumultueuse de New York était toujours là, perturbant les abords de ma perception. Je savais que cela finirait par m'épuiser. Il nous faudrait remettre ça plusieurs fois, avant la fin du week-end.

C'était un temps difficile pour être psychiquement consciente à New York. Chaque fois que je perdais ma concentration, ne serait-ce qu'un tout petit peu, la cacophonie et l'énergie se mettaient à s'écouler par toutes les fissures.

Comme je l'ai dit, j'aurais dû être plus vigilante, mais avec Jay à mes côtés, j'ai réussi à m'en sortir sans trop de mal. Avant de réaliser l'immensité émotionnelle qui flottait sur la ville à ce moment-là, il avait prévu de visiter le site du World Trade Center. À présent, nous étions un peu perplexes. Si j'avais déjà du mal à me concentrer dans d'autres parties de la ville, quel genre de surcharge psychique allais-je subir en arrivant à Ground Zero ?

Je l'avoue : je n'étais pas certaine de souhaiter répondre à cette question, mais en même temps, je sentais une obligation de visiter le site. Tout comme l'assassinat du président Kennedy pour une génération antérieure, la destruction des tours jumelles était un de ces événements majeurs, dans l'histoire de l'Amérique, qui demeurait galvanisé dans notre imagination collective. Je parie que toutes les personnes qui lisent ces lignes, en ce moment, se souviennent exactement de l'endroit où elles étaient lorsque les avions ont frappé les tours. Nous nous rappelons ce que nous étions en train de faire, ce jour-là, et ce que nous avons pensé la première fois que nous avons entendu la nouvelle, car nous avons très vite pris conscience que nous vivions un moment historique. Étant donné l'impact que cet incident a eu sur mon pays et sur le monde, il fallait que j'y aille et que je le voie de mes yeux.

Nous sommes donc tous remontés dans la voiture, un dimanche après-midi, et sommes repartis en direction de la brèche dans le ciel new-yorkais. À peine quelques mois plus tôt, j'avais donné une présentation sur les fantômes et les esprits, dans une table ronde paranormale dans l'Ohio. Une des dames de l'auditoire m'avait demandé si je pensais que le site des tours jumelles serait hanté. J'avais répondu oui d'une manière catégorique. Même si les esprits des morts eux-mêmes n'erraient pas dans cet espace, je soupçonnais que l'écho de l'événement lui-même resterait imprégné dans les rues, pendant de nombreuses années. Étant donné ce que je savais des champs de bataille hantés de Gettysburg, cela me paraissait simplement logique. Les soldats qui semblent se battre sans répit sur ce champ de bataille de la Pennsylvanie, ne sont que des résidus, des échos d'une série de moments émotionnellement traumatisants, gravés sur le tissu de la réalité, à cause de leur intensité. Les tours jumelles n'étaient pas un champ de bataille, mais étant donné le traumatisme et la terreur qui s'étaient abattus sur Manhattan aux premières heures de cette journée d'affaires, je pouvais seulement en déduire que cela avait entraîné un effet similaire. Et en traversant les rues bondées de la ville de New York, j'étais persuadée que les échos d'un fait historique aussi récent allaient m'écraser, à l'instant où je mettrais les pieds dans la zone meurtrière.

Plus nous approchions des décombres du désastre, plus la circulation diminuait. Nous cherchions une place de stationnement, pour faire le reste à pied. Autour de Ground Zero, un grand espace avait été délimité par des cordons, et il était interdit aux voitures de les franchir. Le mois de février était particulièrement clément, et le soleil qui perçait à l'ouest se reflétait sur les vitres des gratte-ciel. Puis, le même soleil exposa des sections entières d'édifices, là où les vitres réfléchissantes des fenêtres avaient été installées. D'abord, il y avait seulement quelques espaces visibles dans les édifices ; ensuite, de loin, nous avons vu le premier des nombreux édifices qui avaient perdu la majorité de leurs vitres. On avait suspendu, à partir des toits, un genre de filet de protection qui s'étirait vers le bas, aussi loin que portait notre regard de l'endroit où nous étions. Tout en faisant le tour du terrain jonché de débris, dans l'espoir de trouver une place de stationnement, nous avons compris que ces filets avaient été installés pour empêcher d'autres lamelles de verre de se détacher des fenêtres pour aller s'écraser dans les rues.

Nous avons fini par trouver un endroit où les rues étaient curieusement vides. Les seules personnes qui s'étaient aventurées aussi loin semblaient être des visiteurs, tout comme nous. J'utiliserais le mot « touristes », mais cela suggérerait un sentiment de plaisir nonchalant. Les gens qui étaient venus jusque-là n'étaient pas tant des touristes que des pèlerins. Ils n'étaient pas vêtus pour un après-midi à Disneyland.

Autour du site de l'attaque, les hauts édifices immobiles projetaient des ombres épaisses sur les trottoirs et les rues. L'air était froid dans ces ombres, même si les pavés sous mes pieds me semblaient d'une chaleur peu naturelle. Le vent qui soufflait ici et là transportait une odeur âcre de brûlé, et je me rappelais avoir entendu dire que certains feux fumaient encore à plusieurs étages sous les rues. Des débris de toutes sortes engorgeaient encore les gouttières, et les branches les plus hautes des arbres dénudés avaient attrapé des banderoles de détritus de bureaux, dont, dans un cas, la lame tordue, mais néanmoins reconnaissable d'un store vénitien.

Les empreintes des tours jumelles étaient fermées au public, et des équipes de nettoyage avaient déjà scellé une bonne portion de la zone, à l'aide de murs de fortune. Mais à ce moment-là, nous pouvions encore facilement voir la terre jonchée de métal tordu et les structures de support, dont la désormais célèbre poutre d'acier qui surplombait tout le reste dans une section et que l'on avait coupée ou pliée en forme de croix. Comme en témoignaient les feux qui continuaient de dévorer la terre, une fumée épaisse montait en spirales des gouttières et des bouches de ventilation, au niveau du sol. J'ai d'abord aperçu quelques fines volutes, qui devenaient de plus en plus présentes à mesure que nous nous rapprochions du site de l'impact.

Puis, nous nous sommes retrouvés sur le trottoir, devant une petite église de pierre, et nous ne pouvions plus avancer. Tout le reste était soit trop dangereux, soit on fouillait encore les décombres à la recherche de restes humains. En plus du parfum âcre du plastique fumant, la fumée avait une odeur spécifique qui me rappelait fortement celle des cheveux et des ongles qui se consument. Je savais ce que cela voulait dire. Si les autres ont pris conscience de cet aspect de l'odeur qui régnait, personne n'en a soufflé mot.

Tout au long de cette visite, j'avais emmagasiné tout ce qui m'entourait, avec mes cinq sens physiques, mais j'avais fait taire mes autres perceptions. Cela m'avait demandé de grands efforts, mais j'étais arrivée sur les lieux, bien préparée. Maintenant, par contre, la curiosité l'emportait sur la sagesse. Surtout parce que l'on m'avait demandé si ce site serait hanté, il fallait que je sois aux aguets et que j'en aie le cœur net. Je savais ce que je pensais devoir sentir, alors j'ai dit à Jay ce que je comptais faire. Si l'expérience devait s'avérer insupportable pour moi, il saurait quoi faire pour moi comme pour lui.

Vu que tout au long de cette visite, je m'étais sentie écrasée, je savais que ce n'était sans doute pas la meilleure idée, mais je savais que Jay serait là pour me soutenir, au cas où je m'écroulerais. J'ai donc laissé tomber mes défenses, m'attendant à ce que chaque écho et chaque répétition de ce terrible événement me submergent d'un coup. Mais il n'y avait que le silence. Le silence, et ce profond et perpétuel sentiment de calme. Je restais là, clignant des yeux sous le soleil de l'après-midi, et j'avais du mal à le croire. J'ai chuchoté à l'oreille de Jay :

— Sens-tu la même chose que moi ?

D'un air solennel, il a acquiescé. Il semblait déplacé de parler à voix haute en cet endroit. Il paraissait incongru de parler, point. Je réalisais, un peu tard, qu'un silence était tombé sur la foule rassemblée. Les bruits de la circulation eux-mêmes, une nuisance omniprésente à New York, étaient loin et assourdis.

Aucun arc gothique ne s'élevait au-dessus de nos têtes, et pourtant, j'avais une impression très forte que je marchais dans le silence profond et sacré d'une cathédrale. L'odeur de brûlé qui flottait dans l'air était celle d'un encens funéraire à la mémoire des morts. La petite église de pierre près du cœur de l'événement était là pour témoigner de l'innocence que tous avaient perdue, et du passé que jamais nous ne pourrions retrouver. Son petit parterre était rempli de pierres tombales inclinées, usées par l'âge. C'était de là que nous venions. L'église minuscule et son parterre de la taille d'un timbre poste dataient d'une époque où New York n'était pas encore tout à fait une ville. Ce lieu saint et modeste était resté à peu près indemne, tandis que tous les édifices à bureaux titanesques avaient pris fièrement appui contre le ciel environnant. Les pierres pendaient telles des dents déchaussées dans la bouche édentée d'un octogénaire, quelqu'un qui sait que sa vie tire à sa fin. Mais alors, sur la clôture qui entourait ce sombre petit parterre d'église, les gens avaient suspendu l'avenir.

Il y avait des photographies, des messages et des cordons de couronnes de papier. Je me souviens avoir essayé de compter combien de milliers de couronnes les doigts patients avaient créées, et avoir laissé tomber après la première centaine. Il y avait des portraits dessinés à la main des personnes décédées, et des bannières envoyées de pays des quatre coins du monde. En anglais, en espagnol, en français, en chinois, en allemand, en japonais ; c'étaient des mots de compassion et de condoléances. Les langages étaient aussi divers que les visages, et peut-être même plus, car même les gens qui n'étaient pas directement touchés par ce qui s'était passé en ce lieu s'étaient sentis touchés par l'événement en soi.

Ici et là, je voyais un t-shirt favori ayant vraisemblablement appartenu à un des morts, et sur lequel des membres de sa famille, des amis et même des étrangers avaient signé leurs noms et leurs souhaits avec des marqueurs ou de l'encre à tissu. Tous ces objets étaient sans nul doute des messages. D'un certain côté, tout, dans cette modeste clôture cimetière était devenu un lieu de pèlerinage à la mémoire des morts, mais cela me semblait être bien davantage que cela. Les sentiments exprimés dans tous ces objets étaient certes doux-amers, mais ils parlaient plus de vie que de mort. C'était un haut lieu d'espoir, pas de désespoir. Un espace consacré à la croyance que nous pouvions souffrir, et nous relever.

Et dans toutes ces effusions d'émotions positives, je n'arrivais pas à sentir l'écho des morts. Et je ne dis pas que les effluves d'émotions étouffaient les voix des esprits. Ces voix n'étaient tout simplement pas là. Plus précisément, je ne pouvais pas sentir l'écho de cette terrible journée. Je connaissais le nombre exact des gens qui avaient perdu la vie. J'avais lu des comptes rendus de témoins oculaires et j'avais entendu des comptes rendus similaires d'amis qui vivaient à New York. Mais plutôt que d'errer comme une blessure béante dans le paysage psychique de la ville, c'était la sombre sainteté de cette petite église que je ressentais.

Cela n'avait absolument rien à voir avec la dénomination. Je crois que cela aurait aussi bien pu être une synagogue juive. S'il y avait eu un petit parc dans cet espace, où les païens du quartier auraient aimé se rassembler, je crois que le même phénomène se serait produit. Les gens avaient reconnu l'attrait universel d'un lieu sacré, et ils avaient érigé leur propre autel, sans le moindre rapport avec aucune religion en particulier. Comme une perle, ce coin concentré de calme dans l'agitation d'une New York meurtrie, s'était formé autour du noyau de l'idée même de foi. Et d'une certaine manière, toutes les photos, tous les oursons et les cordons de couronnes avaient purifié l'énergie de la peur et de la souffrance. Ayant laissé tomber mes défenses, je m'étais attendue à ressentir l'horreur, mais le sentiment qui m'avait submergée en cet instant, c'était l'espoir.

Ground Zero avait fini par être la seule partie de New York, durant toute la durée de ce voyage, où je n'avais senti que calme et réconfort. J'aurais pu passer le reste de la journée à baigner dans ces émotions apaisantes. Je ne crois pas que cela diminue le sens de la perte de ceux qui ont souffert et sont morts, durant cette journée fatidique. Néanmoins, cela démontre clairement, tout au moins pour moi, que nous, vivants, avons un plus grand impact sur le paysage psychique de notre monde que nous ne sommes portés à le croire. Les fantômes peuvent hanter le site d'une tragédie, et les échos de terribles événements peuvent se consumer sur le tissu même de la terre, mais nous n'affectons pas notre monde uniquement par le fait de mourir. Nous touchons le royaume des esprits, chaque fois que nous faisons et affirmons notre volonté de vivre.

Épilogue, ou comment j'ai appris à aimer les morts

Dans un voyage de découverte, chaque pas vous conduit en un endroit que vous n'aviez jamais visité auparavant. Tout au long de l'écriture de ce livre, j'ai appris à voir certaines de mes expériences sous un nouvel éclairage. La leçon la plus importante que j'en ai tirée a été de prendre confiance en moi. Ma grand-mère avait laissé sa marque sur moi, me transmettant en héritage la méfiance, le doute et la honte. Jusqu'à ce que je commence à travailler à ce livre, je n'avais pas réalisé que je travaillais encore dans son ombre, ne serait-ce qu'indirectement. Depuis 2004, j'ai publié des livres sur mes perceptions et mes expériences relatives à l'énergie psychique. La plupart de ces livres m'ont révélé beaucoup de choses sur moi-même, détaillant des croyances hautement personnelles sur les vies antérieures et la vraie nature de ma réalité. En écrivant ces livres, j'avais conclu, peut-être prématurément, que j'en avais fini avec mes problèmes de confiance en moi. Dans les livres, je révélais au monde des aspects de moi-même, en risquant d'être jugée, censurée, ou pire encore.

Mais je compartimentais encore ma vie, racontant un ensemble d'expériences à un auditoire, tout en dissimulant d'autres. Le principal sujet que j'évitais d'aborder ouvertement, à chaque fois, c'était ma perception directe des esprits. Je n'avais certes aucun problème à dire aux gens comment atteindre et communiquer avec les êtres de l'Au-delà, mais lorsqu'il était question de mes expériences personnelles, je me dérobais. J'avais tendance à éluder le sujet complètement, à m'embourber dans mille qualificatifs, ou à choisir un de ces incidents que je savais inoffensifs à relater.

Et pourtant, mes négociations avec les esprits ont fait autant partie de mes apprentissages, que n'importe lesquelles de mes expériences avec les rêves ou l'énergie psychique. Mais j'hésitais toujours. Au moment même où j'écrivais ce livre de ma main, je fouillais dans mes vieilles notes et dans mes journaux, mettant de côté des événements qui me paraissaient trop improbables. Je croyais à ces événements, parce que je les avais vécus, mais je me disais que les autres pourraient penser que c'était du délire. Je me débattais encore contre l'invective incessante : Qu'est-ce que les gens pourraient penser ?

Tandis que ce livre prenait forme, j'ai dû faire face à ce problème de confiance. Je me demandais sans cesse : Comment se fait-il que tu puisses parler de la thérapie énergétique sans ressentir de peur, tout en hésitant à révéler l'entièreté de tes expériences avec les fantômes ? Finalement, le problème se réduisait à la vérification externe.

En fait, c'était une des bonnes choses que ma grand-mère m'avait enseignées. De temps en temps, lorsque j'étais petite, je faisais un rêve qui laissait présager des événements à venir. La plupart de ces épisodes étaient tout à fait banals ; je rêvais par exemple que cette semaine-là, le projet artistique de notre école consisterait à fabriquer un totem. À quelques rares occasions, j'ai rêvé à un événement qui a par la suite fait les manchettes. Cependant, ma grand-mère refusait de m'écouter lorsque je m'exclamais : « J'ai rêvé à cela, la semaine dernière ! » Elle me disait qu'après tout, n'importe qui pouvait se prétendre médium. Que tout ce que ça prouvait, c'était mon désir de me sentir spéciale. Elle disait aussi qu'il était facile de revoir les détails d'un rêve après un événement important, et de tenter d'assimiler ces détails aux circonstances entourant l'événement. Elle m'avait donc encouragée à mettre par écrit ces rêves qui me semblaient prémonitoires. Je devais indiquer la date et tout écrire à l'encre, de sorte que je ne pourrais rien y changer après coup. Cela pourrait servir de preuve pour une vérification ultérieure, s'il advenait qu'un de ces rêves s'avère exact.

Cela m'a enseigné que les vérifications extérieures établissent une ligne de démarcation crédible entre les vraies expériences psychiques et les possibles divagations. Il est vrai que ce genre de preuves vérifiables vous évite d'avoir l'air d'une illuminée, le jour où vous décidez de raconter vos expériences à un ami. J'ai insisté sur l'importance d'une vérification objective dans chacun de mes livres précédents, vous comprenez maintenant pourquoi. À bien des égards, la capacité de vérifier une expérience d'une manière fiable et externe était devenue ma réponse à la question « Qu'est-ce que les gens vont penser ? » Si je pouvais fournir des preuves pour indiquer qu'il se passe quelque chose d'inhabituel, je n'étais toujours pas très enchantée à l'idée de parler de ces événements inhabituels.

S'agissant de thérapie énergétique, de TE, et même de rêves psychiques, les méthodes de vérification externes sont assez simples. La plupart de ces phénomènes impliquent d'autres personnes, et il suffit de demander à ces personnes si elles ont vécu ou non la même chose. Si je suis assise à côté de mon meilleur ami et que soudain, j'entends une chanson qui joue dans ma tête, je peux lui demander, pour voir, s'il pense à la même chanson. Si mon ami n'entendait pas la même que moi, c'est qu'elle était uniquement dans ma tête. S'il l'entendait, et que nous rendons compte, de surcroît, que nous chantions les mêmes paroles au même moment, on peut alors dire que l'expérience va bien au-delà de la simple imagination, dans l'univers du paranormal.

Avec les fantômes et les esprits, cependant, les choses sont légèrement différentes. Si je demande à mon ami invisible s'il vient oui ou non de chuchoter son nom dans ma tête, la seule façon, pour moi, de lui répondre, c'est en utilisant la même méthode de communication incertaine. Si vous n'avez pas, sous la main, des collègues médiums spirites, comme mes amies Sarah et Jackie, pour contre vérifier chacune de vos perceptions personnelles, il y a peu de chance que vous puissiez obtenir une vérification externe. Et voilà ce qui jette la lumière sur la complexité de mes rencontres avec des fantômes. Même lorsqu'un médium perçoit les esprits aussi nettement que le fait mon amie Sarah, tout le processus de perception est terriblement subjectif. Essentiellement, tout est dans la tête d'une seule personne. Nous voyons ces esprits avec un œil interne et nous entendons leurs voix avec une oreille interne, tout en demeurant douloureusement conscients que ce que nous voyons et entendons n'est que l'approximation qui se rapproche le plus de l'expérience réelle. Étant donné l'instabilité intrinsèque à la psyché humaine, il se peut que vous ayez vous-même du mal à y croire, sans parler du mal que vous aurez à demander à quelqu'un d'autre d'y croire.

Après avoir consigné tant de mes rencontres personnelles dans ce livre, j'ai compris que je n'ai pas vraiment le souci d'y croire. Quand il s'agit de croire, la plupart des gens se sont déjà fait une idée de toute façon, et il est aussi difficile de convaincre un croyant que les fantômes existent, que d'en persuader un sceptique. Alors, pourquoi ai-je hésité à mettre ces histoires par écrit ? Pourquoi ai-je lutté contre l'instinct de mettre des qualificatifs au début de chaque chapitre et de présenter des excuses pour les aspects extraordinaires de mes affirmations ?

J'ai toujours peur qu'on me pense folle. J'ai vécu ces expériences et j'y crois. Tant de choses me sont fréquemment arrivées, que j'ai cessé de douter que j'étais saine d'esprit. Néanmoins, je sais que certaines de ces histoires paraissent complètement délirantes, et je ne veux pas que les autres croient que je suis cinglée. C'est la faute à grand-maman : « Qu'est-ce que les autres vont penser ? »

Au moment où j'écris ce livre, ma grand-mère est toujours vivante. Quoi qu'il en soit, elle me hante davantage que toute autre personne qui a influencé ma vie. Je vois son spectre projeter une longue ombre sur tout ce que je fais. Sans doute ne pourrai-je jamais lui échapper complètement, mais je peux au moins essayer de vivre de mes mots, plutôt que de mon silence, et choisir la vérité, plutôt que la peur. Pour cette raison, je vais terminer ce livre avec une histoire que j'avais retranchée du manuscrit original. J'y aborde des concepts qui étaient un peu trop risqués, des sujets qui m'étaient un peu trop chers. Cette histoire est ma façon de dire : « Je m'en fous, si vous pensez que je suis folle. Tout cela est vrai, et le monde est beaucoup plus grand que nous ne pouvons l'imaginer. »

Il y a un groupe de personnes beaucoup plus chères à mon cœur que les membres de ma famille. Nous sommes le House Kheperu, et nous croyons avoir des souvenirs de vies antérieures communes. À l'automne 2000, nous avons tenu notre premier rassemblement officiel, en partie pour honorer ceux qui partagent des liens avec notre passé. À la fin de ce minicongrès, nous avons tenu un rituel pour contacter les membres de notre famille élargie qui se trouvaient entre deux vies. Nous savions qu'ils devaient exister, parce que les esprits ne restent pas incarnés en permanence, et nous croyions qu'ils se souvenaient de nous, parce que nous nous souvenions d'eux. Nous les avons invités à se joindre à ce que nous tentions de construire ensemble.

J'aurais dû être surprise, lorsqu'ils nous ont répondu.

Cela avait commencé assez simplement. Ce mois de novembre, après le rassemblement, il m'avait semblé que l'atmosphère de ma maison changeait. Je trouvais en quelque sorte que l'air, dans mon séjour, était plus lourd. Même lorsque la pièce était vide, j'avais l'impression qu'elle était remplie de gens. C'était un détail sans importance, vraiment, et je n'avais pas eu de mal à l'ignorer. J'avais un million d'autres choses dans la tête, à ce moment-là, et j'avais décidé de faire comme si de rien n'était. Je vaquais à mes occupations.

En décembre, le sentiment d'une présence — une présence multiple — chez moi était devenu difficile à nier. Les visiteurs eux-mêmes le remarquaient, chaque fois qu'ils venaient me voir. Les présences semblaient particulièrement consistantes dans le séjour, mais elles étaient également présentes dans d'autres coins de la maison. Il faut savoir que les réunions hebdomadaires de House Kheperu avaient lieu dans mon séjour, si bien que ces présences invisibles étaient devenues un sujet de discussion. Quelques membres soupçonnaient que les esprits, quels qu'ils soient, désiraient communiquer. J'avais ressenti la même chose, comme une démangeaison derrière la tête. Mais je ne voulais pas m'en occuper. Dans ma vie, jusqu'à ce jour, je m'occupais uniquement des esprits lorsqu'ils causaient des problèmes, à d'autres personnes ou à moi. Je n'avais pas l'habitude de m'asseoir pour bavarder gentiment avec un fantôme. Je me disais que c'était bon pour les adolescents munis d'une planchette Ouija. Voilà pourquoi je continuais de les ignorer.

C'est à ce moment-là qu'ils ont décidé de vraiment attirer mon attention.

Quelques années auparavant, j'avais trouvé des gravures de vases grecs. Elles étaient encadrées dans ces gros cadres décorés de fausses dorures. Celui que j'avais accroché dans la salle de séjour, au rez-de-chaussée, avait soudain décidé qu'il n'avait plus besoin de tenir au mur. Je l'avais vu bouger du coin de l'œil, mais on aurait dit que le tableau s'était décroché et qu'il glissait maintenant au ralenti vers le plancher. Heureusement, le plancher était recouvert d'une épaisse moquette, alors plutôt que d'entendre le fracas du verre qui se brise, au moment où je me précipitais dans la pièce, le tableau n'a fait qu'un bruit sourd en atterrissant sur le plancher. J'aurais mis cela sur le dos du chat, mais il se tenait derrière moi, l'air inquiet. Je me suis dit que le bruit lui avait fait peur. Cornelius n'a jamais été le plus téméraire des félins.

J'ai vérifié le tableau, pensant que le fil de métal s'était relâché et avait provoqué la chute. Mais lorsque je l'ai soulevé pour l'examiner, le fil était intact. J'ai donc vérifié le crochet sur le mur. Il était intact. Le sentiment de lourdeur qui flottait dans l'air du séjour semblait plus pesant que d'habitude, mais j'hésitais à attribuer la chute du tableau à une cause paranormale. Je l'ai remis à sa place sur le mur, en le tapotant quelques fois avec mes mains pour voir si le fil de métal et que le clou étaient bien solide. Rien n'a bougé.

— Si vous recommencez, ai-je menacé à l'air frémissant, il va falloir qu'on se parle.

Bien sûr, c'était exactement ce qu'ils cherchaient.

J'avais fini par me convaincre que le tableau avait sans doute cédé à rien de plus mystérieux que la gravité. Je ne l'avais pas exactement vu tomber ; j'avais seulement perçu son mouvement du coin de l'œil, et j'étais arrivée juste à temps pour voir le tableau tomber sur le tapis. Je continuais de soupçonner le chat, même s'il lui aurait fallu filer en douce devant moi en se faufilant dans un espace relativement mince, pour faire tomber le tableau, puis rester tapi derrière moi, lorsque j'ai entendu le bruit. Mais tous les chats, aussi timides soient-ils, sont secrètement des ninjas, je n'ai donc pas écarté cette éventualité. J'ai vaqué à mes occupations, ignorant consciencieusement les présences dans le séjour. Puis, quelques semaines plus tard, ils m'ont envoyé un autre message. Celui-ci était un peu plus difficile à rationaliser que le premier.

Le deuxième tableau de cette paire avait trouvé sa place sur le mur de ma salle de bains, à l'étage. Ayant allumé quelques bougies et quelques bâtons d'encens, j'essayais de me détendre dans un bon bain chaud, lorsque, à son tour, ce tableau a décidé de se décrocher du mur. De mon point de vue dans la baignoire, il était impossible de ne pas tout voir. Je regardais directement le tableau lorsqu'il a fait un léger mouvement; ensuite, il a semblé se détacher du mur d'environ trois centimètres. Le temps de quelques battements, il est resté là, suspendu dans les airs, puis, très lentement, il a glissé sur le carrelage. Le mouvement était lent et délibéré, et j'ai eu l'impression que le tableau tombait aussi lentement en partie pour ne se briser en heurtant les carreaux. De toute évidence, il était guidé par des mains invisibles et j'aurais eu du mal à nier ce qui se passait sous mes yeux. Pendant que j'observais la scène, la lourde toile a atterri sans dommage sur le carrelage. De nouveau, je sentais comme un frémissement dans l'air, et j'ai fini par capituler.

— Vous voulez vraiment me parler, ai-je observé, résignée.

Je me sens toujours un peu ridicule, lorsque je m'adresse aux esprits à haute voix, mais l'autre solution était de leur parler dans ma tête. En agissant ainsi, j'avais souvent l'impression qu'on me répondait, et pour être franche, cela me dérangeait. C'est surtout ce truc des « voix dans la tête ». C'est une chose d'enquêter sur un lieu hanté et d'avoir l'intuition des esprits qui sont présents, voire de comprendre ce qu'ils veulent. C'était facile de sentir l'énergie d'un endroit, et cela ne m'a jamais fait douter de ma santé mentale. Les esprits n'étaient qu'énergie et du moment que les impressions que j'en avais demeuraient du domaine du travail énergétique, je me sentais très à l'aise. Mais entendre des voix dans ma tête, non seulement cela frôlait les limites de la folie, mais c'était également intime au point d'être inquiétant. De bien des manières, il était plus facile de remettre ma santé mentale en question, plutôt que d'accepter que de tels contacts soient légitimes; qu'il y a des forces, quelque part, qui demeurent invisibles à nos yeux, mais qui ont quand même le pouvoir de nous toucher en des endroits que nous-mêmes sommes souvent incapables d'atteindre.

Mais après la chute au ralenti du deuxième tableau, je m'étais résignée au fait que les esprits, qui étaient indéniablement présents chez moi, allaient continuer à augmenter leur activité jusqu'à ce qu'ils aient eu la chance de dire ce qu'ils avaient à dire. La méthode la plus facile et la plus évidence de communication serait de leur parler directement. Je soupçonnais déjà qu'ils avaient chuchoté de toute urgence dans ma tête, pendant tout ce temps, mais je m'étais appliquée à les faire taire. J'ai donc fait appel à un appareil que j'avais laissé derrière moi depuis l'enfance, et dont je m'étais souvent moquée depuis : ma planchette Ouija. Un de mes plus grands problèmes avec les planches Ouija, c'est que je les trouve trop faciles à pousser, qu'on le fasse consciemment ou non. J'entretenais de sérieux doutes quant à la légitimité de toute communication avec les esprits qui se faisait par l'entremise de ce genre d'outils, et pourtant, la planchette Ouija me semblait préférable que d'admettre, à moi et aux autres, que je croyais avoir entendu des esprits directement dans ma tête. J'ai ainsi conçu une méthode d'utilisation de la planchette qui me paraissait capable d'exclure la plupart des problèmes inhérents aux planchettes Ouija.

Pour commencer, trois personnes allaient m'entourer. Elles étaient membres de House Kheperu, et je leur faisais confiance pour ne pas influencer les mouvements de la flèche. J'avais décidé que la personne qui poserait les questions ne devrait pas jouer un rôle actif dans l'usage de la planchette, uniquement au cas où il ou elle peut inconsciemment influencer les mouvements de la flèche dans les réponses. En fait, pour être bien certaine, aucune personne ayant d'attentes relatives aux réponses et d'engagement dans le contenu potentiel des messages, ne devrait toucher la planche. Une cinquième personne serait chargée d'écrire toutes les réponses de façon impartiale, inscrivant les lettres exactement telles qu'elles étaient épelées sur la planche. Finalement, pour contrer l'influence d'esprits négatifs, indésirables ou simplement malicieux, nous avons tracé un cercle autour de la planche. Un cercle est une barrière magique qu'utilisent les païens dans leurs pratiques ; ils s'en servent régulièrement pour tenir les esprits et les énergies indésirables loin d'un espace donné.

Un Chrétien peut élever une barrière semblable à l'aide de la prière, en priant pour qu'aucun esprit indésirable n'ait le droit de pénétrer l'espace consacré.

Satisfaits de cet arrangement, nous avons tenu des séances dans ma salle de séjour, pendant quelques semaines. J'ai beaucoup appris, durant ces séances, autant sur les esprits que sur moi-même. Mais ce que cette expérience m'a appris de majeur, c'est le fait que je peux entendre les voix des morts. Une des raisons pour lesquelles j'avais été si suspicieuse quant à l'utilisation de la planchette Ouija, était reliée à cette capacité. Lorsque, adolescente, j'utilisais ma planche avec mes copines, il m'arrivait souvent de soupçonner que je poussais inconsciemment la flèche, car j'avais l'habitude d'entendre dans ma tête, les réponses aux questions que nous avions posées, quelques secondes avant que la flèche ne commence à les épeler sur la planche. Même si j'avais pu penser que c'étaient peut-être les esprits eux-mêmes que j'entendais, il était plus facile de croire que tout cela était seulement dans ma tête.

M'étant moi-même exclue de l'équation sur la planche, j'entendais toujours les messages avant que la flèche ne se mette à les épeler. J'avais également l'impression que les esprits ronchonnaient, parce qu'on leur demandait de pousser la flèche. Cela leur demandait énormément d'efforts et d'énergie, et cela semblait être une pure perte quand ils pouvaient facilement parler directement dans ma tête. Mais c'était encore un contact beaucoup trop intime. À l'époque, pour mon bien, j'avais besoin de la distance que permettait la planchette Ouija. La vérification qu'a permis la planchette a été d'une grande utilité. J'ai commencé à apprendre à faire confiance à ces impressions de voix chuchotées, et à la fin de cette série de séances tenues dans mon séjour, cette année-là, je me sentais beaucoup plus à l'aise avec l'idée d'avoir des esprits qui me parlaient directement dans ma tête.

Les esprits n'avaient aucun message bouleversant pour notre monde. Ce n'étaient en définitive que des choses très simples et généralement très personnelles. J'aurais été très perplexe si des messages annonciateurs de sinistres imminents m'étaient parvenus par le biais de la planche. Mais les esprits voulaient seulement faire entendre leurs voix, et ils étaient pour ainsi dire contrariés parce que je les ignorais. Ils avaient raison d'être contrariés, puisque j'avais été la première à vouloir mener le rituel destiné à les invoquer.

Il s'est avéré que ces esprits n'étaient pas n'importe quels esprits, mais ceux de gens qui m'avaient connue, ou d'autres membres de mon groupe, au fil d'autres incarnations. Non entravés par les limites de la chair, ils n'avaient aucun mal à nous reconnaître. De ce côté de la réalité, nos perceptions étaient diminuées. De notre côté du miroir, nos perceptions étaient plus floues. Nous avons dû faire un effort, afin de nous ouvrir et être capables de communiquer efficacement. Mais dès que nous l'avons fait, nous les avons reconnus nous aussi.

Il est arrivé tout plein de choses, durant ces semaines, et si je devais tout raconter, il faudrait que j'écrive un autre livre. Le plus important, c'était que ces esprits étaient de vieux amis, des frères et sœurs, voire des amoureux qui voulaient simplement nous faire savoir qu'ils se souvenaient de nos vies côte à côte. Ils voulaient faire en sorte que l'on ne les oublie pas. Ils voulaient aussi profiter d'être présents dans nos vies, au moment de constituer notre groupe. Depuis, ils sont devenus des amis et des compagnons dans l'Au-delà, travaillant souvent avec moi dans la résolution d'une hantise, pour nettoyer les résidus ou chasser des esprits indésirables. Deux de ces esprits se tiennent habituellement à la tête de mon lit, pour me surveiller pendant que je rêve. Je ne leur ai pas demandé de me servir de gardiens. Mais ils semblent considérer ce travail comme l'un des quelques services qu'ils peuvent rendre aux vivants, de leur côté des choses.

L'expérience qui a d'abord consisté à établir le contact avec ces membres désincarnés de House Kheperu m'a transformée. Je suis encore souvent en butte au sentiment d'être un peu folle, surtout lorsque j'entends un esprit parler dans ma tête et que je décide de converser avec lui (bien que j'entende les esprits directement dans ma tête, je leur réponds encore souvent en parlant à haute voix, ce qui, j'en suis sûre, contribue à me donner l'air d'une malade mentale !). Étant donné l'influence de ma grand-maman, je ne crois pas que je réussirai un jour à me débarrasser complètement de ce sentiment embarrassant. Mais les esprits qui se sont manifestés dans ma salle de séjour, à l'aube du nouveau millénaire, ont été très clairs en me faisant savoir que, décontenancée ou non, il fallait que je reconnaisse mon don et que je m'en serve activement. Ils m'ont fait vivre suffisamment d'expériences cohérentes pour que j'apprenne à faire confiance à la justesse de mes perceptions. Mieux, ils ont démontré un côté clairement ***humain*** qui me permet de les approcher — pas comme des phénomènes lugubres, mais comme des compagnons et des amis.

Aujourd'hui, lorsque je sens ce subtil frémissement dans l'air autour de moi et ce picotement révélateur derrière ma tête, je sais le reconnaître — et je suis convaincue que, folle ou non, ce qui va se produire ensuite est bien réel.

Au sujet de l'auteure

Michelle Belanger est auteure, conférencière et chercheuse de l'occulte. Elle a participé à de nombreuses émissions à la télé et à la radio, aux États-Unis et à l'étranger. Bien qu'elle soit plus connue comme experte des vampires, Michelle aborde toutes sortes de sujets, dont la thérapie énergétique, les phénomènes paranormaux, le chamanisme, le folklore et la subculture gothique. Elle est la fondatrice de la House Kheperu, une société magique qui se fonde en partie sur le concept de mort et de renaissance. Avec les autres membres de House Kheperu, elle enseigne un style unique de thérapies et de rituels énergétiques, dans des séances privées, des ateliers et à l'occasion de congrès nationaux.

En plus de ses recherches ésotériques, Michelle est une auteure compositrice et interprète de talent. Elle a accompagné plusieurs groupes de musiciens, dont le groupe *dark metal* URN et le duo gothique Nox Arcana. Dans les années 1990, elle a été rédactrice en chef du magazine *Shadowdance*, qui se consacrait à la culture *dark & fringe*, aujourd'hui reconverti en site gratuit de baladodiffusion en ligne.

www.AdA-inc.com
info@AdA-inc.com